유도은
S+감정평가실무연습

유도은 편저

2차 | 기출문제 1권 문제편 제14판

8년 연속
★ 전체 수석 ★
합격자 배출

박문각 감정평가사

머리말

PREFACE | **GUIDE** | **CONTENTS**

우선 본 교재를 활용하는 수험생들의 최종 합격을 진심으로 기원한다.

제36회 감정평가사 자격시험까지 감정평가사 시험이 36회 동안 누적되어 오면서 이제는 기출문제만으로도 방대한 양의 감정평가 이론 및 실무를 학습할 수 있게 되었다. 한편, 감정평가실무 기출문제는 계속해서 변화하는 감정평가 이론, 제도를 확인할 수 있고 출제 당시의 상황까지 바라볼 수 있는 중요한 자료라고 할 수 있다. 부동산 시장을 포함한 시장 경제가 끊임없이 변화하듯 감정평가사 시험의 범위도 끊임없이 변화하고 있는 상황에서 기출문제는 수험생들로 하여금 학습해야 할 범위를 가늠할 수 있게 하며 앞으로의 출제경향을 예상할 수 있는 중요한 자료가 된다.

과거 36년의 감정평가사 시험을 보면 감정평가실무 문제는 크게 몇 가지 양상으로 구분할 수 있다고 저자는 생각한다. 우선 제11회 이전 문제까지는 감정평가의 기본적인 개념을 통해서 물건을 평가하는 문제가 주로 나왔다. 또한 이 시기에는 최근에 비하여 보상평가의 비중이 다소 높았었다. 하지만 보상평가의 내용도 결국 3방식을 물어보는 문제가 많았다는 특징을 가지고 있다. 제12회 이후 몇 년 동안의 시험까지는 현업에서는 자주 활용하지 않는 개념이지만 이론적으로 중요시되는 부분들이 많이 문제로 출제되었다. 많은 수험생들은 이때의 시험의 난이도가 매우 높았다고 생각하는데, 이는 평소에 잘 다루지 않는 부분이 높은 배점으로 출제되는 점이 많았기 때문이다. 최근에도 시험문제의 유형은 조금씩 변하고 있지만 실무적으로 많이 행하는 평가를 기반으로 하여 문제가 나오고 있다. 물론 이론적인 논점을 문제화하는 경우도 있었다. 또 하나의 특징은 문제 안에 작은 논점들이 많이 있어 이 부분을 효율적으로 답하는 것이 중요해지는 시기라고 할 수 있다. 또한 문제의 형태나 패턴이 매년 바뀌어 수험생들은 다양한 형태의 시험에 익숙해질 필요성이 있겠다.

매년 기출문제가 출제되면 기출문제는 수험생들의 예상을 한 차원 넘어서는 문제들이 많이 나오곤 했다. 하지만 그렇다고 해서 준비가 어려운 것은 아니다. 수험생의 입장에서는 항상 기본에 충실한 공부를 했다면 복잡하고 어려운 문제가 출제되더라도 기본기를 응용하여 문제를 풀어낼 수 있다. 이런 능력을 기본서를 포함하여 종합문제와 기출문제 등 교재를 통해 숙달하기 바란다.

첫째, 금번 제14판에서는 2025년 기출문제인 제36회 기출문제까지 수록하였다.

둘째, 현재 시행되고 있는 법령을 기준으로 해설하였다. 하지만 기출문제가 출제되던 시기의 법령과 현행 법령의 차이가 상당하여 현행 법령에 따라 문제를 풀기 어려운 경우가 종종 있다. 이 경우에는 당시의 법령으로 해설하되, 현행법령과의 차이점을 별도로 표기하였으니 참조하기 바랍니다.

셋째, 교재 앞부분에 "연도별 기출문제 분석표"를 배치하여 그동안 어떤 논점들의 문제가 어떤 비중으로 출제되었는지를 한눈에 볼 수 있게 만들었다. 기출문제를 분석함에 있어 좋은 자료가 될 것으로 생각된다.

넷째, 제23회 시험부터는 합격자 발표와 동시에 출제위원의 강평자료가 공개되고 있다. 이 자료는 수험생의 입장에서 매우 중요한 자료라고 할 수 있다. 출제위원 강평자료는 해당 회차 예시답안 뒤에 배치하였으니 활용하기 바란다. 아쉬운 점은 2020년 시험부터는 출제위원 채점평이 공개되지 않는다고 한다.

다섯째, 기출문제 제13판 교재에서 발견된 소소한 오탈자 등은 모두 수정하였으며, 풀이방법이 둘 이상으로 해석될 수 있는 경우에는 최대한 "별해"를 통해 다른 풀이방법을 제공하고자 하였다.

저자는 매번 교재개정시 독자들에게 혼동을 줄 수 있는 오탈자, 계산오류 등을 최소화하기 위해 노력하였지만 뒤늦게 오탈자를 발견하는 경우가 종종 있다. 뒤늦은 인사지만 지면을 통해 그동안 본 교재를 통해 학습하면서 서로 토의하고 오탈자 등을 지적해준 합격생 및 수험생에게 감사의 인사를 전한다.

본 교재에 수록되어 있는 답안은 "정답"이 아니라 "예시답안"에 불과하다는 점을 수험생들은 알아야 한다. 독자가 스스로 푼 답안과 논리적인 하자는 없으나 다른 답안이 나올 수 있다는 것이다. 예시답안과 관련한 궁금한 사항이 있으면 언제든지 질문을 해주길 바란다. 또한 앞으로 발생하는 수정사항에 대해서는 "감정평가사 합격카페"를 통하여 적시성 있게 제공할 것을 약속한다.

다시 한 번 강조하지만 기출문제는 수십 권의 문제집보다 훨씬 주옥같은 자료라고 할 수 있다. 많은 수험생들이 본 교재를 통해 기출문제를 명확하게 이해하고 공부 방향을 잡을 수 있기를 바라며, 미래의 감정평가사인 독자들의 무궁한 발전을 기원한다.

봉천동 서울법학원 교수연구실에서
유도은

감정평가실무 연도별 기출문제 분석표

GUIDE | PREFACE | CONTENTS

S→기본서 진도 / 회차	제1, 2강 감정평가 실무의 개관 및 기초	제3강 토지 및 건물의 감정평가 (비교, 원가방식)	제4강 토지 및 건물의 감정평가 (수익방식)	제5강 구분소유권의 감정평가	제6강 임대료 및 임대차의 평가	제7강 감정평가 유형별 평가	제8, 9강 부동산 평가와 타당성분석, 최유효이용 분석	제10강 목적별 감정평가	제11강 표준지 공시지가 등	제12, 13, 14강 토지, 지장물, 영업권 등의 보상평가
1회(1990년)		①(3방식에 의한 토지평가) ③(토지, 건물 일체평가) ④(노선가식 평가)								②(영업의 휴·폐업보상)
2회(1991년)						②(비상장주식 평가) ③(아파트 임대료 평가)			④(표준지선정 원칙)	①(토지, 건물, 기계 보상평가)
3회(1992년)	⑤(공부서류)	②(토지평가)				④(도입기계 평가)				①(토지, 건물 보상평가) ③(영업휴업 평가)
4회(1993년)		①(토지, 건물평가) ③(토지평가-조성평가법)	④(순수익 산정)	②(층별 효용비율 등)						
5회(1994년)		①(토지, 건물평가)	③(수익환원법)	②(구분부지선정 평가)						④(공장구역 보상평가)
6회(1995년)						③(도입기계 평가)	②(타당성 분석)	⑤(부동산 컨설팅)	①(택지비 평가) ④(표준지, 개별공시지가)	⑤(환매금의 결정)
7회(1996년)	④(면적)									②(도로, 영업권 보상) ③(불법형질변경 등)
8회(1997년)	③(등고선)	②(토지, 건물평가)		④(지하 사용료)			④(타당성, 요구수익률)			①(토지, 건물 보상평가)
9회(1998년)		②(경비분석) ③(자본회수)						⑤(자산재평가)		①(토지, 건물 보상평가)
10회(1999년)	③(감가수정)						①(분양/임대양) ②(NPV, IRR) ⑤(Reits)			④(환매권)
11회(2000년)		③(토지평가)		②(지하 사용료)	④(임대료 평가)					①(농업손실보상) ⑤(영업보상 자료)

회차								
12회(2001년)								5(물건 불일치)
13회(2002년)	1(토지, 건물평가)			4(입단지)	1(타당성 보수)	6(도시정비-국공유지)		
14회(2003년)	1(토지, 건물평가)		5(아파트 가격형성요인)	2(광산, 광업권 평가) 5(GB토지)		3(담보 경매) 6(경매)	4(투자수익률)	2(토지, 지장물, 영업권 보상) 3(어업보상) 7(보상선례 참작)
15회(2004년)	1(토지, 건물평가)			4(영업권 평가)				2(토지, 지장물 보상) 3(개발이익 배제)
16회(2005년)	2(토지, 건물평가)				2(평균균본산 및 획률보석)			3(무허가건축물 가설건축물 등) 4(토지, 지장물, 영업권 보상)
17회(2006년)	5(개념)				1(최유효분석)	3(담보 경매, 채권 등)		4(농업손실보상)
18회(2007년)			3(적산법)	4(도입기계)	1(매입에 따른 현금흐름분석)	2(도시정비-관리처분) 6(재시외)		5(토지, 건물 및 수목)
19회(2008년)	1(토지, 건물평가) 2(토지평가, 기계대원론)			4(비상장주식)				3(토지, 지장물 보상)
20회(2009년)	2(토지평가, 기계대원론) 1(토지평가, 이행지) 3(토지)			3(임목평가)	2(토지타당성)	4(리스자산)	5(개발이의)	1(토지, 지장물, 영업권 보상) 4-3(하천보상)
21회(2010년)	1(토지평가, 기계대원론) 4(다가구 수익가치)					4-2(공장가치)	4-1(표준주택)	2(건부지, 영업보상)
22회(2011년)	1(토지, 건물평가)		4(위치별 효용비)	3(일조권)	5(통계분석)	3(도시정비-관리처분) 5(건설비, 담보) 4(도시정비-무상수도)		
23회(2012년)	1(수익방식, 타당성)			3(개발부담금) 4-2(EBITDA)	1-2(타당성 분석) 2(매각방안, 도시정비)	2(상가분석)		4-1(개발이익배제)
24회(2013년)	4(토지, 건물평가) 1-1(골프장평가)							3(이물웅지)

감정평가실무 연도별 기출문제 분석표

회차(연도)	문제1	문제2	문제3	문제4
25회(2014년)			③ (토지, 건물평가)	② (환매권, 손해배상)
26회(2015년)	① 구분소유권 평가 (3방식병용)			② 구분지상권 보상평가 (공중선로) ③ 토지보상, 동일손실보상성 ④ 경매평가 (제시외건물)
27회(2016년)	① 토지, 건물의 3방식 병용 및 현금흐름분석	② 임대권, 임차권 및 수익률 분석 ③ 기계기구(전용 및 해체처분) 감정평가		④ 영업손실보상 감정평가
28회(2017년)		④ 아파트의 감정평가	③ 적산법에 따른 토지임대료 ② 오염부동산의 감정평가	① 미지급용지, 사실상 사도, 예정공도의 보상감정평가
29회(2018년)		④ 조소득승수법	② 임대료 감정평가 ③ 기계기구(예선박) 감정평가	① 지하공간 사용에 따른 보상감정평가
30회(2019년)	④ 사정보정치 산정 등		① 특허권 및 영업권 감정평가	③ 개발계획의 타당성검토 ② 도시계획시설(공원)보상
31회(2020년)		② 환원율과 환원율의 결정 및 분석	① 집합건물 3방식 및 영업권평가	③ 시설성사토 및 예정공도의 감정평가(배산건) ④ 시설용 예정공도의 감정평가
32회(2021년)	① 토지, 건물의 3방식 병용		② 적산법의 기대이율	③ 토지의 보상평가(개간비) ④ 지장물(보수비) 보상평가
33회(2022년)	② 사정보정, 배분법 등		④ 권리금 감정평가 ③ 장기임차권 감정평가	① 토지, 지장물 등 보상평가
34회(2023년)	① 토지, 건물의 3방식(최유효이용 분석 포함)		① 개발가능시기 분석	② 소규모주택 정비사업 감정평가 ④ 잔여지 보상평가
35회(2024년)	② 최유효이용 미달 부동산의 감정평가		④ 영업권평가 (초과수익)	③ 환지방식에 따른 면적분석 ① 토지, 지장물의 보상평가
36회(2025년)	① 건축중단 부동산 평가 및 타당성 검토		② 기업가치 및 영업권 ④ 문토기자견	③ 환매권

※ 이탤릭체로 된 문제는 약술문제였음.

차례

CONTENTS | **PREFACE** | **GUIDE**

PART 01 기출문제 문제편

2001년	감정평가사 제12회	10
2002년	감정평가사 제13회	23
2003년	감정평가사 제14회	36
2004년	감정평가사 제15회	48
2005년	감정평가사 제16회	63
2006년	감정평가사 제17회	82
2007년	감정평가사 제18회	98
2008년	감정평가사 제19회	121
2009년	감정평가사 제20회	139
2010년	감정평가사 제21회	153
2011년	감정평가사 제22회	164
2012년	감정평가사 제23회	180
2013년	감정평가사 제24회	194
2014년	감정평가사 제25회	209
2015년	감정평가사 제26회	218
2016년	감정평가사 제27회	234

차례
CONTENTS | **PREFACE** | **GUIDE**

2017년	감정평가사 제28회	245
2018년	감정평가사 제29회	260
2019년	감정평가사 제30회	274
2020년	감정평가사 제31회	287
2021년	감정평가사 제32회	306
2022년	감정평가사 제33회	326
2023년	감정평가사 제34회	344
2024년	감정평가사 제35회	363
2025년	감정평가사 제36회	375

PART 01

문제편

- **2001년** 감정평가사 제12회
- **2002년** 감정평가사 제13회
- **2003년** 감정평가사 제14회
- **2004년** 감정평가사 제15회
- **2005년** 감정평가사 제16회
- **2006년** 감정평가사 제17회
- **2007년** 감정평가사 제18회
- **2008년** 감정평가사 제19회
- **2009년** 감정평가사 제20회
- **2010년** 감정평가사 제21회
- **2011년** 감정평가사 제22회
- **2012년** 감정평가사 제23회
- **2013년** 감정평가사 제24회
- **2014년** 감정평가사 제25회
- **2015년** 감정평가사 제26회
- **2016년** 감정평가사 제27회
- **2017년** 감정평가사 제28회
- **2018년** 감정평가사 제29회
- **2019년** 감정평가사 제30회
- **2020년** 감정평가사 제31회
- **2021년** 감정평가사 제32회
- **2022년** 감정평가사 제33회
- **2023년** 감정평가사 제34회
- **2024년** 감정평가사 제35회
- **2025년** 감정평가사 제36회

2001년 감정평가사 제12회

※ **공통유의사항**
각 문제는 해답 산정시까지의 산식과 도출과정을 반드시 기재할 것

Question 01 "갑"은 A빌딩을 매입하고자 한다. 다음 물음에 답하시오. 40점

(1) A빌딩의 2001년 8월 26일을 가격시점으로 하는 감정평가액을 구하시오.
(2) (1)에서 구한 감정평가액으로 "갑"이 A빌딩을 매입하여 5년간 임대한 후 매각하고자 하는 경우의 투자타당성을 검토하시오.

(자료 1) A빌딩의 개요

1. 토지상황
   1) 지목 : 대
   2) 면적 : 1,000㎡
   3) 용도지역 : 일반주거지역
   4) 접면도로 : 소로한면

2. 건물상황
   1) 용도 : 업무시설 및 근린생활시설
   2) 구조 : 철근콘크리트조 슬래브지붕 5층
   3) 연면적 : 3,000㎡
   4) 신축일자 : 1995.9.26

(자료 2) 비교표준지의 현황

지목	면적(㎡)	이용상황	용도지역	접면도로	공시지가(㎡)	공시기준일
대	879	상업용	일반주거	중로한면	1,050,000	2001.1.1

(자료 3) 토지에 대한 사례자료

아래의 사례는 인근지역에 소재하고 있으며 적정한 것으로 판단됨.

구분	사례의 종류	사례 시점	면적 (m²)	용도 지역	이용 상황	접면 도로	사례금액 (원)	비고
사례 (1)	매매	2001. 4.1	800	일반 주거	상업용	폭 12m	3,300,000,000	건물 B가 소재함.
사례 (2)	경매 평가	2001. 1.10	1,000	일반 주거	상업용	폭 10m	3,100,000,000	건물 C가 소재함. 2001.7.1 평가금액의 90%에 낙찰됨.
사례 (3)	보상	2001. 5.1	100	일반 주거	도로	폭 8m의 도로 내에 소재함.	45,000,000	미불용지에 대한 보상임. 종전 공공사업(2001.1.5 준공)에 편입될 당시의 이용상황은 "전"이고 맹지상태이었음.

(자료 4) 건물에 대한 자료

건물명	구조	연면적 (m²)	개별요인 (신축단가기준)	신축일자	신축단가 (원/m²)	비고
A	철근콘크리트 슬래브지붕 5층	3,000	104	1995.9.26	-	3%의 기능적 감가요인이 있음.
B	철근콘크리트 슬래브지붕 4층	3,000	98	2001.2.1	800,000	최근 신축한 건물로서 최유효이용 상태임.
C	철근콘크리트 슬래브지붕 5층	3,500	95	1996.6.29	-	5%의 기능적 감가와 5%의 경제적 감가요인이 있음.

(자료 5) 토지특성에 따른 격차율

1. 이용상황

구분	상업업무	주거용	전
상업업무	1.00	0.90	0.66
주거용	1.11	1.00	0.73
전	1.52	1.37	1.00

2. 접면도로

구분	중로한면	소로한면	세로한면	맹지
중로한면	1.00	0.89	0.77	0.62
소로한면	1.13	1.00	0.87	0.70
세로한면	1.29	1.15	1.00	0.80
맹지	1.62	1.43	1.25	1.00

(자료 6) A빌딩의 현행 임대료 등의 내역

층별	임대면적 (㎡)	전용면적 (㎡)	보증금 (㎡당)	월지불임대료 (㎡당)	월관리비 (㎡당)	비고
1층	400	250	100,000	10,000	6,000	
2층	600	300	70,000	7,000	6,000	
3층	600	300	50,000	5,000	6,000	280㎡는 현재 공실상태임.
4층	600	300	50,000	5,000	6,000	
5층	600	300	50,000	5,000	6,000	
합계	2,800	1,450				

(자료 7) 인근 빌딩의 임대료수준 등

1. 인근 빌딩의 적정한 보증금과 월지불임대료 수준은 A빌딩의 1.1배의 수준이고 최근의 임대료 변동추이가 향후에도 계속될 것으로 예측됨.
2. A빌딩의 월관리비는 인근 빌딩의 수준과 유사하고, 현행 수준이 향후 5년간 유지될 것을 전제로 함.
3. 인근 빌딩의 적정공실률(대손 포함)은 5%로 조사되고 있으며, 이는 향후에도 지속될 것을 전제로 분석함.
4. 제반 영업경비는 월관리비의 83% 수준임.
5. 철근콘크리트조 슬래브지붕 사무실에 적용하는 내용연수는 50년으로 함.
6. 영업소득세율 : 과세표준의 20%

(자료 8) 지가변동률 및 임대료지수

1. 지가변동률(단위 : %)

구분	주거지역	상업용	전
2001년 1/4분기	2.74	3.09	2.38
2001년 2/4분기	1.52	1.06	1.44

2. 임대료지수

월별	임대료지수	월별	임대료지수
2000.12.	100.00	2001.4.	101.80
2001.1.	100.80	2001.5.	101.50
2001.2.	101.20	2001.6.	101.80
2001.3.	101.70	2001.7.	102.00

(자료 9) 보증금 운용이율 등

1. 보증금 운용이율 : 연 10%
2. 환원이율(Capitalization rate) : 연 8%
3. 요구수익률 : 연 10%
4. 저당대출이자율 : 연 8%
5. 보증금을 월세로 전환할 경우에 적용하는 이율은 통상적으로 연 15%인 것으로 조사되었음.

(자료 10) 복리현가율표

n \ r	8%	9%	10%	11%	12%	13%	14%
1	0.926	0.917	0.909	0.901	0.893	0.885	0.877
2	0.857	0.842	0.826	0.812	0.797	0.783	0.769
3	0.794	0.772	0.751	0.731	0.712	0.693	0.675
4	0.735	0.708	0.683	0.659	0.636	0.613	0.592
5	0.681	0.650	0.621	0.593	0.567	0.543	0.519

(자료 11) 기타

1. "갑"은 A빌딩의 현행 임대보증금을 그대로 인수하고, 매입 후 즉시 인근 빌딩의 임대료수준으로 재계약할 예정임.
2. "갑"은 A빌딩의 매수시 12억원을 저당대출금으로 충당하고 저당대출 원금은 빌딩 매각시 일시에 상환할 예정임.
3. 2001년 8월 26일 현재의 가격을 소득접근법으로 구하는 경우에는 1차연도의 조소득을 기준으로 하여 환원대상 소득을 직접환원법(direct capitalization method)으로 환원함.
4. 5년 후의 매각가격을 구하는 경우에는 환원대상 소득을 직접환원법(direct capitalization method)으로 환원함.
5. 매입시점으로부터 5년 후 매각시 매각비용은 매각금액의 5%로 함.
6. 지가변동률은 백분율로서 소수점 이하 셋째 자리에서 반올림함.
7. 각 단계의 가격산정시 천원 미만은 반올림하고, 최종 감정평가액은 유효숫자 세 자리까지로 함.

감정평가사 A는 2001.8.20자로 중앙토지수용위원회로부터 평가의뢰를 받고 사전조사 및 실지조사를 통하여 (자료 1) 내지 (자료 8)을 수집하였다. 이 자료를 활용하여 다음 물음에 답하시오. 25점

(1) 가격시점을 정하고 그 이유를 설명하시오.
(2) 대상토지의 평가를 위한 적정한 비교표준지 하나를 선정하고 그 이유를 설명하시오.
(3) 선정된 비교표준지의 연도별 공시지가 중 적정한 것 하나를 선택하고 그 이유를 설명하시오.
(4) 대상토지의 평가를 위한 시점수정률을 구하시오. (백분율로 소수점 셋째 자리에서 반올림)
(5) 선정된 비교표준지와 대상토지의 지역요인 및 개별요인을 비교하고 격차율을 구하시오. (백분율로 소수점 둘째 자리에서 반올림)
(6) (자료 3)을 참고하여 대상토지의 평가를 위한 기타사항(기타요인)의 보정률을 구하고 그 이유를 설명하시오. (백분율로 소수점 둘째 자리에서 반올림)
(7) 대상토지의 적정보상평가액을 도출하시오. (단위면적당 가격은 "10원" 단위에서 반올림)
(8) 물건조서상의 무허가건물이 보상대상으로 된 이유를 설명하고 (자료 6)을 참고하여 그 적정보상평가액을 구하시오.
(9) (자료 7)을 참고하여 관상수의 적정보상평가액을 구하시오.
(10) (자료 8)을 참고하여 소유자가 운영하는 영업이 현행 보상관계법령에서 영업으로 보는지 여부를 검토하고 적정한 보상평가액을 구하시오.

(자료 1) 감정평가의뢰서 내용

1. 사업명 : △△ 택지개발사업
2. 사업시행자 : ○○공사 사장
3. 수용재결일자 : 2001.7.1
4. 평가목적 : 이의재결
5. 평가조건 : 토지수용법 제46조 및 제57조의2 등 보상관계법령의 규정, 판례 기타 평가의 일반이론, 절차 및 방법 등을 준수하여 평가함.
6. 택지개발예정지구 지정고시일 : 1999.5.25
7. 택지개발계획 승인고시일 : 2000.7.10
8. 택지개발사업실시계획 승인고시일 : 2001.3.20

9. 토지조서

소재시	지번	지목	면적(m²) 공부	면적(m²) 편입	비고
S시 P구 K동	105	전	1,200	1,200	

10. 물건조서

기호	소재지	지번	물건의 종류	구조·규격	수량	비고
1	S시 P구 K동	105	주택 및 점포	벽돌조슬레이트지붕	150m²	무허가건물
2	〃	105	향나무	H : 3.0m W : 1.2m	50주	
3	〃	105	단풍나무	H: 2.0m R : 5cm	30주	

(자료 2) 표준지의 공시지가

일련번호	소재지	면적(m²)	지목	이용상황	용도지역	도로교통	형상지세	공시지가(원/m²) 1999.1.1	2000.1.1	2001.1.1
121	S시 P구 K동 115	1,105	전	전	자연녹지	세로(가)	부정형평지	120,000	130,000	145,000
122	S시 P구 K동 150	330	대	주거나지	자연녹지	세로(가)	부정형평지	210,000	230,000	250,000
123	S시 P구 K동 200	250	대	주상용	일반주거	소로한면	세장형평지	330,000	350,000	370,000

* (주) 위 표준지들은 모두 평가대상토지의 인근지역에 소재하며, 해당 택지개발사업지구 안에 위치하고 있다. 택지개발사업지구 밖 인근지역에는 비교가능한 적정한 표준지가 없는 것으로 조사되었다.

(자료 3) 토지에 대한 조사·확인사항

현지조사일(2001.8.26) 현재 감정평가사 A가 토지에 대하여 조사·확인한 사항은 다음과 같다.

1. **이용상황** : 토지소유자가 1997.5월경 도시계획법 제46조의 규정에 의한 토지형질변경 및 농지법 제36조의 규정에 의한 농지전용허가 등을 받지 아니한 상태에서 성토를 한 후 무허가건물을 건립하여 일부는 주택 및 간이음식점 부지로 이용하고 있고 나머지는 나지상태로 있다.

2. **도시계획사항** : S시 도시계획구역에 속하며, 당초 자연녹지지역에 속하였으나 2001.3.20자로 해당 택지개발사업실시계획승인이 고시됨에 따라 일반주거지역으로 용도지역이 변경되었다.

3. **기타사항** : 표준지조사사항 및 가격평가의견서 등을 검토하고 실지조사한 결과에 의하면 (자료 2)의 표준지들의 1999.1.1자 및 2000.1.1자 공시지가에는 해당 공공사업의 시행으로 인한 개발이익이 현실화·구체화되지 아니하여 개발이익의 반영은 없었고 오히려 택지개발예정지구로 지정됨에 따른 행위제한 등으로 공법상 제한이 10% 반영된 것으로 조사되었으며, 2001.1.1자 공시지가에는 해당 공공사업으로 인한 개발이익이 5% 반영된 것으로 조사되었다.

(자료 4) 시점수정자료

1. 지가변동률(국토교통부 조사·공표 "지가동향" 기준)

기간별 \ 구분	행정구역별	지가변동률(%)				
		주거	녹지	전	대	
					주거용	상업용
1999년도 (1999.1.1~12.31)	S시	2.66	7.44	9.92	2.85	1.58
	S시 P구	4.56	10.20	13.06	5.27	2.49
2000년도 (2000.1.1~12.31)	S시	0.97	3.43	4.19	0.99	0.89
	S시 P구	2.28	4.83	8.25	2.44	2.02
2001년도 1/4분기 (2001.1.1~3.31)	S시	0.68	0.58	0.77	0.07	−0.04
	S시 P구	0.00	0.73	1.32	0.06	−0.05
2001년도 2/4분기 (2001.4.1~6.30)	S시	0.12	0.80	0.71	0.20	0.22
	S시 P구	0.11	1.37	1.26	0.35	0.48

* (주) 2001. 3/4분기(2001.7.1~9.30) 지가변동률은 조사·발표되지 아니하였으며, S시는 광역자치단체가 아니다.

2. 도매물가상승률(한국은행 조사 "생산자물가지수" 기준)

1998년 12월 지수	1999년 1월 지수	1999년 12월 지수	2000년 1월 지수
118.5	117.2	119.6	119.5

2000년 12월 지수	2001년 1월 지수	2001년 6월 지수	2001년 7월 지수
121.6	122.2	123.1	123.2

(자료 5) 개별요인 비교자료

현지조사결과 등에 의하여 (자료 2)의 표준지들과 평가대상토지의 개별요인을 비교하여 보면 다음과 같다.

1. 일련번호 121 표준지에 비하여 평가대상토지는 다른 조건은 유사하나, 가로조건에서 2% 우세, 접근조건에서 2% 열세, 획지조건에서 5% 우세로 조사되었다. (대상토지를 자연녹지지역 내 "전"으로 본 경우이다)
2. 일련번호 122 표준지에 비하여 평가대상토지는 다른 조건은 유사하나, 접근조건에서 5% 열세, 환경조건에서 3% 열세, 획지조건에서 7% 열세, 행정적 조건에서 15% 열세로 조사되었다. (대상토지를 자연녹지지역 내 "대"로 본 경우이다)
3. 일련번호 123 표준지에 비하여 평가대상토지는 다른 조건은 유사하나, 가로조건 5% 열세, 접근조건 5% 열세, 환경조건 2% 열세, 획지조건 15% 열세, 행정적 조건 20% 열세로 조사되었다. (대상토지를 일반주거지역 내 "대"로 본 경우이다)

(자료 6) 건물에 대한 조사사항

1. 건물은 택지개발예정지구 지정 이전에 토지소유자가 건축한 무허가건물(1997.6.30)로서 그 재조달원가는 400,000원/㎡, 경제적 내용연수는 20년, 잔존가치는 없는 것으로 조사되었다.

2. 건물은 이전 가능한 것으로 판단되며, 이전에 소요되는 통상비용(이전비)은 다음과 같이 조사되었다.
   - 해체비 : 6,000,000원
   - 운반비 : 2,000,000원
   - 정지비 : 1,500,000원
   - 재건축비 : 33,000,000원
   - 보충자재비 : 4,000,000원
   - 부대비용 : 5,000,000원
   * (주) 재건축비에는 건축관계법령 개정으로 인한 건축설비 추가설치비용(관련부대비용 포함) 10,000,000원이 포함되어 있는 것으로 조사되었다.

(자료 7) 관상수에 대한 조사사항

관상수는 이식이 가능한 것으로 조사되었으며, 이식에 소요되는 비용은 다음과 같다.

(단위 : 원/주)

수종	규격	굴취비	운반비	상하차비	식재비	재료비	부대비용	수목가격	비고
향나무	H:3.0m W:1.2m	9,000	2,000	1,000	25,000	2,000	8,000	50,000	
단풍나무	H:2.0m R:5cm	6,000	1,000	500	15,000	1,500	6,000	45,000	

* (주) 이식에 따른 고손율은 10%를 적용하는 것이 적정한 것으로 조사되었다.

(자료 8) 기타 조사사항 등

무허가건물 일부에는 그 건물소유자가 소규모 식당을 운영하고 있으며, 현지조사시에 영업장소 이전에 따른 휴업 등에 대한 손실보상을 요구하고 있다. 조사된 영업상황은 다음과 같다.

1. 영업의 종류 : 식품위생법상 일반음식점
2. 영업개시일 : 1998년 1월
3. 영업행위 관련 허가 또는 신고 이행 여부 : 소득세법 제168조의 규정에 의한 사업자 등록은 되어 있으며, 다른 허가 또는 신고는 없었던 것으로 조사되었다.
4. 최근 3년간 연간 평균소득 : 33,000,000원
    * (주) 최근 3년간 연간 평균소득에는 영업을 하고 있는 소유자 부부의 연간 자가노력비상당액 12,000,000원이 포함되어 있다.
5. 이전시 적정휴업기간 : 3월
6. 휴업기간 중 고정적 비용 계속 지출예상액(화재보험료 등) : 2,000,000원
7. 영업시설 및 재고자산 등의 이전비 : 3,600,000원
8. 재고자산의 이전에 따른 감손상당액 : 700,000원

대한민국 정부와 중국 정부 간에 한·중 어업협정이 체결됨에 따라 조업어장에서 어업활동에 제한을 받는 어업인의 폐업어선 등에 대한 지원사업으로 A호 어선에 대한 폐업지원금 산출평가를 의뢰받은 감정평가사 L씨는 지원금 산출에 필요한 (자료 1) 내지 (자료 7)을 수집하였다. 이 자료를 활용하여 다음의 물음에 답하시오. (가격시점 2001. 8.1) 10점

(1) 어선어업(허가어업)의 취소시 ① 보상평가기준, ② 어선의 평가방법, ③ 어선 평가를 위한 기초자료에 대하여 기술하시오.

(2) 아래의 조사된 자료를 이용하여 A호 어선에 대한 폐업지원금(손실보상금)을 산출하시오.

(자료 1) 선박의 개요

어선번호	1	어선명칭	A호
어선종류	동력선	선체재질	강
총톤수	79톤	주요치수(M)	길이 : 24.51 너비 : 6.70 깊이 : 2.65
무선설비	SSB 1기	어업종류	근해통발어업
추진기관	디젤기관 1대 (600마력)	형식	제작자	제작연월일
		CAT3412DIT	○○○	1997년 6월
최대승선인원	어선원 : 12명 　 기타의 자 : 0명 　 계 : 12명			
선적항	○○시	조선지	○○시
조선자	××조선(주)	진수연월일	1997년 7월

(자료 2) 재조달원가 등

1. ○○시에 소재하는 조선소에 어선의 재조달원가를 조사한 결과 강선은 4,500,000원/ton 수준이었음.
2. 선박의 주기관의 가격조사를 한 결과 평가대상 선박인 1,800rpm의 고속기관은 마력당 200,000원으로 조사되었음.
3. 의장품은 선박 건조시 신품으로 장착하였고 재조달원가는 250,000,000원으로 조사되었음.
4. 어구는 2000년 6월에 구입하였으며, 재조달원가는 100,000,000원으로 조사되었음.

(자료 3) 내용연수 및 잔존가치율

구분	내용연수(년)	잔존가치율(%)
선체(강선)	25	20
기관	20	10
의장	15	10
어구	3	10

(자료 4) 연도별 어획량(단위 : kg)

1995년	1996년	1997년	1998년	1999년	2000년	2001년
114,000	112,000	112,000	114,000	110,000	112,000	79,000

(자료 5) 월별 판매단가

1. 2000년

월	1	2	3	4	5	6	7	8	9	10	11	12
단가 (원/kg)	5,000	5,000	5,100	5,200	5,200	5,200	5,300	5,300	5,300	5,200	5,200	5,100

2. 2001년

월	1	2	3	4	5	6	7	8	9	10	11	12
단가 (원/kg)	5,300	5,400	5,400	5,400	5,400	5,300	5,300	5,300	–	–	–	–

(자료 6) 정률표

구분 경과연수 \ 내용연수	잔존가치율(10%)			잔존가치율(20%)
	3	15	20	25
1	2/0.464	14/0.858	19/0.891	24/0.938
2	1/0.215	13/0.736	18/0.794	23/0.879
3	0.100	12/0.631	17/0.708	22/0.824
4		11/0.541	16/0.631	21/0.773
5		10/0.464	15/0.562	20/0.725
6		9/0.398	14/0.501	19/0.680
7		8/0.341	13/0.447	18/0.637
8		7/0.293	12/0.398	17/0.598
9		6/0.251	11/0.355	16/0.560
10		5/0.215	10/0.316	15/0.525
11		4/0.185	9/0.282	14/0.493
12		3/0.158	8/0.251	13/0.462
13		2/0.136	7/0.224	12/0.433
14		1/0.117	6/0.200	11/0.406
15		0.100	5/0.178	10/0.381
16			4/0.158	9/0.357
17			3/0.141	8/0.335
18			2/0.126	7/0.314
19			1/0.112	6/0.294

20				0.100	5/0.276
21					4/0.259
22					3/0.243
23					2/0.228
24					1/0.213
25					0.200

(자료 7) 기타

1. A호에 적용할 어업경비율은 85%로 조사되었음.
2. 보상의 원인이 되는 "처분일"은 가격시점과 동일함.
3. 선체·기관의 단가, 평균 연간어획량, 평년수익액의 산정시 1,000단위 미만은 버림.

Question 04

표준지공시지가를 조사평가함에 있어서 일단지의 개념과 판단기준 및 평가방법 등을 설명하시오. 10점

Question 05

토지·건물의 담보평가에 있어 대상물건을 현장조사한 결과 물적인 불일치가 있는 경우 그 처리방법을 제시하시오. 10점

Question 06

국가 또는 지방자치단체가 재개발구역 안의 국·공유토지를 사업시행자인 재개발조합에게 사업시행인가일로 2년 이내에 매각하는 경우의 평가방법에 대하여 약술하시오. 5점

PART 01 2002년 감정평가사 제13회

※ **공통유의사항**
각 문제는 해답 산정시까지의 산식과 도출과정을 반드시 기재할 것

 감정평가사 P는 토지와 건물로 구성된 복합부동산에 대한 감정평가의뢰를 받고 사전조사 및 현장조사를 한 후 (자료 1)~(자료 11)을 수집하였다. 주어진 자료를 활용하여 순서에 따라 다음 물음에 답하시오. 30점

(1) 현장조사시 확인자료에 대하여 설명하시오.
(2) 공시지가를 기준으로 감정평가할 경우 비교표준지의 선정원칙을 설명하고 대상토지의 가격결정에 있어 비교표준지의 선정이유를 설명하시오.
(3) 감정평가가격을 다음 순서에 따라 구하시오.
   가. 토지가격의 산정
      ① 공시지가를 기준한 가격
      ② 거래사례비교법에 의한 비준가격
      ③ 수익환원법에 의한 수익가격
      ④ 토지가격의 결정 및 그 이유
   나. 건물가격의 산정
   다. 대상 부동산의 토지와 건물가격

(자료 1) 감정평가 의뢰내용

1. 공부내용
   1) 토지 : S시 S구 B동 100번지, 대, 2,000㎡
   2) 건물 : 철근콘크리트조 슬래브지붕 10층, 점포 및 사무실, 건물연면적 11,200㎡
   3) 소유자 : N
2. 구하는 가격의 종류 : 정상가격
3. 감정평가목적 : 일반거래(매매)
4. 가격시점 : 2002.8.25
5. 감정평가의뢰인 : N(소유자)
6. 접수일자 : 2002.8.22
7. 작성일자 : 2002.8.26

(자료 2) 대상 부동산에 대한 자료

1. 본건의 용도지역은 일반주거지역이고 기타 공법상 제한사항은 없음.
2. 현장조사결과 토지와 건물 모두 공부와 현황이 일치함.
3. 지목, 이용상황, 도로교통, 형상 및 지세 : 대, 상업용, 중로한면, 가장형, 평지
4. 대상물건은 최유효이용상태로 판단됨.
5. 건물은 5년 전 준공되었으며 총공사비가 6,840,000,000원이 투입되었으나, 공사 중에 설계변경이 있어 정상적인 공사비보다 다소 과다한 것으로 조사됨.

(자료 3) 인근의 공시지가 표준지 현황(공시기준일 : 2002.1.1)

일련번호	소재지	면적(m²)	지목	이용상황	용도지역	도로교통	형상 및 지세	공시지가(원/m²)
1	S구 B동 101	2,000	대	상업용	일반상업	중로한면	정방형 평지	3,500,000
2	S구 B동 105	2,200	대	상업용	일반주거	중로한면	가장형 평지	3,000,000
3	S구 B동 110	1,800	대	단독주택	일반주거	소로한면	가장형 완경사	2,000,000

(자료 4) 거래사례

1. 물건내용
    1) 토지 : S시 S구 B동 113번지, 대, 1,980m²
    2) 건물 : 철근콘크리트조 슬래브지붕 7층, 사무실, 건축연면적 8,100m²
    3) 지목, 이용상황, 도로교통, 형상 및 지세 : 대, 상업용, 중로한면, 정방형, 평지
2. 거래가격 : 11,205,000,000원
3. 거래일자 : 2002.4.1

(자료 5) 임대사례

1. 물건내용
    1) 토지 : S시 S구 B동 124번지, 대, 2,100m²
    2) 건물 : 철근콘크리트조 슬래브지붕 8층, 점포 및 사무실, 건축연면적 9,200m²
    3) 지목, 이용상황, 도로교통, 형상 및 지세 : 대, 상업용, 소로한면, 정방형, 완경사

2. 최근 1년간 수지상황

필요제경비(연간)		임대수입(연간 및 월간)	
감가상각비	218,459,520원		
유지관리비	50,000,000원		
제세공과금	80,000,000원	보증금 운용익(연간)	100,000,000원
손해보험료	20,000,000원	월임대료 수입	85,000,000원
대손준비금	20,000,000원	주차장 수입(월간)	15,000,000원
장기차입금이자	50,000,000원		
소득세	100,000,000원		

* (주) 본건 사례물건은 100% 임대 중이고 손해보험료는 전액 소멸성임.

(자료 6) 건설사례

1. 수집된 건설사례는 표준적인 자료로 인정됨.
2. 기타사항은 (자료 8)을 참고하시오.

(자료 7) 지가변동률 및 건축비지수

1. 지가변동률(S시 S구)

   1) 용도지역별(단위 : %)

구분	주거지역	상업지역	공업지역	녹지지역	준농림지역
2002년 1/4분기	2.54	1.24	4.24	3.20	1.20
2002년 2/4분기	3.00	2.36	1.24	2.40	3.26

   2) 지목별(단위 : %)

구분	전	답	대		임야	공장용지	기타
			주거용	상업용			
2002년 1/4분기	3.12	2.98	3.02	1.26	2.46	3.96	2.24
2002년 2/4분기	2.34	2.46	3.12	2.46	3.12	2.12	2.21

2. 건축비지수

연월일	1997.4.25	1997.8.24	2000.4.25	2002.4.1	2002.8.25
건축비지수	100	105	120	125	130

(자료 8) 대상 및 사례건물 개요

항목 \ 건물	대상건물	거래사례	임대사례	건설사례
준공연월일	1997.8.24	2000.4.25	1997.4.25	2002.8.25
건축연면적	11,200㎡	8,100㎡	9,200㎡	9,300㎡
부지면적	2,000㎡	1,980㎡	2,100㎡	2,050㎡
시공정도	보통	보통	보통	보통
가격시점 현재 잔존내용연수 주체부분 부대설비	45 10	48 13	45 10	50 15
도시계획사항	일반주거지역	일반주거지역	일반주거지역	일반주거지역
건물과 부지와의 관계	최유효이용	최유효이용	최유효이용	최유효이용
가격시점 현재 신축단가의 개별요인비교치	98	100	97	100

* 주체부분과 부대설비부분의 가액비율은 75 : 25임, 감가수정은 정액법에 의함, 건설사례의 재조달원가는 720,000원/㎡임.

(자료 9) 토지에 대한 지역요인 평점

구분	대상물건	거래사례	임대사례
평점	100	102	85

(자료 10) 토지특성에 따른 격차율

1. 도로접면

구분	중로한면	소로한면	세로가
중로한면	1.00	0.83	0.69
소로한면	1.20	1.00	0.83
세로가	1.44	1.20	1.00

2. 형상

구분	가장형	정방형	부정형
가장형	1.00	0.91	0.83
정방형	1.10	1.00	0.91
부정형	1.21	1.10	1.00

3. 지세

구분	평지	완경사
평지	1.00	0.77
완경사	1.30	1.00

(자료 11) 기타사항

1. 2002년 2/4분기 이후의 지가변동률은 2002년 2/4분기 지가변동률을 유추적용한다.
2. 지가변동률은 토지보상평가지침에 의거 소수점 셋째 자리에서 반올림한다.
3. 토지단가는 토지보상평가지침에 의거 100,000원 단위 이상일 때 유효숫자 셋째 자리, 그 미만은 둘째 자리까지 표시함을 원칙으로 하되 반올림한다.
4. 건물단가는 천원 미만을 절사한다.
5. S시 S구의 일반주거지역 상업용에 적용되는 토지의 환원이율 : 연 10%
6. 건물의 환원이율(상각 후 세공제전) : 연 12%
7. 건물의 내용연수 만료시 잔가율 : 0
8. 건물의 감가는 만년감가를 한다.
9. 기타사항은 토지보상평가지침 및 일반감정평가이론에 따른다.

감정평가사 K는 A기업으로부터 적정시설을 보유하고 정상적으로 가동 중인 석탄광산에 대한 감정평가를 의뢰받고 사전조사 및 현장조사를 한 후 다음과 같이 자료를 정리하였다. 주어진 자료를 활용하여 다음 물음에 답하시오. 15점

(1) 광산의 감정평가가격과 광업권의 감정평가가격을 구하시오.
(2) 광산의 감정평가시 사전조사 및 현장조사할 사항을 설명하시오.
(3) 광산의 감정평가시 사용하고 있는 환원이율과 축적이율을 비교 설명하시오.

(자료 1) 연간 수지상황

사업수익		소요경비	
정광판매수입		채광비	500,000,000원
		선광제련비	350,000,000원
월간생산량	50,000t	일반관리비, 경비 및 판매비	총매출액의 10%
판매단가	5,000원/t	운영자금이자	150,000,000원
		감가상각비	
		┌ 건물	30,000,000원
		└ 기계기구	70,000,000원

* 감정평가대상 광산의 연간수지는 장래에도 지속될 것이 예상됨.

(자료 2) 자산명세서

자산항목	자산별 가격
토지	1,000,000,000원
건물	750,000,000원
기계장치	1,200,000,000원
차량운반구	150,000,000원
기타 상각자산	200,000,000원
합계	3,300,000,000원

(자료 3) 광산 관련 자료

1. 매장광량 - 확정광량 : 5,500,000t, 추정광량 : 8,000,000t
2. 가채율

구분	일반광산	석탄광산
확정광량	90%	70%
추정광량	70%	42%

3. 투자비(장래소요기업비) : 적정생산량을 가행최종연도까지 유지하기 위한 제반 광산설비에 대한 장래총투자소요액의 현가로서 장래소요기업비의 현가총액은 1,450,000,000원임.
4. 각종 이율 - 환원이율 : 16%, 축적이율 : 10%
5. 기타자료
    1) 가격산정시 천원 미만은 절사함.
    2) 생산량은 전량 판매됨.
    3) 가행연수(n) 산정시 연 미만은 절사함.

감정평가사 A는 다음과 같은 조건으로 감정평가의뢰를 받았다. 주어진 자료를 활용하여 각각의 감정평가가격을 구하시오. 20점

(1) 2001.3.31 가격시점의 담보감정평가가격 : (자료 1)~(자료 4)
 가. 담보감정평가가격을 구하시오.
 나. 담보감정평가시 적정성 검토방법을 약술하시오.

(2) 2002.3.31 가격시점의 경매감정평가가격 : (자료 5)~(자료 8)
 가. 경매감정평가가격을 구하시오. (단, 제시 외 건물이 토지와 일괄경매되는 조건)
 나. 제시 외 건물이 타인 소유인 것으로 상정하여 해당 토지(토지대장등본상 C시 S읍 C리 121번지)의 경매감정평가가격을 구하시오.

I. 2001.3.31 가격시점의 자료

(자료 1) 감정평가 의뢰내용

1. 소재지 : C시 S읍 C리 121번지, 답, 360㎡
2. 도시계획사항 : 도시지역(미지정)
3. 감정평가목적 : 담보

(자료 2) 사전조사사항

1. 등기부 및 토지대장등본 확인사항 : 답, 360㎡

2. 인근의 공시지가 표준지 현황(공시기준일 2001.1.1)

일련번호	소재지	지목	면적(㎡)	용도지역	이용상황	도로교통	공시지가(원/㎡)
1	C시 126-2	대	500	미지정	상업용	소로한면	40,000
2	C시 119	답	400	〃	답	세로(불)	18,000
3	C시 226	답	365	자연녹지	답	세로가	20,000

3. 지가변동률(C시)(단위:%)

용도지역	주거지역	상업지역	녹지지역	준농림지역	농림지역
2001년 1/4분기	-0.80	-2.00	0.00	1.05	0.95

4. 본 토지 및 유사물건 감정평가사례 : 없음

(자료 3) 현장조사사항

1. 지적도 및 이용상태(지적선 : 실선)

120번지	121번지	현황 도로 부분	122번지
131번지	132번지		133번지

현장조사결과 본 토지 중 50㎡는 현황도로로 이용 중이고 현황도로부분과 C시 S읍 C리 122번지 사이의 토지 10㎡ 부분은 단독효용성이 희박한 것으로 조사되었음.

2. 거래사례

일련번호	소재지	지목	면적(㎡)	거래가격	거래일자	용도지역
1	C리 126-2	전	500	12,000,000	2001.2.1	미지정
2	C리 125	답	400	6,000,000	2001.1.9	미지정

가. 거래사례 1은 외지인이 1년 이내에 음식점을 신축할 목적으로 정상가격보다 21% 고가로 매입하였음.

나. 거래사례 2는 친척 간의 거래로 정상가격보다 저가로 거래되었음.

(자료 4) 기타자료

1. 지역요인 : 동일함
2. 개별요인 평점

구분	대상토지	표준지 (1)	표준지 (2)	표준지 (3)	거래사례 (1)	거래사례 (2)
평점	100	160	90	100	90	110

* 단, 대상토지의 평점은 현황도로 및 단독효용성 희박부분 외의 토지를 기준함.
3. 지가변동률은 토지보상평가지침에 의거 소수점 셋째 자리에서 반올림함.
4. 토지단가는 토지보상평가지침에 의거 100,000원 단위 이상일 경우 유효숫자 셋째 자리, 그 미만은 둘째 자리까지 표시함을 원칙으로 하되 반올림함.

Ⅱ. 2002.3.31 가격시점의 자료

(자료 5) 감정평가 의뢰내용

1. 소재지 : C시 S읍 C리 121번지, 답, 350㎡
2. 도시계획사항 : 자연녹지지역
3. 감정평가목적 : 경매

(자료 6) 사전조사사항

1. 등기부등본 확인사항 : 답, 350㎡

2. 토지대장등본 확인사항 : 토지대장등본을 확인한 바 C시 S읍 C리 121번지의 토지 이동사항은 아래와 같고 소유자는 관련 등기부등본상의 소유자와 동일함.

이동 전	이동 후	비고
답, 360㎡	답, 350㎡	2001.11.1에 답, 10㎡가 분할되어 C시 S읍 C리 122번지와 합병 (등기부 정리 완료)
답, 350㎡	답, 300㎡	2001.12.1에 답, 50㎡가 분할되어 C시 S읍 C리 121-1번지로 분할

3. 해당 토지 용도지역은 2001.12.1에 확정·변경되었음.

4. 인근의 공시지가 표준지 현황(공시기준일 2002.1.1)

일련번호	소재지	지목	면적(㎡)	용도지역	이용상황	도로교통	공시지가(원/㎡)
1	C시 126-2	대	500	자연녹지	상업용	소로한면	40,000
2	C시 119	답	400	〃	답	세로(불)	20,000
3	C시 226	답	365	〃	답	세로가	22,000

5. 지가변동률(C시)(단위 : %)

용도지역	주거지역	상업지역	녹지지역	준농림지역	농림지역
2002년 1/4분기	1.00	0.80	2.00	2.05	1.75

(자료 7) 현장조사사항

1. 지적도 및 이용상태(지적선 : 실선)

	노폭 5m의 포장도로		
120번지	121번지 (ㄱ)	121-1 번지	122번지
131번지	132번지	132-1 번지	133번지

가. 현황도로인 C시 S읍 C리 121-1번지는 C시에서 농로를 개설하기 위해 직권분할하였으며, 보상감정평가는 이루어졌으나 보상금은 미수령 상태인 것으로 조사되었음.

나. 지적도상 C시 S읍 C리 121번지는 부지조성을 공정률 20% 정도 진행하다 중단된 상태로 현재까지 지출된 비용은 3,000,000원(제시 외 건물과는 무관함)이고 이는 적정한 것으로 조사되었음.

2. 제시 외 건물에 관한 사항
    가. 본 토지상에 기호 (ㄱ)인 제시 외 건물이 소재하고 있으며 소유자는 알 수 없었음.
    나. 구조, 용도, 면적 : 경량철골조, 판넬지붕, 간이숙소, 30㎡
    다. 신축시점 : 탐문결과 2002.1.1에 신축된 것으로 조사됨.

3. 보상선례 : 대상토지의 정상적인 거래시세 및 기타사항 등을 종합 참작한 적정가격으로 분석되었으며, 공도 등으로 이용되는 대상토지는 보상평가기준에 의거 감정평가한 것으로 조사되었음.

소재지	지목	면적(㎡)	이용상태	가격시점	보상단가(원:㎡)
C시 S읍 C리 121-1번지	답	50	도로	2002.3.31	8,500

* 보상선례를 기준한 단가는 백원 미만을 절사함.

(자료 8) 기타사항

1. 대상토지에 적용되는 건폐율은 60%임.

2. 토지의 지역요인 : 동일

3. 토지의 개별요인

구분	대상토지	표준지 (1)	표준지 (2)	표준지 (3)
평점	100	160	90	100

* (주) 단, 대상토지의 평점은 현황도로 및 단독효용성 희박부분 외의 토지를 기준함.

4. 경량철골조, 판넬지붕, 간이창고건물의 2002.3.31 기준 표준적인 신축가격은 150,000원/㎡이며 간이숙소에 설치하는 난방, 위생설비 등의 설비단가는 30,000원/㎡임(내용연수는 30년).

5. 본 지역 관할법원에서는 토지와 제시 외 건물의 소유자가 상이하여 일괄경매가 되지 않을 경우의 토지가격을 별도로 감정평가해 줄 것을 요구하고 있음. 이 경우 해당 부분의 토지에 지상권이 설정된 정도의 제한을 감안(30%)하여 감정평가하는 것이 일반적임.

투자자 P는 감정평가사 K에게 부동산투자에 대한 자문을 구하였다. 감정평가사 K는 적절한 자산포트폴리오 구성을 위하여 150,000,000원 규모의 부동산에 향후 3년간 투자하는 것이 적정하다고 자문하고 2002.7.1에 투자부동산을 추천하였다. 다음 부동산의 투자수익률을 산정하고 투자의사결정을 하시오. (단, 부동산은 감정평가가격에 매입하는 것으로 가정하고 거래비용은 무시하며 투자수익률은 아래 공식을 활용한다.) 15점

$$r_n = \frac{NOI_n}{V_n} + \frac{V_{n+1} - V_n}{V_n}$$

r_n : n년의 연간 투자수익률
NOI_n : n년의 연간 순영업소득
V_n : 기초자산가치
V_{n+1} : 기말자산가치

Ⅰ. A부동산에 관한 자료

(자료 1) A부동산의 개요

1. 토지 : C시 D구 E동 50번지, 200㎡, 일반주거지역
2. 건물 : 각층 바닥면적 100㎡, 3층, 상업용
3. 기타사항 : 토지와 건물은 해당 지역의 표준적 이용과 유사하며 최고최선의 이용상태에 있는 것으로 분석되었음.

(자료 2) A부동산의 수익자료(2001.7.1~2002.6.30)

1. 2층 임대료 : 매월 5,000원/㎡, 임대면적은 바닥면적의 90%이며 이는 모든 층에 동일함.
2. 기타소득 : 주차장 임대료는 연간 3,000,000원이 발생하고 있음.
3. 운영경비(OE) : 유효조소득(EGI)의 40%

(자료 3) A부동산의 가격자료

A부동산의 적정한 감정평가선례가 있으며 가격시점은 2002.6.30이고 감정평가가격은 150,000,000원이다.

(자료 4) 기타자료

1. C시 일반주거지역 내 상업용 부동산의 순영업소득(NOI)과 부동산가치는 향후 5년간 매년 2%씩 상승하는 것으로 추정되었으며 그 모형은 신뢰할 만한 것임.
2. 시장의 전형적인 공실률 : 3%
3. 대상 부동산과 유사한 상업용 부동산의 층별 효용비는 아래와 같음.

(단위 : %)

구분	1층	2층	3층
층별 효용비	100	80	70

II. B부동산에 관한 자료

(자료 5) B부동산의 개요

1. 토지 : F시 G구 E동 120번지, 100㎡, 일반상업지역
2. 건물 : 연면적 200㎡, 3층, 상업용, 2001.7.1 신축
3. 기타사항 : 토지와 건물은 해당 지역의 표준적 이용과 유사하며 최고최선의 이용상태에 있는 것으로 분석되었음.

(자료 6) B부동산의 수익자료(2001.7.1~2002.6.30)

B부동산의 순영업소득(NOI)은 10,500,000원이고 해당 시장의 표준적인 수익을 실현하고 있는 것으로 조사되었음.

(자료 7) B부동산의 토지감정평가자료

나지상태였던 본 토지에 대한 감정평가선례(가격시점 : 2000.7.10)는 300,000원/㎡이고, 2000.7.1~2002.7.1 간의 지가변동률(2% 상승)로 보정한 가격을 가격시점 현재의 공시지가 및 거래사례 등을 기준한 가격과 비교검토한 바, 적정한 것으로 판단됨.

(자료 8) B부동산의 건물감정평가자료

1. 본 건물의 2002.7.1 감정평가가격은 유사거래사례로부터 회귀분석모형을 구축하여 도출하는 것으로 함.

$$회귀상수(a) = \frac{\Sigma y \cdot \Sigma x^2 - \Sigma x \cdot \Sigma xy}{n\Sigma x^2 - (\Sigma x)^2}$$

$$회귀계수(b) = \frac{n\Sigma xy - \Sigma x \cdot \Sigma y}{n\Sigma x^2 - (\Sigma x)^2}$$

2. 유사거래사례자료

　가. 사례건물은 대상건물과 경과연수요인을 제외한 제반요인이 거의 동일하며, 건물가격과 경과연수 간에는 선형관계가 있고 다른 요인의 건물가격 영향은 무시함.

　나. 건물거래사례자료

사례	거래가격에서 적절하게 보정된 가격시점의 건물가격(원/㎡)	가격시점 현재의 경과연수
1	580,000	3
2	500,000	10
3	520,000	7
4	560,000	5
5	600,000	0

* 구축한 모형의 R^2(결정계수)값은 충분히 유의하여 모형채택이 가능하다고 봄.

(자료 9) 기타자료

F시 상업지역 내 상업용 부동산의 순영업소득(NOI)과 부동산가치는 향후 5년간 매년 4‰씩 상승하는 것으로 추정되었으며, 그 모형은 신뢰할 만한 것임.

Question 05 개발제한구역 안 토지의 감정평가를 설명하시오. 10점

Question 06 감정평가사 P는 S법원으로부터 경매감정평가를 의뢰받고 사전조사 및 현장조사를 한 후 감정평가서를 작성하였다. 이 경우 감정평가가액 산출근거 및 그 결정에 관한 의견에 기재할 핵심적인 사항을 약술하시오. 5점

Question 07 보상선례 등을 적용하여 기타요인 보정률을 산출하는 방법과 보상선례의 참작에 대하여 약술하시오. 5점

2003년 감정평가사 제14회

※ **공통유의사항**
각 문제는 해답 산정시까지의 산식과 도출과정을 반드시 기재할 것

Question 01 감정평가사 홍길동은 의뢰인 벽계수 씨로부터 부동산 매입타당성 검토를 의뢰받고 예비조사와 실질조사를 통하여 (자료 1)~(자료 12)를 수집하였다. 주어진 자료를 활용하여 다음 물음에 답하시오. 40점

(1) 감정평가 3방식을 적용하여 대상 부동산의 정상가격을 구하시오.

(2) 대상 부동산에 대하여 ○○은행에서 제시하는 조건의 저당대출을 받을 경우 cash equivalence(금융조건을 고려한 대상 부동산의 가치)를 구하시오.

(3) 저당대출을 받을 경우의 대상 부동산에 대한 매입타당성 여부를 검토하고 그 이유를 설명하시오.

(자료 1) 대상 부동산의 기본자료

1. 소재지 : A시 B구 C동 100번지

2. 토지
   지목 : 대, 면적 : 600㎡

3. 건물
   - 구조 및 용도 : 철근콘크리트조 슬래브지붕 7층 점포 및 사무실(상업용), 건축연면적 : 3,200㎡
   - 건물은 1998.8.31에 준공되었으며, 총공사비는 2,000,000,000원이 투입되었으나 시공회사와 건축주의 분쟁으로 정상적인 공사비보다 다소 과다한 것으로 조사됨.
   - 건물의 물리적 내용연수는 55년이며, 경제적 내용연수는 50년으로 판단됨.

4. 토지이용계획확인원상의 도시계획사항 : 일반상업지역, 도시계획도로에 접함.

5. 임대수지 내역

임대수입(연간)		필요제경비(연간)	
보증금 운용이익	50,000,000원	장기차입금이자	15,000,000원
지불임대료	384,000,000원	유지관리비	8,000,000원
		제세공과(토지, 건물)	2,500,000원
		손해보험료(소멸성)	1,000,000원
		대손준비금	10,000,000원
		감가상각비	직접 산정할 것

6. 대상 부동산에 대한 저당대출 조건

  가. 벽계수 씨는 저당대출을 받는 조건으로 3,900,000,000원에 대상 부동산의 매수 제안을 받았음.

  나. 저당대출조건

   1) 대출금액 : 감정평가액의 60%

   2) 대출이자율 : 6%/연

   3) 대출기한 : 30년(만기까지 존속)

   4) 상환방법 : 매년 원리금 균등분할상환

   5) 시장이자율 : 12%/연

7. 가격조사 완료일 : 2003. 8. 25

8. 조사결과 대상 부동산의 임대수지는 인근수준 대비 적정하며 앞으로도 현 수준을 유지할 것으로 파악됨.

(자료 2) 인근의 표준지공시지가 현황(공시기준일 : 2003.1.1)

일련번호	소재지	면적(㎡)	지목	이용상황	용도지역	주위환경	도로교통	형상지세	공시지가(원/㎡)
1	A시 B구 C동 103	500	대	상업용	일반상업	상가지대	중로한면	정방형 평지	3,800,000
2	A시 B구 C동 107	550	대	상업용	일반주거	주택 및 상가지대	중로한면	가로장방형 평지	2,900,000
3	A시 B구 C동 109	600	대	단독주택	일반주거	주택 및 상가지대	소로한면	정방형 평지	2,200,000

(자료 3) 거래사례(㉮)

1. 물건내용
   가. 토지 : A시 B구 D동 98 대 580㎡, 일반상업지역
   나. 건물 : 철근콘크리트조 슬래브지붕 2층 점포 및 사무실, 건축연면적 700㎡
2. 거래가격 : 2,100,000,000원
3. 거래일자 : 2002.4.1
4. 기타사항
   가. 위 건물은 1970년에 준공된 노후 건물로 최유효이용상태에 미달하여 매입 직후 철거되고 현장조사일 현재 6층 건물을 신축 중임.
   나. 계약 당시 매수인은 건물의 잔재(폐재)가치를 20,000,000원, 건물의 철거 및 잔재처리비를 50,000,000원으로 예상하고 이를 매입하였음.
   다. 건축업자가 건물신축 후 분양을 위해 신속한 명도조건으로 정상가격보다 5% 높게 매매한 것임.

(자료 4) 거래사례(㉯)

1. 물건내용
   가. 토지 : A시 B구 D동 113 대 500㎡, 일반상업지역
   나. 건물 : 철근콘크리트조 슬래브지붕 6층 점포 및 사무실, 건축연면적 2,500㎡
2. 거래가격 : 4,150,000,000원
3. 거래일자 : 2002.8.31
4. 기타사항 : 본건 거래사례는 대상 부동산에 비해 개별요인(수량요소 포함)에서 5% 우세하며, 이 부동산의 과거 1년간 가격상승률은 10%임.

(자료 5) 임대사례(㉰)

1. 물건내용
   가. 토지 : A시 B구 D동 115 대 550㎡, 일반상업지역
   나. 건물 : 철근콘크리트조 슬래브지붕 6층 점포 및 사무실, 건축연면적 2,700㎡
2. 임대시점 및 기간 : 2002.1.1부터 2년간
3. 임대수지 내역
   가. 총임대수입(연간) : 430,000,000원
   나. 필요제경비 : 총임대수입의 20%임(감가상각비 포함).
4. 기타 : 본건 사례물건은 100% 임대 중임.

(자료 6) 건설사례(㉣)

1. 인근지역에서 대상물건과 시공재료·구조 등 제반 물적 사항이 유사한 상업용 건물의 건설사례를 조사한 결과 가격시점 현재 표준적인 건축비용은 평당 2,500,000원으로 파악되었음.
2. 기타사항은 (자료 7)을 참고할 것

(자료 7) 대상 및 사례건물 개요

항목＼건물	대상건물	거래사례(㉯)	임대사례(㉰)	건설사례
준공일자	1998. 8. 31	2001. 3. 31	2000. 6. 30	2003. 8. 31
대지면적	600㎡	500㎡	550㎡	520㎡
건축연면적	3,200㎡	2,500㎡	2,700㎡	2,200㎡
시공정도	보통	보통	보통	보통
가격시점 현재 잔존내용연수	45	48	47	50
도시계획사항	일반상업지역	일반상업지역	일반상업지역	일반상업지역
건물과 부지와의 관계	최유효이용	최유효이용	최유효이용	최유효이용
가격시점 현재 재조달원가 (신축단가)의 개별요인 비교치	98	96	100	100 (2,500,000원/평)

* (주) 감가수정은 정액법에 의하여 만년 감가함(잔가율=0).

(자료 8) 지역요인비교

비교표준지	대상물건	거래사례(㉮)	거래사례(㉯)	임대사례(㉰)
100	100	102	105	110

(자료 9) 개별요인비교

비교표준지	대상물건	거래사례(㉮)	거래사례(㉯)	임대사례(㉰)
100	90	100	-	100

(자료 10) 지가변동률, 임대료지수, 건축비지수

1. 지가변동률(A시 B구, 단위 : %)

| 구분 | 주거지역 | 상업지역 | 대 | | 기타 |
			주거용	상업용	
2002년 1/4분기	5.12	3.12	5.10	5.50	3.12

2002년 2/4분기	2.35	3.26	2.20	3.30	1.56
2002년 3/4분기	9.01	7.91	7.0	10.10	5.95
2002년 4/4분기	6.23	3.28	5.30	7.15	2.01
2003년 1/4분기	2.25	2.50	2.80	3.10	2.10
2003년 2/4분기	2.00	2.20	2.12	2.15	1.60

2. 임대료지수

연월일	2001.1.1	2002.1.1	2002.7.1	2003.1.1	2003.8.31
임대료지수	100	110	115	120	127

3. 건축비지수

연월일	1998.8.31	2000.6.30	2001.3.31	2002.1.1	2003.8.31
건축비지수	100	129	133	137	141

(자료 11) 보증금 운용이율 및 환원이율

보증금 운용이율	B구 상업지역 상업용 토지의 환원이율	상각 후 세공제전 건물환원이율
5%/년	8%/년	10%/년

(자료 12) 복리현가계수, 연금현가계수, 저당상수(r = 연이율, n = 년)

1. 복리현가계수($\frac{1}{(1+r)^n}$)

n \ r	0.06	0.12
1	0.9433	0.8928
30	0.1741	0.3337
60	0.0303	0.0011

2. 연금현가계수$\left[(1-\frac{1}{(1+r)^n})/r\right]$

n \ r	0.06	0.12
1	0.9433	0.8928
30	13.7648	8.0551
60	16.1614	8.3240

3. 저당상수($\frac{r}{1-(1+r)^n}$)

n \ r	0.06	0.12
1	1.0600	1.1200
30	0.0726	0.1241
60	0.0618	0.1201

(자료 13) 기타

1. 지가변동률은 백분율로서 소수점 이하 셋째 자리에서 반올림함.
2. 토지 및 건물의 단가와 금액은 천원 미만을 절사함.
3. 토지에 귀속하는 순이익의 시점수정은 임대료지수를 활용할 것
4. 가격시점은 의뢰인이 제시한 2003.8.31임.

감정평가사 J는 K시로부터 ○○천 정비사업과 관련하여 보상목적의 감정평가를 의뢰받았다. 주어진 자료를 활용하고 보상관련법규의 제규정을 참작하여 세목별 보상가격을 구하시오(시점수정치는 백분율로서 소수점 이하 셋째 자리에서, 격차율은 소수점 이하 셋째 자리에서 반올림하고 단가는 십원 단위에서 반올림하시오). 35점

(자료 1) 감정평가 의뢰내역

1. 사업명 : ○○천 정비사업
2. 시행자 : K시장
3. 실시계획 인가일 : 2003.5.1
4. 가격시점 : 현장조사 완료일(2003.8.28)

(자료 2) 토지조서

일련번호	소재지 지번	지목	면적(m²) 공부	면적(m²) 편입	실제이용 상황	소유자	관계인 성명	관계인 권리내역
1	K시 P구 I동 151	답	2,200	300	전	A	-	
2	K시 P구 I동 152	전	800	150	전	A	한국 전력공사	구분지상권
3	K시 P구 I동 153	전	200	120	전	B	-	
4	K시 P구 I동 275	대	400	100	관리사 및 전	C	○○농협	근저당권
5	K시 P구 I동 300	전	2,500	40	도로	D		

(자료 3) 물건조서

일련번호	소재지 지번	물건의 종류	구조, 규격	수량(m²)	소유자	비고
1	K시 P구 I동 151	비닐하우스	철파이프, 비닐 6.0m×5.0m	30.0	A	일부편입
2	K시 P구 I동 151	비닐하우스	철파이프, 비닐 6.0m×5.0m	30.0	A	일부편입
3	K시 P구 I동 153	관리사	조립식 판넬 철파이프 보온덮개 3.0m×15m	45.0	C	일부편입

(자료 4) 표준지공시지가 자료

일련번호	소재지 지번	면적(m²)	지목	이용상황	용도지역	도로교통	형상 지세	공시지가(원/m²) 2002.1.1	공시지가(원/m²) 2003.1.1
가	K시 P구 I동 101	350	대	주거나지	개발제한 자연녹지	세로(가)	사다리형 평지	120,000	150,000
나	K시 P구 I동 159	1,000	답	전	개발제한 자연녹지	세로(불)	부정형 평지	45,000	58,000
다	K시 P구 I동 301	650	잡종지	전기타	개발제한 자연녹지	중로한면	부정형 평지	100,000	120,000
라	K시 P구 M동 20	400	대	단독	개발제한 자연녹지	세로(가)	사다리형 평지	180,000	210,000
마	K시 P구 M동 150	1,200	전	전	개발제한 자연녹지	세로(가)	부정형 평지	40,000	50,000

* (주) I동과 M동은 유사지역임.

(자료 5) 시점수정자료

1. 지가변동률(국토교통부 조사발표 「지가동향」, K시 P구, 단위 : %)

기간 \ 구분	P구 평균	녹지지역	전	답	대(주거용)
2001.4.1~12.31	0.62	0.66	0.32	0.24	0.99
2002.1.1~12.31	20.68	23.28	24.27	23.61	19.02
2002.7.1~12.31	14.14	15.04	16.23	16.22	13.13
2003.1.1~3.31	1.36	1.17	1.33	0.0	1.99
2003.4.1~6.30	1.13	1.95	2.28	0.79	1.02
2003.1.1~6.30	2.51	3.14	3.64	0.79	3.03

* (주) 2003년 3/4분기 지가변동률은 조사·발표되지 않았음.

2. 생산자물가상승률(한국은행조사, 「생산자물가지수」 기준)(1995 = 100)

2001.3.	2001.4.	2001.12.	2002.12.	2003.1.	2003.7.
122.9	123.2	120.8	126.4	127.7	128.8

(자료 6) 토지특성에 따른 격차율 자료

1. 대상토지는 개발제한구역 내 "전" 지대에 소재하는 토지로서 비교표준지 대비 지목·접면도로 이외의 요인은 유사함.

지목		대	전	답
	대	1.0	0.80	0.78
	전	1.25	1.0	0.98
	답	1.28	1.02	1.0

접면도로		소로한면	세로(가)	세로(불)
	소로한면	1.0	0.97	0.92
	세로(가)	1.03	1.0	0.95
	세로(불)	1.08	1.05	1.0

(자료 7) 토지에 대한 조사·확인자료

현장조사일 현재 감정평가사 J가 토지에 대해 조사·확인한 자료는 다음과 같음.

1. 주위환경 : 인근지대는 채소 등 농작물을 재배하는 근교농경지대임.
2. 토지이용 및 접면도로 상태

일련번호	구분	이용상황	접면도로	비고
1		하우스 작물재배	세로(가)	
2		노지 채소재배	세로(불)	
3		전(휴경지)	세로(가)	
4		관리사 및 파재배	세로(가)	
5		현황도로	세로(가)	

3. 토지에 대한 기타사항
  ① 본건 토지 일대는 광역도시계획수립지침에 의한 환경보전가치가 2등급지 내지 3등급지인 것으로 확인됨.
  ② 일련번호 2 토지의 구분지상권 설정사항에 대하여 한국전력공사에 문의한 결과 다음과 같은 내용을 통보 받음.

송전선로 명칭	선하지 면적	구분지상권 내역	
		설정시기	보상금액
○○구간 35KV	200㎡	2001.4.1	2,400,000원

  - 일련번호 2 토지의 선하지 면적 중 해당 사업에 편입된 부분은 80㎡임.

  ③ 일련번호 3 토지는 2002.11.20 농업용창고 신축허가(철골조, 100㎡)를 적법하게 받은 상태이며 가격시점 현재 동일 종류의 허가를 받는 데 소요되는 비용은 5,000원/㎡인 것으로 조사됨.
  - 본건 일대에서 농업용창고 신축허가를 받은 상태의 "전"은 그렇지 아니한 "전"보다 약 15% 정도 높게 거래되는 것이 일반적임.

  ④ 일련번호 4 토지의 ○○농협 근저당권 설정액은 45,000,000원임.
  - 본건 토지는 개발제한구역지정 당시부터 지목이 "대"임.
  - 본건 토지를 대지로 조성하는 데 소요되는 적정비용은 12,000원/㎡인 것으로 조사됨.

  ⑤ 일련번호 5 토지는 새마을사업에 의하여 도로부지로 편입된 것으로 편입 당시 지적도 및 현황도를 확인한 바, 접면도로는 세로(불)이며, 좁고 긴 토지로 약 10%의 추가 감가요인이 있는 것으로 조사됨.

(자료 8) 지장물에 대한 자료

1. 일련번호 1, 일련번호 2 비닐하우스는 이전이 가능한 것으로 판단되고 이전에 소요되는 통상비용은 5,000원/㎡이며 잔여부분의 보수비는 50,000원/동으로 조사됨.

2. 본건 건물 중 일련번호 3 관리사(1998.5.30 신축, 무허가)는 이전이 가능하고 재조달원가는 180,000원/㎡이며 경제적 내용연수는 20년, 잔존가치는 없음.
  ① 본건 중 일련번호 3 건물은 구조상 편입부분을 철거할 경우 잔여부분의 보수가 사실상 불가능할 것으로 판단되며 전체 면적은 97.5㎡임.

② 관리사 전체의 이전에 소요되는 통상비용(단위 : 원)

해체·운반비	정지비	재건축비	부대비용
2,700,000	500,000	10,500,000	1,800,000

* (주) 재건축비에는 보충자재비 1,500,000원 및 연탄난로를 유류난로로 교체하는 데 소요되는 추가비용 1,000,000원이 포함되어 있음.

(자료 9) 선하지 공중사용에 따른 사용료 평가시 적용되는 보정률 산정자료

1. 입체이용배분율표(공중부분 사용에 따른 토지의 이용이 입체적으로 저해되는 정도)

해당 지역 용적률 이용률구분	고층 시가지 800% 이상	중층 시가지 550~750%	저층 시가지 200~500%	주택지 100% 내외	농지·임지 100% 이하
건물등이용률(α)	0.8	0.75	0.75	0.7	0.8
지하이용률(β)	0.15	0.10	0.10	0.15	0.10
기타이용률(γ)	0.05	0.15	0.15	0.15	0.10
(γ)의 상하 배분비율	1:1~ 2:1	1:1~ 3:1	1:1~ 3:1	1:1~ 3:1	1:1~ 4:1

* (주) γ의 상하배분비는 최고치를 적용함.

2. 감정평가사 J는 송전선로 건설로 인한 선하지의 공중부분 사용에 따른 사용료 평가시 입체이용저해 외에 토지의 경제적 가치가 감소되는 정도에 대한 적용보정률을 다음과 같이 판단함.

추가보정률	쾌적성 저해요인	시장성 저해요인	기타 저해요인
16%	4%	8%	4%

* (주) 감정평가사 J는 추가보정률 외에 영구사용에 따른 보정률을 4% 추가하는 것이 타당하다고 판단함.

(자료 10) 기타사항 보정자료

1. 거래사례

소재지 지번	지목	이용 상황	면적 (m²)	금액(원)	거래시점	비고
M시 P구 I동 140	답	전	1,200	91,200,000	2003.4.1	1) 거래내용에 대해 조사한 바 마을 주민 간의 정상적 거래로 판단됨. 2) 대상토지(일련번호 1)는 사례 대비 개별요인 3% 열세임.

2. 보상평가 선례

소재지 지번	지목	이용상황	편입면적(㎡)	금액(원)	가격시점	사업명
M시 P구 H동 130	전	전	100	7,500,000	2002.7.1	○○도로공사

* (주) 대상토지(일련번호 1)는 보상평가선례와 비교할 때 개별요인에서 5% 열세임.
* (주) I동은 H동보다 지역요인에서 10% 열세임.

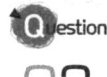

Question 03 보상평가시 개발이익의 배제방법에 관하여 구체적으로 기술하시오. 10점

Question 04 아래의 자료를 이용하여 2003.12.31자 비상장회사인 ○○주식회사의 영업권의 가치를 평가하시오. 10점

(자료 1) 수정 후 잔액시산표

계정과목	금액(원)	계정과목	금액(원)
현금예금	380,000,000	외상매입금	1,950,000,000
유가증권	530,000,000	차입금	9,500,000,000
외상매출금	1,100,000,000	대손충당금	210,000,000
이월상품	2,000,000,000	퇴직급여충당금	2,120,000,000
토지	8,500,000,000	감가상각충당금(건물)	650,000,000
건물	6,500,000,000	감가상각충당금(기계기구)	1,876,000,000
기계기구	3,500,000,000	자본금	3,400,000,000
판매관리비	1,157,000,000		
매입	2,900,000,000	매출	6,861,000,000
계	26,567,000,000	계	26,567,000,000

(자료 2) 기타자료

1. 동종업종의 정상수익률은 영업권을 제외한 순자산의 10%임.
2. 초과수익은 영업이익기준이며 장래초과수익은 제반 여건을 고려할 때 향후 3년간 지속될 것으로 판단됨.
3. 시장할인율은 연 9%임.
4. 평가금액은 백만원 단위까지 산정함.

○○아파트단지 내 동일평형 아파트가 층·향·위치 등의 차이에 따라 서로 다른 가격으로 거래되고 있다. 그 가격격차 발생요인을 약술하시오. (단, 단지 내 아파트의 외부요인 및 건물요인은 동일한 것으로 본다.) 5점

2004년 감정평가사 제15회

※ **공통유의사항**
각 문제는 해답 산정시까지의 산식과 도출과정을 반드시 기재할 것

01 감정평가사 K씨는 복합부동산에 대한 감정평가를 의뢰받고 사전조사와 현장조사를 통해 다음과 같은 자료를 수집하였다. 주어진 자료를 활용하여 다음 물음에 답하시오. 40점

(1) 토지와 건물 각각의 가격을 산출하여 복합부동산의 가격을 구하시오.
(2) 현금흐름할인분석법(DCF법)에 의하여 토지와 건물의 일괄평가 가격을 구하시오.
(3) 시산가격의 조정을 통한 평가액 결정시 각 평가방법에 내재되어 있는 특징을 통하여 가격결정 의견을 제시하고, 복합부동산의 일괄평가에 확대 적용할 수 있는 산정기법 및 유의사항을 서술하시오.

(자료 1) 평가대상물건 개요

1. 토지
   1) 소재지 : S시 K구 A동 100번지
   2) 용도지역 : 일반상업지역
   3) 토지특성 : 대, 820㎡, 가로장방형, 평지, 소로한면

2. 건물 : 철근콘크리트조 슬래브지붕 지하 1층 지상 5층

구분	면적(㎡)	이용상황
지하 1층	287	점포 및 주차장
지상 1층	574	점포
2층	574	점포
3층	574	병원
4층	574	병원
5층	574	학원
계	3,157	

3. 조사기간 : 2004년 8월 24일~2004년 9월 1일
4. 감정평가목적 : 일반거래(매매참고용)

(자료 2) 공시지가 표준지 내역

(S시 K구)

번호	소재지 지번	면적(㎡)	지목	이용상황	용도지역	도로교통	형상지세	공시지가 (원/㎡)
1	A동 80	89	대	상업용	일반상업	중로한면	사다리 평지	3,200,000
2	A동 90	800	대	상업용	일반상업	세로(가)	정방형 평지	2,100,000
3	B동 70	120	대	주상용	준주거	세로(가)	정방형 평지	2,100,000
4	B동 75-1	750	대	주상용	준주거	소로한면	가장형 평지	1,800,000
5	B동 90-2	900	대	상업용	일반상업	세로(가)	사다리 평지	2,500,000

* (주) 2번 표준지는 일부(30%)가 도시계획시설(도로)에 저촉되고 있음.

(자료 3) 거래사례

1. 거래사례 1

    1) 토지 : S시 K구 B동 200번지, 대, 750㎡, 일반상업지역, 사다리, 평지, 소로한면
    2) 건물 : 위 지상 조적조 기와지붕 단층 창고, 면적 180㎡
    3) 거래일자 : 2004년 6월 1일
    4) 거래금액, 거래조건 등
        ① 채권최고액을 7억 5천만원으로 하는 근저당권이 설정되어 있으며, 매수인이 미상환 대부액 4억원을 인수하는 조건으로 18억 3천만원을 현금으로 지급함.
        ② 저당대출조건
            • 대출기간 : 2002.6.1~2012.5.31
            • 원리금 상환방법 : 매년 원리금균등상환
    5) 기타사항 : 거래 당시 지상에 소재하는 창고의 철거에 따른 비용 12,000,000원은 매도인이 철거용역회사에 지불하기로 함.

2. 거래사례 2

    1) 토지 : S시 K구 C동 150번지, 대, 900㎡, 일반상업지역, 정방형, 평지, 세로(가)
    2) 건물 : 위 지상 철근콘크리트조 슬래브지붕 상업용 건물(지하 1층, 지상 5층), 지하층 315㎡, 지상층 연면적 3,150㎡
    3) 거래가격 : 48억원
    4) 거래일자 : 2003년 10월 5일
    5) 기타사항 : 매도자의 급한 사정으로 약 5% 저가로 거래되었음.

3. 거래사례 3
   1) 토지 : S시 K구 C동 250번지, 대, 780㎡, 일반상업지역, 세장형, 평지, 소로한면
   2) 거래가격 : 23억 5천만원
   3) 거래일자 : 2002년 8월 1일
   4) 기타사항 : 별도의 사정보정요인이 없는 정상적인 거래임.

4. 거래사례 4
   1) 토지 : S시 K구 D동 240번지, 대, 750㎡, 일반상업지역, 사다리, 평지, 중로한면
   2) 거래가격 : 16억원
   3) 거래일자 : 2004년 5월 10일
   4) 기타사항 : 별도의 사정보정요인이 없는 정상적인 거래임.

(자료 4) 조성사례

1. 소재지 등 : S시 K구 B동 50번지, 대, 700㎡, 일반상업지역, 세로장방형, 평지, 소로한면

2. 조성 전 토지매입가격 : 2,000,000원/㎡(토지매입시 지상에 철거를 요하는 조적조 슬래브지붕 2층 건물 연 240㎡가 소재하여 이를 매수자가 철거하는 조건으로 거래하였으며, 매입 당시 예상철거비는 50,000원/㎡, 예상 폐재가치는 5,000,000원이었으나 실제 철거비는 60,000원/㎡, 실제 폐재가치는 4,000,000원이 발생된 것으로 조사됨)

3. 조성공사비 : 4억 5천만원(매분기 초에 균등분할지급)

4. 일반관리비 : 조성공사비 상당액의 10%(공사준공시 일괄지급)

5. 적정이윤 : 조성공사비 상당액과 일반관리비 합계액의 8%(공사준공시 일괄지급)

6. 공사일정 등
   1) 조성 전 토지매입시점 : 2002년 8월 1일
   2) 공사착공시점 : 2003년 1월 1일
   3) 공사준공시점 : 2004년 1월 1일
   4) 토지매입비는 공사착공시의 조성원가로 함.

(자료 5) 최근 임대사례

1. 토지
   1) 소재지 : S시 K구 D동 70번지

2) 용도지역 : 일반상업지역

3) 토지특성 : 대, 920㎡, 사다리, 평지, 소로한면

2. 건물

철근콘크리트조 슬래브지붕 지하 1층 지상 6층 상업용 건물연면적 3,400㎡

3. 임대수입자료

1) 보증금 : 3,000,000,000원

2) 지불임대료 : 660,000,000원(3년분이며 임대개시시점에 일시불로 지불하는 조건임)

4. 영업경비자료

1) 손해보험료 : 30,000,000원(3년분이며 일시불로 기초에 지불하고, 그중 40%는 비소멸성이며 보험만료기간은 3년임)

2) 공조공과 : 20,000,000원/년

3) 공실손실상당액 : 2,500,000원/월

4) 유지관리비 : 50,000,000원/년

5) 감가상각비 : 40,000,000원/년

5. 자본회수기간

1) 임대사례 인근지역에서 표본추출하여 분석한 표준적인 상업용 부동산의 자본회수기간은 다음과 같음.

표본	자본회수기간(연)
가	9.9
나	9.7
다	10.3
라	10.0
마	10.2
바	9.6

2) 위 자본회수기간은 상각 전 순이익을 기준으로 한 자료임.

(자료 6) 지가변동률 등

1. 지가변동률

구분	평균	용도지역별(%)				이용상황별(%)						
		주거	상업	공업	녹지	전	답	대		임야	공장용지	기타
								주거	상업			
2001년	2.10	1.87	1.76	2.73	1.28	2.93	3.28	1.36	1.02	2.02	2.63	2.04
2002년	1.84	2.15	1.71	1.19	0.27	3.05	2.65	1.54	1.15	2.44	1.76	1.91
2003년	3.88	4.20	3.30	4.00	3.20	5.10	5.60	3.40	2.70	3.10	2.73	1.80
2004년 1/4분기	1.21	1.20	1.36	0.50	0.84	1.92	1.50	0.70	0.71	0.42	0.77	0.30
2004년 2/4분기	1.12	1.15	1.22	0.60	0.76	1.58	0.52	1.21	1.37	0.59	0.92	1.27

* (주) 2004년 3/4분기 지가변동률은 미고시 상태임.

2. 생산자물가지수

시점	2002.1	2003.1	2004.1	2004.7
지수	130	132	139	141

3. 건축비지수

시점	2002.1	2003.1	2004.1	2004.7
지수	102	109	114	117

(자료 7) 지역요인 비교자료

1. K구 같은 동의 사례는 지역요인이 동일함.
2. K구 A동과 B동은 인근지역으로서 지역요인이 동일하나, A동 또는 B동을 기준으로 한 C동과 D동은 동일수급권 내 유사지역으로서 지역요인이 상이하고 그 격차를 알 수 없음.
3. 건물의 경우에는 지역격차를 별도로 고려하지 아니함.

(자료 8) 개별요인 비교자료

1. 도로접면

구분	광대한면	중로한면	소로한면	세로(가)
광대한면	1.00	0.93	0.86	0.83
중로한면	1.07	1.00	0.92	0.89

소로한면	1.16	1.09	1.00	0.96
세로(가)	1.20	1.12	1.04	1.00

2. 형상

구분	정방형	가로장방형	세로장방형	사다리형	부정형	자루형
정방형	1.00	1.05	0.99	0.98	0.95	0.90
가로장방형	0.95	1.00	0.94	0.93	0.90	0.86
세로장방형	1.01	1.06	1.00	0.99	0.96	0.91
사다리형	1.02	1.08	1.01	1.00	0.97	0.92
부정형	1.05	1.11	1.04	1.03	1.00	0.95
자루형	1.11	1.16	1.10	1.09	1.05	1.00

3. 지세

구분	평지	완경사	급경사	고지	저지
평점	1.00	0.97	0.92	0.90	0.96

(자료 9) 표준건축비 등

1. 표준건축비와 내용연수

구분	목조	조적조	철골조	철근콘크리트조
지상층의 표준건축비(원/평)	1,800,000	2,000,000	1,700,000	2,500,000
물리적 내용연수	60	60	60	100
경제적 내용연수	45	45	40	50

* (주) 지하층의 표준건축비(재조달원가)는 지상층의 70% 수준임.

2. 건물의 개별격차 등

구분	거래사례 2 건물	임대사례건물	대상건물
사용승인일자	2002.5.10	2001.12.5	2001.10.20
개별요인비교	97	105	100

* (주) 건물개별요인은 지하층과 지상층을 포함한 것이고, 잔가율은 미반영된 것임.

(자료 10) 대상 부동산의 임대자료

1. 대상 부동산은 현재 최유효이용상태이고, 대상 부동산을 조사한 결과 최근에 계약 갱신된 4층(병원)의 임대자료가 포착되었으며 이는 적정한 것으로 판단됨.

2. 4층 임대자료

1) 4층 전체의 연간 지불임대료는 165,000원/㎡이며, 해당 지역의 일반적인 공실률은 3% 수준임.
2) 부가사용료 및 공익비는 적정수준이며 지불임대료와는 별도로 징수하고 있음.

3. 4층 각종 지출내역

지난 1년간 소유자가 4층 부분에 지출한 내역은 다음과 같고, 향후에도 동일한 수준에서 지출될 것으로 조사됨.

1) 부가물설치비 : 10,000,000원
2) 수도료 : 50,000원/월
3) 전기료 : 150,000원/월
4) 연료비 : 200,000원/월
5) 소유자 급여 : 1,500,000원/월
6) 손해보험료 : 3,000,000원/연(보험료 중 2,500,000원은 비소멸성)
7) 소득세 : 2,500,000원/연
8) 수선비 : 1,500,000원/연
9) 건물관리자 급여 : 1,300,000원/월
10) 저당이자 : 2,500,000원/월
11) 기타 영업경비 : 1,000,000원/월

(자료 11) 층별 효용비 등

1. 저층 시가지에 있어 본건과 유사한 건물의 층별 효용비는 다음과 같다. 이는 건물가격과 토지가격의 입체분포가 같은 것을 전제로 한 것임.

구분	지상 1층	지상 2층	지상 3층	지상 4층	지상 5층
효용비	100	60	42	38	36

2. 임대면적과 층별 면적은 동일한 것으로 하고, 지하층은 별도로 고려하지 아니함.

(자료 12) 수익변동자료 등

1. 순영업소득은 향후 5년간 매년 5%씩 상승하다 6년차부터는 매년 2%씩 상승할 것으로 추정되며, 이는 적정한 것으로 판단됨.
2. 적정가격 도출을 위하여 보유기간을 5년으로 상정함.

(자료 13) 시장이자율 등

1. 보증금 및 지불임대료 운용이율 : 연 10%
2. 시장이자율 : 연 8%(분기당 2% 별도 적용 가능)
3. 자본수익률 : 8%
4. 저당대부이자율 : 연 6%
5. 보험만기 약정이자율 : 연 4%
6. 5년 후 재매도시 적용할 환원이율 : 12%

(자료 14) 기타 유의사항

1. 환원이율, 수익률, 이자율, 시점수정치 등의 산정시 백분율로 소수점 셋째 자리에서 반올림할 것.
2. 지역요인 및 개별요인 격차율은 백분율로 소수점 둘째 자리에서 반올림할 것.
3. 각 단계의 가격(금액) 산정시 천원 미만은 반올림하고, 최종 감정평가액은 유효숫자 네 자리까지로 함.
4. 주어진 자료를 충분히 활용하여 가격을 산출하되, 문 (1)에 대하여는 (자료 2)~(자료 9)를, 문 (2)에 대하여는 (자료 10)~(자료 12)를 주로 활용하고, (자료 13)은 공통으로 활용할 것
5. 비교표준지, 거래사례 등의 선정시와 각 단계의 시산가격 결정시에는 그 논리적 근거를 명기할 것

(자료 15) 복리종가율표 등

1. 복리종가율표 $(1+r)^n$

n	r = 2%	r = 4%	r = 6%	r = 8%	r = 10%
1	1.020	1.040	1.060	1.080	1.100
2	1.040	1.082	1.124	1.166	1.210
3	1.051	1.125	1.191	1.260	1.331
4	1.082	1.170	1.262	1.360	1.464
5	1.104	1.217	1.338	1.469	1.611
6	1.126	1.265	1.419	1.587	1.772
7	1.149	1.316	1.504	1.714	1.949
8	1.172	1.369	1.594	1.851	2.144
9	1.195	1.423	1.689	1.999	2.358
10	1.219	1.480	1.791	2.159	2.594

2. 복리현가율표 $\frac{1}{(1+r)^n}$

n	r = 2%	r = 4%	r = 6%	r = 8%	r = 10%
1	0.980	0.962	0.943	0.926	0.909
2	0.961	0.925	0.890	0.857	0.826
3	0.942	0.889	0.840	0.794	0.751
4	0.924	0.855	0.792	0.735	0.683
5	0.906	0.822	0.747	0.681	0.621
6	0.888	0.790	0.705	0.630	0.564
7	0.871	0.760	0.665	0.583	0.513
8	0.853	0.731	0.627	0.540	0.467
9	0.837	0.703	0.592	0.500	0.424
10	0.820	0.676	0.558	0.463	0.386

3. 복리연금현가율표 $\frac{(1+r)^n - 1}{r \times (1+r)^n}$

n	r = 2%	r = 4%	r = 6%	r = 8%	r = 10%
1	0.980	0.962	0.943	0.926	0.909
2	1.942	1.886	1.833	1.783	1.736
3	2.884	2.775	2.673	2.577	2.487
4	3.808	3.630	3.465	3.312	3.170
5	4.713	4.452	4.212	3.993	3.791
6	5.601	5.242	4.917	4.623	4.355
7	6.472	6.002	5.582	5.206	4.868
8	7.325	6.733	6.210	5.747	5.335
9	8.162	7.435	6.802	6.247	5.759
10	8.983	8.111	7.360	6.710	6.145

4. 연부상환율표 $\frac{r \times (1+r)^n}{(1+r)^n - 1}$

n	r = 2%	r = 4%	r = 6%	r = 8%	r = 10%
1	1.020	1.040	1.060	1.080	1.100
2	0.515	0.530	0.545	0.561	0.576
3	0.347	0.360	0.374	0.388	0.402
4	0.263	0.275	0.289	0.302	0.315
5	0.212	0.225	0.237	0.250	0.264

6	0.179	0.191	0.203	0.216	0.230
7	0.155	0.167	0.179	0.192	0.205
8	0.137	0.149	0.161	0.174	0.187
9	0.123	0.134	0.147	0.160	0.174
10	0.111	0.123	0.136	0.149	0.163

5. 복리연금종가율표 $\dfrac{(1+r)^n - 1}{r}$

n	r = 2%	r = 4%	r = 6%	r = 8%	r = 10%
1	1.000	1.000	1.000	1.000	1.000
2	2.020	2.040	2.060	2.030	2.100
3	3.060	3.122	3.184	3.246	3.310
4	4.122	4.246	4.375	4.506	4.641
5	5.204	5.416	5.637	5.857	6.105
6	6.308	6.633	6.975	7.336	7.716
7	7.434	7.898	8.394	8.923	9.487
8	8.583	9.214	9.897	10.637	11.486
9	9.755	10.583	11.491	12.488	13.579
10	10.950	12.006	13.181	14.487	15.937

6. 상환기금률표 $\dfrac{r}{(1+r)^n - 1}$

n	r = 2%	r = 4%	r = 6%	r = 8%	r = 10%
1	1.000	1.000	1.000	1.000	1.000
2	0.495	0.490	0.485	0.481	0.476
3	0.327	0.320	0.314	0.308	0.302
4	0.243	0.235	0.229	0.222	0.215
5	0.192	0.185	0.177	0.170	0.164
6	0.159	0.151	0.143	0.136	0.130
7	0.135	0.127	0.119	0.112	0.105
8	0.117	0.109	0.101	0.094	0.087
9	0.103	0.094	0.087	0.080	0.074
10	0.091	0.083	0.076	0.069	0.063

부동산에 투자를 고려하고 있는 투자자가 당신에게 자문을 요청하였다. 투자자가 자문을 의뢰한 부동산은 상업용으로 인근 유사지역의 부동산 A, B, C 3건이다. 부동산 A, B, C는 동일한 가격으로 매입할 수 있고 투자자가 투자할 수 있는 현금보유액은 450,000,000원이며 나머지 부족분은 K은행으로부터 대출받아 연간 저당지불액 255,000,000원으로 해결할 계획이라고 한다. 부동산 A를 조사한 결과 첫해의 예상수익자료를 아래와 같이 얻을 수 있었다.

조사항목 \ 시나리오	비관적으로 보는 경우	일반적으로 보는 경우	낙관적으로 보는 경우
잠재적 총소득(PGI)	500,000,000원	530,000,000원	560,000,000원
공실률(Vacancy)	8%	6%	5%
영업경비비율(OER)	42%	38%	35%
확률(Probability)	25%	50%	25%

다음 물음에 답하시오. 25점

(1) 확률을 고려한 부동산 A의 자기지분환원율(R_E : Equity Capitalization Rates)과 부동산 A의 시나리오별 R_E에 대한 표준편차를 구하시오. 12점

- 공식 : 표준편차(Standard Deviation) = $\sqrt{분산(Variance)}$
- 분산(Variance) = $\sum_{i=1}^{n} P_i (X_i - \overline{X})^2$
  (P_i : Return을 달성할 확률, $\overline{X}$: 분포의 평균, n : 관측의 수)

(2) 부동산 B와 부동산 C도 같은 방법으로 조사분석하여 다음과 같은 결과를 얻었다.

구분	가중평균 R_g	표준편차(%)
부동산 B	11.6%	4.5
부동산 C	12.5%	6.2

어느 부동산에 투자하는 것이 바람직한 선택인지를 위험(Risk)을 고려하여 부동산 상호간을 각각 비교 설명하시오. 5점

(3) 부동산 A 인근에 공공시설이 들어선다는 소문이 사실로 확인될 경우 부동산 A의 시나리오는 확률이 비관적인 경우 10%, 일반적인 경우 60%, 낙관적인 경우 30%로 수정되어야 한다고 한다. 투자자의 선택에는 어떠한 변화가 일어나는가? 4점

(4) 국내경기의 후퇴에 따라 가계의 유동성이 축소되고 소비여력이 감소하면서 부동산 A는 당초 예상 수익자료보다 공실률이 각각 3% 포인트씩 증가하고, 영업경비비율(OER)은 각각 1% 포인트씩 감소하는 것으로 분석되었다. 다른 조건이 동일한 상황에서 자기지분환원율(R_E)을 산정한 결과 비관적인 경우 1.7%, 일반적인 경우 10.9%, 낙관적인 경우 18.9%로 나타났다. 이 경우 가중평균 R_E가 10.2%, 표준편차는 6.8%인 동일수급권 내의 부동산 D(매입조건과 금융조건은 부동산 A와 동일)와 비교하여 투자대안을 검토하시오. 4점

Question 03

다음을 설명하시오. 20점

(1) 무허가건축물 및 그 부지, 무허가건축물에서의 영업보상, 무허가건축물과 관련된 생활보상 등에 대해 현행 손실보상관련법령에서 정하는 처리방법 10점
(2) 손실보상평가시 가설건축물 및 그 부지에 대한 처리의견 5점
(3) 손실보상평가시 불법형질변경토지의 판단기준 및 평가방법 5점

Question 04

감정평가사 L씨는 S시장으로부터 도시계획도로에 편입된 토지 및 지장물에 대한 보상감정평가액 산정을 의뢰받았다. 다음의 자료를 활용하고 보상관련 제규정을 참작하여 다음 물음에 답하시오. 15점

(1) 토지의 보상감정평가액을 구하시오.
(2) 건축물의 보상감정평가액을 구하시오.
(3) 영업과 관련한 손실보상액을 산정하시오.

(자료 1) 감정평가의뢰 내역

1. 사업의 종류 : ○○도시계획도로 개설
2. 도시계획시설 결정고시일 : 2003.5.20
3. 도시계획 실시계획의 고시일 : 2004.2.5
4. 가격시점 : 2004.8.29

(자료 2) 감정평가의뢰 조서

1. 토지조서

기호	소재지	지번	지목	면적(㎡)	용도지역
1	S시 M동	29-5	전	350	자연녹지

2. 지장물조서

기호	소재지	지번	물건의 종류	구조·규격	수량	비고
1	S시 M동	29-5	점포	블록조 슬레이트 지붕 단층	80 m²	무허가건축물 1988년 1월 신축
2	S시 M동	29-5	우리슈퍼	-	1식	영업손실

(자료 3) 인근지역의 공시지가 표준지 현황

기호	소재지	지번	면적 (m²)	지목	이용 상황	용도 지역	도로 교통	형상 지세	2003.1.1 공시지가 (원/m²)	2004.1.1 공시지가 (원/m²)
A	S시 M동	47-3	300	전	전	자연 녹지	세로 (가)	부정형 평지	280,000	320,000
B	S시 M동	60-5	375	전	전기타 (창고)	자연 녹지	소로 한면	부정형 평지	300,000	350,000
C	S시 M동	100-7	120	대	단독 주택	자연 녹지	세로 (가)	가장형 평지	520,000	630,000
D	S시 M동	123-4	150	대	상업용	자연 녹지	소로 한면	정방형 평지	950,000	1,100,000

(자료 4) 지가변동률

구분	녹지지역(단위 : %)
2003년 1/4분기	1.85
2003년 2/4분기	1.04
2003년 3/4분기	0.71
2003년 4/4분기	0.56
2004년 1/4분기	1.98
2004년 2/4분기	2.30
2004년 3/4분기	미고시

(자료 5) 대상토지 및 보상평가선례에 대한 조사사항

1. 대상토지는 무허가건축물(점포) 부지로 이용 중임.
2. 대상토지는 소로한면에 접하며, 형상은 가로장방형, 지세는 평지임.
3. 인근지역 보상평가선례

   1) 사업명 : ○○도시계획도로 개설
   2) 가격시점 : 2003.5.7

3) 소재지 : S시 M동 142-5번지
4) 지목 및 면적 : 대, 600㎡
5) 용도지역 : 자연녹지지역
6) 토지특성 : 상업용, 소로한면에 접하며 형상은 부정형, 지세는 평지임.
7) 보상단가 : 1,250,000원/㎡

(자료 6) 토지특성에 따른 격차율

1. 도로접면

구분	중로한면	소로한면	세로(가)	세로(불)
중로한면	1.00	0.85	0.70	0.60
소로한면	1.18	1.00	0.80	0.65
세로(가)	1.43	1.25	1.00	0.76
세로(불)	1.67	1.53	1.32	1.00

2. 형상

구분	정방형	가로장방형	부정형
정방형	1.00	1.05	0.85
가로장방형	0.95	1.00	0.80
부정형	1.18	1.25	1.00

(자료 7) 건설사례 등

구분	건설사례 A	건설사례 B	대상건물
사용승인일	2004.4.20	-	-
연면적	100㎡	90㎡	80㎡
가격시점 현재의 내용연수	40	35	-
건물개별요인	98	125	100
건축비(신축 당시)	39,000,000	45,000,000	27,000,000
적법 여부	적법	무허가	무허가

(자료 8) 건물구조 등

1. 건설사례 A, B는 표준적인 건축비로 판단됨.
2. 건설사례 A와 대상건물은 동일한 구조이나 건설사례 B는 철근콘크리트구조임.
3. 건축비지수는 변동이 없는 것으로 가정함.

4. 대상건물은 소유자의 이해관계인이 건축하여 다소 저가의 건축비로 판명되었음.
5. 본건 대상건물의 이전비용은 건설사례 B의 재조달원가의 45%로 산정되었음.
6. 건물의 잔가율은 0임.

(자료 9) 영업보상 관련자료

1. 본 건물소유자가 1996년 5월경부터 슈퍼마켓을 영업해오고 있었음.

2. 본건 점포의 부가가치세 과세표준액 기준매출액 등

   1) 기간별 매출액

기간	매출액(원)
2000.1.1~2000.12.31	123,251,000
2001.1.1~2001.12.31	159,446,000
2002.1.1~2002.12.31	172,075,000
2003.1.1~2003.12.31	180,246,000

   2) 표준소득률

   기본 : 6.4%, 자가 : 7.2%

3. 인근 동종 유사규모업종의 영업이익 수준

   본건을 포함하여 인근지역 내 동종 유사규모업종의 매출액(외형)을 탐문조사한 바 월평균 약 15,000,000~17,000,000원 수준이고 매출액 대비 영업이익률은 약 10%인 것으로 조사됨.

4. 이전 관련자료

   1) 상품재고액 : 5,000,000원
   2) 상품운반비 : 1,200,000원
   3) 진열대 등 해체, 운반, 설치비 : 850,000원
   4) 진열대 증설비 : 300,000원
   5) 상품의 이전에 따른 감손상당액 : 상품가액의 10%
   6) 간판 : 장부상가격 200,000원, 이전비 350,000원
   7) 현 사업장에 소재하는 상품 등에 대하여 1년간 보험료 200,000원을 2003.12.27자로 지출하였음.

2005년 감정평가사 제16회

※ **공통유의사항**
각 문제는 해답 산정시 산식과 도출과정을 반드시 기재할 것

Question 01 해당 부동산 소유자 A씨는 현재의 적정가격을 파악한 후 현 상태대로 매도할 것인지, 아니면 개발업자들로부터 제시받은 여러 개발방안 중의 하나를 선택하여 개발할 것인지를 판단하기 위해 Q감정평가법인에 감정평가를 의뢰하였다. Q감정평가법인에 소속된 S감정평가사는 A씨의 부동산을 평가하기 위해 아래와 같이 관련 자료를 수집·정리하였다. 제시된 자료를 활용하여 아래의 물음에 답하시오.

(1) A씨가 개발업자들로부터 제시받은 개발방안 자료 및 공통자료를 활용하여 부동산에 대한 개발방안의 타당성 분석을 행하여 최종 개발방안을 제시하되, 분석 및 판단에 대한 근거를 최유효이용과 관련하여 설명하시오.

(2) 부동산의 감정평가자료 및 공통자료를 활용하여 현재상태의 대상 부동산에 대한 가격을 산정하고 (1)에서 제시한 개발대안의 가격과 비교하여 대상 부동산의 시장가격을 결정하시오.

(자료 1) 대상 부동산 기본자료

1. 소재지 : K시 B구 A동 100번지
2. 토지 : 대, 500㎡, 소로한면, 세로장방형, 평지
3. 건물 : 조적조 슬래브지붕 2층 건물로 면적은 1층 350㎡, 2층 100㎡
4. 이용상황 : 1층 전자대리점, 2층 주거용
5. 도시관리계획사항 : 일반상업지역
6. 가격시점 : 2005년 8월 1일

(자료 2) A씨가 개발업자들로부터 제시받은 개발방안 자료

〈자료 2-1〉 개발계획안 1

1. 건물구조 및 층수 : 철근콘크리트조 슬래브지붕 지하 1층 지상 6층 건물 1개동
2. 면적 : 지하 280㎡, 지상 각층 340㎡
3. 이용상황 : 업무용

4. 건축계획 : 건축허가 및 건축설계기간 2개월, 공사기간 8개월
5. 공사비 지급조건 : 가격시점 현재의 총건축비를 기준으로 완공시 100% 지급함.
6. 건축 후 임대계획 : 건물건축과 동시에 국내유명보험회사의 지역영업본부에 임대할 예정이며 임대조건은 임대보증금 10억원, 월 임대료 2천4백만원, 계약기간은 5년임.
7. 추가조건 : 5년 임대 후 보험회사에 채권 3억 5천만원과 현금 21억원에 매각한다 (채권은 한국은행이 2000년 6월 1일 발행한 만기 10년, 복리이자율 5%, 만기일시 지급 조건의 채권임).
8. 영업경비 : 연간 총임대료의 30% 수준

〈자료 2-2〉 개발계획안 2

1. 건물구조 및 층수 : 철골조 슬래브지붕 지하 1층 지상 6층 건물 4개동
2. 면적 : 각동 각층 87.5㎡
3. 이용상황 : 상업용
4. 건축계획 : 건축허가 및 건축설계기간 2개월, 공사기간 10개월
5. 공사비 지급조건 : 가격시점 현재의 총건축비를 기준으로 착공부터 완공까지 순차적으로 지급하는 조건임.
6. 건축 후 분양계획 : 착공과 동시에 각 동별 대지귀속면적에 따라 지적분할하여 분양을 시작하며, 매 2개월마다 1동씩 분양될 것으로 예상하고, 분양가액은 동당 5억원임.

〈자료 2-3〉 개발계획안 3

1. 건물구조 및 층수 : 철근콘크리트조 슬래브지붕 지하 2층 지상 6층 건물 1개동
2. 면적 : 지하·지상 각 350㎡
3. 이용상황 : 지상 1층 대형마트, 지상 2층~6층 소형아파트(각층 7개호)
4. 건축계획 : 건축허가 및 건축설계기간 2개월, 공사기간 15개월
5. 공사비 지급조건 : 가격시점 현재의 총건축비를 기준으로 착공시 50%, 완공시 50%를 지급함.
6. 건축 후 분양계획 : 대형마트는 보증금 없이 매월 임대료 1천만원에 임대한 후 10년 뒤 9억원에 임차인에게 매각할 예정이고, 소형아파트는 착공과 동시에 분양을 시작하여 순차적으로 완공시까지 분양이 완료되며, 소형아파트 분양가는 2층 기준 1호당 4천 5백만원에 분양할 예정이고, 소형아파트 분양가를 기준한 층별 효용비는 다음과 같음.

구분	2층	3층	4층	5층	6층
층별 효용비	100	105	105	105	107

〈자료 2-4〉 개발계획안 4

1. **건물구조 및 층수** : 철골조 슬래브지붕 지하 2층 지상 7층 건물 1개동
2. **면적** : 지하 각 300㎡, 지상 1층 180㎡, 지상 2층~7층 각각 320㎡
3. **이용상황** : 지하 1, 2층은 주차장, 지상층은 상업용 복합영화관
4. **건축계획** : 건축허가 및 건축설계기간 2개월, 공사기간 12개월
5. **공사비 지급조건** : 가격시점 현재의 총건축비를 기준으로 완공시 개발부동산을 담보로 S은행으로부터 전액 대출받아 지급한다. 대출조건은 저당기간 10년 기준으로 임대기간 동안 매년 원리금을 균등분할하여 상환하되, 부동산 처분시에는 잔금을 일시상환하는 조건임(S은행 대출이자율 8%).
6. **건축 후 임대계획** : 국내 유명 복합영화관을 유치할 예정이며, 임대주인 건축주는 유치조건으로 옥상에 가로 5m, 세로 4m의 대형광고 스크린을 건물완공과 동시에 설치해 주기로 했다(완공시 설치비용 2억원 발생). 임차인은 매월 초에 월 1,200만원의 임대료를 지불하되, 영화관 매출액의 10%를 추징임대료로 지불하여야 한다. 영화관의 매출액은 연 20억원 수준으로 예상되며, 대상 부동산의 관리에 따른 영업경비는 총임대료의 25% 수준이다. 또한 5년 임대계약 후에는 24억원에 임차인에게 매각하는 조건으로 임대차계약이 가능함.

〈자료 2-5〉 개발계획안 5

1. **건물구조 및 층수** : 철골조 슬래브지붕 지하 3층 지상 9층 건물 1개동
2. **면적** : 지하 각층 350㎡, 지상 1층 300㎡, 지상 2층~9층 각각 350㎡
3. **이용상황** : 지하 1층~지하 3층은 주차장, 지상 각층은 상업용 쇼핑몰(지상 1층은 대형점포 1개, 2~7층은 각층 소형점포 15개)
4. **건축계획** : 건축허가 및 건축설계기간 3개월, 공사기간 15개월
5. **공사비 지급조건** : 가격시점 현재의 총건축비를 기준으로 착공시 60%, 완공시 40%를 지급함.
6. **건축 후 분양계획** : 착공시부터 완공시까지 순차적으로 분양되며, 1층 대형점포의 분양가액은 7억 5천만원, 소형점포의 분양가액은 층별로 차이가 없이 점포당 1억 5천만원임.

〈자료 2-6〉 기타자료

1. 개발안 중 건물을 임대하는 경우는 건물완공시에 사용승인 및 임대가 완료되는 것으로 가정함.
2. 모든 개발계획안에 있어 지하층 중 1개층은 주차장 설치가 필수적임.

3. 개발계획에 있어 건축허가 및 설계기간이 완료되면 즉시 착공하는 것으로 가정함.
4. 건물은 착공과 동시에 철거하되, ㎡당 60,000원이 소요되고 잔재가치는 없음.
5. 인근지역의 모든 개발안의 자본수익률은 10%임.

(자료 3) 대상 부동산의 감정평가 자료

〈자료 3-1〉 인근 공시지가 자료(2005년 1월 1일)

기호	소재지	면적(㎡)	지목	용도지역	이용상황	도로교통	형상·지세	공시지가(원/㎡)
1	A동 190	500	대	일반상업	상업용	중로한면	세장형·평지	1,400,000
2	A동 250	550	대	중심상업	상업용	세로(가)	사다리·평지	1,850,000
3	B동 80	420	대	일반상업	주상나지	중로한면	가장형·평지	1,150,000
4	B동 150	460	대	일반상업	주상용	세로(가)	정방형·평지	1,300,000
5	B동 300	850	대	일반상업	주상기타	소로한면	자루형·평지	750,000

* 표준지 기호 (1)은 약 20%가 도시계획시설(도로)에 저촉되며, 표준지 기호 (5)는 건부감가가 10% 발생되고 있는 토지임.

〈자료 3-2〉 인근지역 거래사례

1. 거래사례 (1)
    1) 사례 부동산
        ① 토지 : K시 B구 A동 300번지 대, 500㎡, 세로(가), 사다리형, 평지
        ② 건물 : 위 지상 철근콘크리트조 슬래브지붕 지하 1층 지상 6층(상업용, 연면적 2,350㎡)
    2) 거래시점 : 2005년 6월 15일
    3) 거래가격 : 23억원
    4) 도시관리계획사항 : 일반상업지역
    5) 기타사항 : 해당 사례는 거래 당시의 제반 상황이 반영되어 정상적으로 매매가 이루어진 전형적인 거래사례로 조사되었음.

2. 거래사례 (2)
    1) 사례 부동산
        ① 토지 : K시 B구 B동 120번지 대 520㎡, 소로한면, 가로장방형, 평지
        ② 건물 : 위 지상 조적조 슬래브지붕 2층(주상용, 연면적 400㎡)
    2) 거래가격 : 9억원
    3) 거래시점 : 2005년 6월 5일

4) 도시관리계획사항 : 일반상업지역

5) 기타사항 : 해당 사례는 거래 당시의 제반 상황이 반영된 거래사례임.

3. 토지·건물가격구성비

현황을 기준으로 사례 (1)은 3 : 7, 사례 (2)는 7.5 : 2.5인 것으로 조사되었으나, 대상 부동산은 파악이 곤란한 상황임.

〈자료 3-3〉 임대관련 자료

1. 대상 부동산의 임대자료

대상 부동산의 1층은 보증금 7억원, 월임대료 500만원에, 2층은 보증금 1억원, 월임대료 50만원에 각각 임대되고 있으며, 소유자는 대상 부동산의 관리를 연간임대료의 3%를 지급하는 조건으로 부동산관리회사에 위탁관리하고 있다. 또한 연간임대료의 20%가 유지관리비 등의 비용으로 지출되고 있고, 대상 부동산의 토지 및 건물분 재산세 및 소유자급여가 각 연간임대료의 1%이다. 이러한 대상 부동산의 임대상황은 현황을 기준한 일반적인 수준으로 판단됨.

2. 최유효이용을 기준한 인근 부동산의 1, 2층 최근 임대자료

구분	월순임대료(원/㎡)	비고
1층	250,000	
2층	125,000	

3. 대상 부동산의 현황을 기준한 자본환원이율은 15%임.

〈자료 3-4〉 대상 및 사례건물상황

구분	대상건물	거래사례 (1)	거래사례 (2)
사용승인(신축)일자	1995.7.1	2003.4.15	1996.10.30
가격시점 현재 잔존내용연수	35	48	36
건물과 부지와의 관계	건부감가	최유효이용	건부감가
건축 당시 신축가격	-	-	-

(자료 4) 공통자료

〈자료 4-1〉 인근지역의 지역개황 등

대상토지가 속해 있는 인근지역은 지질 및 지반상태가 대부분 연암인 것으로 조사되었

고, 최근 임대수요의 상승으로 인한 부동산 개발이 가속화되어 5층 내외의 상업·업무용 건물이 밀집하여 형성된 전형적인 상업지대인 것으로 조사되었다. 또한 상업·업무용 건물의 신축으로 기존 건물들의 임대료는 하락하고 있는 상황이며, 인근지역 주민들을 대상으로 표본조사를 실시한 결과 지역의 급속한 상업지로의 이행이 진행됨에 따라 공개공지 및 근린공원 등의 부족으로 주거지로서의 기능은 대체로 상실된 것으로 조사되었다. 또한 최근 해당 지역의 표준지공시지가를 평가한 담당 감정평가사의 K시 B구 지역분석보고서에서도 이러한 지역상황이 재확인되었음.

〈자료 4-2〉 건축비 및 경제적 내용연수

구분	내용연수	가격시점 기준 건축비(원/㎡)	
		상업·업무용	주상용
철근콘크리트조	50	750,000	800,000
철골조	40	480,000	540,000
조적조	45	600,000	660,000

* 건축비자료는 지상·지하층(주차장부분 포함) 구분 없이 적용이 가능함.

〈자료 4-3〉 K시의 건축 및 도시계획관련 조례

1. 대지의 최소면적 : 주거지역 90㎡, 상업지역 150㎡, 공업지역 200㎡, 녹지지역 200㎡, 기타지역 90㎡
2. 건축물의 최고높이 : 인근 상업지역은 도시경관 조성을 위하여 필요하다고 인정되는 구역으로 지정되어 건축물의 높이를 30m 이하로 하되, 이는 광고탑, 송신탑 등과 같은 옥상구조물의 높이를 포함한 것임.
3. 건폐율 : 전용주거지역 40%, 제2종일반주거지역 50%, 준주거지역 60%, 중심상업지역 80%, 일반상업지역 70%, 근린상업지역 60%, 유통상업지역 60%
4. 용적률 : 전용주거지역 100%, 제2종일반주거지역 150%, 준주거지역 400%, 중심상업지역 1,000%, 일반상업지역 600%, 근린상업지역 600%, 유통상업지역 400%
5. 층고 : 3.5m

〈자료 4-4〉 지반에 따른 건축가능층수

구분	풍화토	풍화암	연암	경암
지상층	3	5	10	15
지하층	1	1	2	3

〈자료 4-5〉 지가변동률 및 건축비지수

1. 지가변동률(K시 B구, %)

구분		주거지역	상업지역
2004년 누계		3.15	2.14
2005년	3월 (누계)	0.043 (1.045)	0.121 (1.000)
	6월 (누계)	0.165 (2.130)	0.126 (1.540)
	7월 (누계)	0.100 (2.560)	0.075 (1.980)

2. 건축비지수

건축비지수는 2003년 상승 이후 2004년 1월 1일부터는 보합세를 유지하고 있음.

〈자료 4-6〉 개별요인 비교자료

1. 접면도로

구분	중로한면	소로한면	세로(가)
중로한면	1.00	0.93	0.86
소로한면	1.08	1.00	0.93
세로(가)	1.15	1.08	1.00

2. 형상

구분	정방형	가로장방형	세로장방형	사다리형	부정형·자루형
비교치	1.00	1.03	0.95	0.90	0.81

3. 지세

구분	저지	평지	완경사	급경사	고지
비교치	1.00	1.04	0.95	0.89	0.80

4. 인근지역의 표준적인 토지규모는 450㎡~600㎡임.

〈자료 4-7〉 기타자료

1. 보증금 운용이율 및 지불임대료 운용이율 : 1%/월
2. 개별요인 비교치는 백분율로서 소수점 이하 첫째 자리까지, 지가변동률은 소수점 이하 셋째 자리까지 표시하되, 반올림할 것
3. 단위가격결정시 백원 단위에서 반올림할 것

Question 02 W씨는 소유부동산을 T주식회사에 출자하기 위해 Q감정평가법인에서 감정평가서를 발급받아 제출하였으나, 일부 주주들이 Q감정평가법인의 감정평가서가 토지평가 및 건물감가에 문제가 있다고 지적하면서 전체적으로 적정한 시장가격평가가 이루어지지 못했다고 주장하여 T주식회사가 직접 S감정평가법인에 감정평가를 재의뢰하였다. 배정을 받은 담당감정평가사는 사전·실지조사 등을 통하여 아래와 같은 자료를 수집하였다. 주어진 자료를 활용하여 다음의 물음에 답하시오. 30점

(1) 대상 부동산의 토지가격결정을 위한 지역요인을 분석하고, 비교표준지 공시지가의 선정이유를 설명하시오.
(2) 대상 부동산의 건물평가를 위한 경제적 내용연수를 확정하시오.
(3) 대상 부동산의 가격을 개별평가방법($V_O = V_L + V_B$)에 의해 결정하시오.

(자료 1) 평가대상 부동산의 개요

1. 평가목적 : 일반거래(현물출자를 위한 감정평가)
2. 가격시점 : 2005.6.30(소급감정)
3. 조사기간 : 2005.8.20~8.28
4. 주위환경

   대상 부동산이 위치하는 지역은 상업지대와 주거지대의 완충적 공간을 형성하고 있으며, 학원, 사무실 등 업무용의 3~5층 철근콘크리트조 건물이 표준적 이용이라고 볼 수 있는 노선상가지대로 1층에는 식당, 슈퍼, 화원 등의 근린생활시설 이용이 많으나 공실률이 높아 최근 리모델링을 행하고 있는 건물이 많이 소재한 지역임.

5. 토지
   ① 소재지 : D시 H구 N동 1455번지
   ② 지목, 면적, 용도지역 : 대, 780㎡, 준주거지역
   ③ 특성 : 가로장방형, 평지, 중로한면

6. 건물내역
   ① 사용승인일 및 당시 건물신축단가 : 1990.3.30, @321,000/㎡
   ② 철근콘크리트조 슬래브지붕 5층, 교육관련시설
   ③ 연면적 : 1,850㎡

(자료 2) 시장자료

1. 거래사례 A
    (1) 주위환경 : 주위환경 및 표준적 이용이 대상 부동산이 속해 있는 지역과 유사하나 인근에 30만평 규모의 택지개발이 이루어지고 있으며, 건물상태가 대상 부동산이 속해 있는 지역보다 양호함.

    (2) 토지
        ① 소재지 : D시 H구 L동 876번지
        ② 지목, 면적, 용도지역 : 대, 840㎡, 준주거지역
        ③ 특성 : 세로장방형, 평지, 중로한면

    (3) 건물내역
        ① 사용승인일 및 당시 건물신축단가 : 1996.6.30, @534,000원/㎡
        ② 철근콘크리트조 슬래브지붕 3층, 사무실
        ③ 연면적 : 1,589㎡(기계실 등의 비수익공간이 협소)

    (4) 거래내역
        ① 거래일자 : 2005.4.30
        ② 거래금액 : 1,360,000,000원
        ③ 거래조건 등 : 거래 당시 시공사에 견적을 받은 결과 배관시설 교체비용으로 매수자가 35,000,000원을 부담하기로 되어 있었음.

2. 거래사례 B
    (1) 주위환경 : 표준적 이용이 대상 부동산이 속해 있는 지역과 유사함.

    (2) 토지
        ① 소재지 : D시 H구 M동 1242번지
        ② 지목, 면적, 용도지역 : 대, 650㎡, 준주거지역
        ③ 특성 : 가로장방형, 평지, 중로각지

    (3) 건물내역
        ① 사용승인일 및 당시 건물신축단가 : 1988.3.31, @234,000원/㎡
        ② 철근콘크리트조 슬래브지붕 4층, 사무실
        ③ 연면적 : 1,100㎡

(4) 거래내역
① 거래일자 : 2005.3.31
② 거래금액 : 현금지불액 700,000,000원
③ 거래조건 등 : 매도자가 이용하고 있던 다음과 같은 은행의 대출금을 매수자가 인수하는 조건이며, 5년 전 은행의 대출금은 225,490,000원, 대출이자율 연 7.2%, 10년간 매월 원리금을 균등분할하여 상환하는 조건이었으나 매수인의 금융신용도가 낮아 이자율이 7.8%로 상승되었다. 다만, 시장이자율은 12%임.

3. 거래사례 C
   (1) 주위환경 : 표준적 이용이 대상 부동산이 속해 있는 지역과 유사하나 접면도로가 다소 좁으며, 대상지역보다 늦게 개발이 완료되어 건물의 상태가 양호한 지역임.

   (2) 토지
   ① 소재지 : D시 H구 P동 48-2번지
   ② 지목, 면적, 용도지역 : 대, 960㎡, 준주거지역
   ③ 특성 : 사다리형, 평지, 소로한면

   (3) 건물내역
   ① 사용승인일 및 당시 건물신축단가 : 1999.6.30, @389,000원/㎡
   ② 철골조 및 일부 철근콘크리트조 슬래브지붕 3층, 사무실 등
   ③ 연면적 : 1,671㎡

   (4) 거래내역
   ① 거래일자 : 2005.5.1
   ② 거래금액 : 현금지불액 1,400,000,000원
   ③ 거래조건 등 : 매도자와 매수자는 과거에 거래한 적이 있었으며, 지난번 거래시 매수자가 도와준 사정으로 매도자는 4%를 할인해 준 것으로 확인되었음.

4. 거래사례 D
   (1) 주위환경 : 주위성숙도 및 표준적 이용이 대상 부동산이 속해 있는 지역과 유사하나 대상지역보다 개발이 늦게 완료되어 건물상태가 양호한 지역임.

   (2) 토지
   ① 소재지 : D시 H구 O동 232-1번지

② 지목, 면적, 용도지역 : 대, 725㎡, 준주거지역

③ 특성 : 정방형, 평지, 중로한면

(3) 건물내역

① 사용승인일 및 당시 건물신축단가 : 1999.2.28, @518,000원/㎡

② 철근콘크리트조 슬래브지붕 5층, 교육관련시설 등

③ 연면적 : 1,357㎡

(4) 거래내역

① 거래일자 : 2005.5.31

② 거래금액 : 현금지불액 1,250,000,000원

③ 거래조건 등 : 본 건물은 임대세대수를 늘리기 위해 불필요한 3개층 칸막이시설을 매수자가 철거하는 조건으로 계약되었으며 예상철거비가 120,000,000원이었던 것으로 조사되었음.

(자료 3) 표준지공시지가 내역(2005년 1월 1일)

기호	소재지(D시)	면적(㎡)	지목	이용상황	용도지역	도로	형상 지세	공시지가 (원/㎡)
1	H구 L동 217	650	대	업무용	준주거	중로한면	가장형 평지	610,000
2	H구 M동 192	890	대	업무용	준주거	소로한면	세장형 평지	640,000
3	H구 N동 181	1,200	대	주상용	제3종 일반주거	소로각지	정방형 평지	420,000
4	H구 O동 306	960	대	업무용	준주거	소로한면	사다리 평지	650,000
5	H구 P동 912	780	대	업무용	준주거	중로한면	가장형 평지	960,000

(자료 4) 지가변동률 및 건축비지수

1. 지가변동률(H구, %)

구분	2004년 2/4	2004년 3/4	2004년 4/4	2005년					
				1월	2월	3월	4월	5월	6월
주거지역	0.35	2.36	1.06	0.342	0.468	0.564	1.122	0.260	0.320

2. 건축비 상승지수

(1) 사용승인일부터 가격시점까지의 상승지수

사례별 구조별	거래사례 A (1996.6.30) ~ (2005.6.30)	거래사례 B (1988.3.31) ~ (2005.6.30)	거래사례 C (1999.6.30) ~ (2005.6.30)	거래사례 D (1999.2.28) ~ (2005.6.30)	대상 부동산 (1990.3.30) ~ (2005.6.30)
철근콘크리트조	1.3165	2.8198	–	1.3376	2.2437
철골조	–	–	–1.2447	–	–

(2) 사용승인일부터 거래시점까지의 상승지수

사례별 구조별	거래사례 A (1996.6.30) ~ (2005.4.30)	거래사례 B (1988.3.31) ~ (2005.3.31)	거래사례 C (1999.6.30) ~ (2005.5.1)	거래사례 D (1999.2.28) ~ (2005.5.31)	대상 부동산 (1990.3.30) ~ (2005.6.30)
철근콘크리트조	1.3122	2.7928	–	1.3333	2.2437
철골조	–	–	1.2340	–	–

(자료 5) 지역요인 격차율 산정을 위한 자료

1. 평가대상 인근 및 거래사례 인근의 수익성 부동산을 조사한 결과 건물 바닥면적당 연간 평균소득과 평균 영업경비에 대한 조사가 다음과 같이 이루어졌으며, 조사지역의 환원이율은 동일 또는 유사한 것으로 파악되었음.

구분	L동	M동	N동	O동	P동
PGI(원/m^2)	125,000	148,000	150,000	136,000	154,000
공실률(Vacancy)	10%	12%	12%	6%	5%
영업경비(원/m^2)	46,000	56,000	55,000	47,000	45,000

2. 건물의 경우에는 D시 내에서 지역격차 없이 거래가 이루어지고 있음.

3. 각 동별로 개발시기 및 생애주기가 상이하여 소득과 경비에서 차이가 있음.

4. 같은 동 내에서는 지역요인이 동일함.

(자료 6) 개별요인 비교자료

1. 도로(각지는 한면보다 5% 우세)

구분	대로	중로	소로	세로(가)	맹지
비교치	1.10	1.00	0.95	0.78	0.45

2. 형상

구분	정방형	가장형	세장형	부정형	사다리형
비교치	1.00	0.98	0.94	0.84	0.89

3. 지세

구분	저지	평지	완경사	급경사	고지
비교치	0.82	1.00	0.96	0.89	0.87

4. 용도지역

용도지역이 상이한 경우는 H구 지역특성상 일정한 격차를 파악하기 어려움.

(자료 7) 기타사항

1. 한국은행은 2005년 6월 15일 콜금리 인하를 발표하였고 H부동산연구원에서 이를 분석한 결과 콜금리 인하가 향후 D시의 토지가격 상승에 미치는 영향이 5%인 것으로 분석되었으며, 이는 지가변동률에도 반영되지 않은 것으로 조사되었음.
2. 지가변동률은 백분율로서 소수점 이하 셋째 자리까지 표시하되, 반올림할 것
3. 토지단가 및 건물단가(재조달원가) 산정시 백원 단위에서 반올림할 것
4. 지역요인 격차율은 백분율로서 소수점 이하 첫째 자리까지 표시하되, 반올림할 것
5. Q감정평가법인의 당초 감정평가가액은 다음과 같이 평가하였던 것으로 조사되었음.

> 가. 토지평가
>   표준지공시지가 × 시점수정 × 지역요인 × 개별요인 ≒ 단가
>   *표준지공시지가 기준가격이 적정하다고 판단하여 기타요인은 반영하지 않음.
> 나. 건물평가
>   재조달원가 × {(내용연수 - 경과연수) / 내용연수} ≒ 단가
>   *내용연수는 건물구조에 따라 결정함.

실무수습 감정평가사 B씨는 담보평가를 위한 실지조사 후 지도감정평가사 S씨로부터 아래 평가목적별 감정평가액을 산정하여 제출하라는 과제를 부여받았다. 주어진 자료를 활용하여 동일 부동산에 대한 평가목적별 감정평가액을 결정하시오. 20점

(1) 대상 부동산의 담보감정평가액
(2) 대상 부동산의 경매감정평가액
(3) 대상 부동산이 국유재산 중 잡종재산일 경우 처분목적의 감정평가액
(4) 대상 부동산의 공익사업(도시계획도로개설공사) 시행을 위한 보상(협의)목적의 감정평가액

(자료 1) 대상 부동산의 기본자료

1. 소재지 : A시 B구 C동 108번지
2. 형상 및 지세 : 자루형 평지
3. 도시관리계획사항 : 제2종일반주거지역, 도시계획도로 저촉, 문화재보호구역
4. 해당 건축물의 사용승인일은 1998.6.30이며 건물과 토지는 최유효이용의 상태에 있는 것으로 조사되었음.
5. 건물의 물리적 내용연수는 50년이며, 경제적 내용연수는 45년으로 판단되었음.
6. 대상 부동산은 전체가 도시계획도로 및 문화재보호구역에 저촉된 상태임.
7. 해당 구청으로부터 발급받은 지적도상 축척은 1 : 1,200임.
8. 가격시점은 평가목적별로 2005.8.28자임.

(자료 2) 사전조사 내용

1. 토지 관련 자료

구분	소재지	지목	면적
토지대장등본	A시 B구 C동 108번지	대	532㎡
토지등기부등본	A시 B구 C동 108번지	답	150평

2. 건물 관련 자료

구분	일반건축물대장등본	건물등기부등본
소재지	A시 B구 C동 108번지	A시 B구 C동 108번지
구조	철근콘크리트조 슬래브지붕 지하 1층 지상 5층	철근콘크리트조 슬래브지붕 지하 1층 지상 5층

지하 1층	(주차장) 250㎡	(주차장) 250㎡
1~4층	(근린생활시설) 각 230㎡	(근린생활시설) 각 230㎡
5층	(단독주택) 210㎡	(단독주택) 180㎡

3. 인근지역의 표준지공시지가(공시기준일 : 2005.1.1)

일련번호	소재지	면적(㎡)	지목	이용상황	용도지역	주위환경	도로교통	형상지세	공시지가(원/㎡)
1	A시 B구 C동 107	550	대	주상용	제2종 일반주거	주택 및 상가지대	중로 한면	가로장방형 평지	2,000,000

* 비고시 항목 중 확인내용 : 도시계획도로 저촉률 20%, 문화재보호구역이 아님.

4. 지가변동률〈A시 B구〉(단위 : %)

구분	주거지역	상업지역	대		기타
			주거용	상업용	
2005년 1월	0.512	0.312	0.511	0.552	0.312
2005년 2월	0.235	0.326	0.221	0.331	0.156
2005년 3월	0.901	0.791	0.701	0.101	0.595
2005년 4월	0.623	0.328	0.531	0.715	0.201
2005년 5월	0.225	0.251	0.282	0.312	0.212
2005년 6월	0.237	0.254	0.297	0.323	0.232
2005년 7월	0.237	0.252	0.298	0.324	0.282

5. 생산자물가지수(한국은행조사)(1995 = 100)

2004.12	2005.1	2005.3	2005.5	2005.6	2005.7
108.4	108.6	109.5	109.6	109.0	109.9

(자료 3) 실지조사 내용

1. 실지조사결과 대상토지 중 약 50㎡는 현황도로(소유자가 스스로 자기토지의 편익 증진을 위해 개설하였으나 개설 이후 도시계획시설(도로)결정이 이루어졌음)이며, 약 30㎡는 타인이 점유하고 있는 것으로 조사되었고, 일반적으로 도시계획도로에 저촉된 부동산은 인근지역의 표준적인 가격에 비하여 30% 정도 감가되어 거래되는 것으로 조사되었다.

2. 보상평가선례
   ① 토지 : A시 B구 C동 136번지 대 550㎡

② 가격시점 : 2005.6.1
③ 보상단가 : @2,300,000원/㎡
④ 토지특성 : 제2종일반주거지역, 중로한면, 가로장방형 평지임.

3. 건설사례 : 인근지역에서 대상건물 및 표준지 지상 건물과 구조·시공자재·시공정도 등 제반 건축조건이 유사한 주상복합용 건물의 건설사례를 조사한 결과 가격시점 현재의 표준적인 건축비용은 ㎡당 750,000원으로 파악되었다.

4. 제시 외 건물에 관한 사항
   ① 대상토지에 소재하는 제시 외 건물은 일반건축물대장에 미등재된 상태로서 종물에 해당되는 것으로 판단되며, 대상 부동산 소유자의 소유인 것으로 조사되었음.
   ② 구조·용도·면적 : 시멘트벽돌조 슬래브지붕 단층, 화장실 및 창고, 30㎡
   ③ 신축시점 : 구두조사 결과에 의하면 1998.7.1에 신축된 것으로 보임.
   ④ 가격시점 현재 건축비 : 291,000원/㎡
   ⑤ 제시 외 건물의 물리적 내용연수는 45년이며, 경제적 내용연수는 40년으로 판단되었음.

(자료 4) 평가조건, 지역 및 개별요인 등

1. 대상토지는 보상평가선례 대비 현황도로, 타인점유로 인한 영향을 제외한 개별요인이 10% 열세이며, 표준지와 보상선례와의 개별요인 격차는 1.0이고 같은 구 같은 동의 지역요인 격차는 없음.

2. 지도감정평가사가 소속되어 있는 감정평가법인과 대상 부동산의 담보 감정평가서 제출처인 금융기관 사이에 체결한 협약서에는 현황도로 및 타인점유부분은 평가대상면적에서 제외하도록 규정되어 있음.

3. 문화재보호구역 가치하락률

저촉정도	0~20%	21~40%	41~60%	61~80%	81~100%
감가율	3%	5%	7%	9%	10%

4. 대상토지 중 타인점유부분은 노후 건물이 소재하여 점유강도가 다소 약한 것으로 판단되며, 이에 따른 가치하락률은 5% 정도인 것으로 판단되었음.

5. 대상 부동산이 국유재산 중 잡종재산일 경우 지상에 소재하는 제시 외 건물의 매각 여부는 국유재산법에 따라 처리할 것

6. 대상 부동산을 국유재산의 처분목적으로 감정평가하는 경우 타인점유부분은 건물 철거 후 나지상태로 처분하는 것을 전제로 하고, 도로부분은 분할 후 매각대상에서 제외하는 것으로 할 것

7. 국유재산을 처분목적으로 감정평가할 경우 A시 B구청장이 해당 도시관리계획으로 정하여진 목적 이외의 목적으로 처분한다는 취지와 조건을 제시하였음.

8. 대상 부동산을 보상목적으로 감정평가할 경우 실시계획인가고시일은 2005.3.25이며, 지장물의 이전비는 취득가격을 상회하는 것으로 조사·분석되었음.

(자료 5) 기타 참고자료

1. 지가변동률은 백분율로서 소수점 이하 넷째 자리에서 반올림하여 셋째 자리까지 표시하고, 단가는 100만원 단위 이상일 경우에는 유효숫자 넷째 자리, 그 미만은 셋째 자리까지 표시함을 원칙으로 하되 반올림하시오.

2. 기타요인 보정치는 소수점 이하 셋째 자리에서 반올림하여 둘째 자리까지 표시할 것

3. 건물의 감가수정은 정액법에 의함.

4. 토지의 면적을 환산할 경우 소수점 이하 첫째 자리에서 반올림할 것

Question 04

○○도 B군은 공익사업에 편입되는 토지 및 지장물에 대하여 감정평가를 하여 손실보상금 지급통보를 하였고, 이후 협의가 이루어졌으나 자료 2의 통계자료를 기준으로 ○○도 B군이 직접 산정·통보한 농업손실보상금은 협의가 아직 이루어지지 않고 있다. 사업시행자인 B군은 농작물실제소득인정기준에서 정하는 기관으로부터 발급받은 거래실적 증명서류를 제출받았으나 당초 통보한 금액과 농작물실제소득산정기준에 의한 금액과의 차이가 너무 크고, 현행법령에 따른 농업손실보상대상 여부에도 의문이 있어 사업시행자는 토지 및 지장물 평가를 담당했던 S감정평가법인에 농업손실보상을 추가로 의뢰하였다. 다음 물음에 답하시오. 10점

(1) ○○도 B군이 산정·통보한 농업손실보상액 및 실제소득산정기준에 의한 농업손실보상액은?

(2) 현행 법령에 따른 합리적인 손실보상 처리방법을 설명하시오.

(자료 1) 평가대상 관련 조사자료

1. 토지 : ○○도 B군 △△리 123번지, 900㎡, 공부상 "전", 관리지역, 부정형 평지, 세로(가)

2. 건축물 : 위 지상 경량철골조 컬러강판지붕 단층 버섯재배사, 333㎡, 본 건축물은 1999.9.12 신축한 신고대상 건축물로 신고완료하였음.

3. 버섯재배사 내에는 이전 후 재설치가 가능한 버섯재배시설이 있음. 2.5톤 트럭기준 9대분

4. 보상계획의 공고일 : 2005.1.1, 소유자 : 홍길동

5. 실제소득인정기준에서 정하는 기관(농협)에서 발급받은 거래실적자료

기간	출하주	출하처	품목	중량(kg)	평균판매 단가(원)	판매금액(원)	발급 기관
2003.1.1~ 2003.12.31	홍길동	서울청과 외 5개소	느타리버섯	6,560	4,300	28,208,000	농협
2004.1.1~ 2004.12.31	홍길동	농산물공판장 외 8개소	느타리버섯	6,420	5,500	35,310,000	농협

(자료 2) 통계청 농가경제조사 통계자료(도별 연간 농가평균 단위경작면적당 농작물조수입)

행정구역	면적기준	2004년 농작물 조수입(원)	2004년 경지면적(㎡)	단위면적당 농작물 조수입(원/㎡)	2년기준 농업손실 보상액(원/㎡)
○○도	㎡	18,055,000	17,045.19	1,059	2,118

(자료 3) 농작물실제소득인정기준(국토교통부고시 제2003-44호)

제2조(용어의 정의)

　이 기준에서 사용하는 용어의 정의는 다음 각 호와 같다.

　1. "농작물 총수입"이라 함은 …… 보상계획의 통지 또는 사업인정의 고시가 있은 날 이전 2년간의 연간 평균총수입을 말한다.

제3조(실제소득의 산정방법)

　※ 연간 단위경작면적당 실제소득 = 농작물 총수입 ÷ 경작농지 전체면적 × 소득률

제5조(소득률의 적용기준)
① 제3조의 규정에 의한 소득률은 다음 각 호의 우선순위에 의하여 적용한다.
　　1. 농촌진흥청장이 매년 조사·발표하는 농축산물소득자료집의 전국 작물별 소득률

제6조(사업시행자의 재조사)
　사업시행자는 제3조의 규정에 의하여 산정한 연간 단위경작면적당 실제소득이 소득자료집의 전국 작물별 단위면적당 소득의 130퍼센트를 초과하는 경우

(자료 4) 지장물 평가에 포함되지 않은 버섯재배용 이전대상시설 이전비자료

구분	운반규모	운반비	인부노임	시설재배치 및 설치(50%)	합계
2.5톤	9대	554,000원	650,000원	602,000원	1,806,000

(자료 5) 2004 농축산물소득자료집 중 전국 느타리버섯 소득률(기준 : 연/100평)

비목별	수량(kg)	단가(원)	금액(원)	비고
조수입	5,620	5,200	29,224,000	상품화율 : 92.7% 연 재배횟수 : 2.6회
경영비	–	–	12,859,000	종균비, 광열비 등
소득			16,365,000	
소득률			56%	

Question 05

다음은 감정평가실무에서 일반적으로 사용되는 용어이다. 다음 용어에 대하여 약술하시오. 5점

(1) 건축법상의 "대지"와 지적법상의 "대(垈)"
(2) 다가구주택과 다세대주택
(3) 소재불명, 확인불능

2006년 감정평가사 제17회

※ 공통유의사항
1. 각 문제는 해답 산정시 산식과 도출과정을 반드시 기재할 것
2. 단가는 유효숫자 셋째 자리까지 표시, 지가변동률은 백분율로서 소수점 이하 넷째 자리에서 반올림하여 셋째 자리까지 표시할 것

Question 01

베스트부동산투자회사는 주식발행과 차입을 통해 회사를 설립하면서 오피스빌딩 2동을 매입, 임대하여 얻은 소득을 주식소유자에게 배당할 계획이다. 다음 제시 자료를 활용하여 물음에 답하시오. 40점

(1) 각 오피스빌딩의 예상 매입가격을 결정하시오.
(2) 매입부동산의 1차년도 현금흐름을 예상하고 1주당 예상 배당수익률을 산정하시오.
(3) 각 오피스빌딩의 1차년도 지분배당률(equity dividend rate)을 계산하시오.
(4) 2차년도의 현금흐름을 경기상황에 대한 시나리오에 기초하여 예상하고, 주당 배당수익률을 1차년도와 동일한 수준으로 유지한다고 가정할 때 2차년도 기초의 이론적 주당가치를 예상하시오. 이때 다른 요인은 모두 변동하지 않는다고 가정한다.

(자료 1) 매입 예정부동산

구분	대상 부동산 A	대상 부동산 B
토지면적(m²)	1,500	1,200
건물연면적(m²)	6,000	3,600
잔존 경제적 내용연수(연)	50	45
가격시점	2006.8.27	

(자료 2) 거래사례 부동산

구분	사례 1	사례 2	사례 3	사례 4
토지면적(m²)	1,600	1,100	1,450	1,350
건물연면적(m²)	6,500	3,100	5,800	3,800
잔존 경제적 내용연수(연)	48	44	46	43

거래시점	2005.8.27	2006.2.27	2006.5.27	2005.11.27
거래조건	거래대금을 거래시점 3개월 후부터 매 3개월마다 20%, 30%, 30%, 20%로 분할 지불함.	- 대출비율 40% - 시장 평균금리보다 2% 낮은 고정금리 - 잔여만기 5년	거래시점에 전액 현금지급	- 대출비율 80% - 시장 평균금리보다 2% 높은 고정금리 - 잔여만기 3년
거래가격(원)	9,900,000,000	5,800,000,000	8,000,000,000	4,800,000,000

(자료 3) 대상 부동산과 사례 부동산 기본자료

1. 유사한 시장지역이라고 판단되는 S시 K구에 소재
2. 이용상황 : 업무용
3. 도시관리계획 : 중심상업지역
4. 인근지역과 유사지역의 전형적인 토지 : 건물가격비율은 65 : 35임.

(자료 4) 대상 부동산과 사례 부동산의 요인비교

구분	대상 A	대상 B	사례 1	사례 2	사례 3	사례 4
지역요인	100	95	105	110	95	90
개별요인	100	100	100	105	105	95

(자료 5) 시장이자율 등

1. 시장할인율 : 8%
2. 시장평균이자율 : 6.5%
3. 시장평균대출조건 : 만기 5년, 연 1회 이자지급, 만기일시원금상환
4. 인근지역의 지난 1년간 오피스빌딩 가격 연평균 상승률 : 6%

(자료 6) 부동산투자회사 설립에 관한 사항

1. 주식발행 : 액면가 5,000원, 1,000,000주
2. 오피스빌딩 매입가격 중 주식발행액으로 부족한 자금은 차입하여 조달
3. 대출조건 : 시장평균조건
4. 배당가능금액의 95%를 배당 예정

5. 경비비율 - 총소득기준

구분	영업경비(%)	위탁수수료(%)	기타 관리비용(%)
대상 부동산 A	40	5	2.5
대상 부동산 B	35	5	2.0

6. 배당가능금액은 순영업소득에서 지급이자를 차감한 것임.

(자료 7) 대상 부동산의 시장임대료

1. 시장임대료는 월세 형태로 건축연면적 기준으로 징수하며, 관리비 등 다른 부대경비는 지불하지 않음.

2. 대상 부동산의 공실률은 모두 0%라고 가정하고, 순영업소득 산정시 자연공실률을 고려하지 말 것

3. 임대사례 : 거래사례와 동일한 부동산으로 임대내역 등은 다음과 같음.

구분	대상 A	대상 B	사례 1	사례 2	사례 3	사례 4
공실률(%)	0	0	2	3	5	4
전용률(%)	68	70	60	70	70	80
지하철역과 거리(km)	1.0	1.0	0.7	0.9	1.3	1.2
월임대료(원/㎡)			17,500	17,800	17,100	17,000

4. 인근지역에서 통용되는 시장 월임대료 산식

구분	공실률 차이	전용률 차이	지하철역과 거리 차이
격차율	0.01	0.03	0.05

* 월임대료 = 사례 부동산 월임대료 × (격차율 × 공실률 차이 + 격차율 × 전용률 차이 + 격차율 × 지하철역과 거리 차이)

(자료 8) 2차년도 경기상황에 대한 시나리오

경기상황	발생확률	임대료변동률(%)	
		대상 부동산 A	대상 부동산 B
호황	0.4	10	8
보통	0.4	5	3
불황	0.2	-3	-2

(자료 9) 기타

1. 대상 오피스빌딩의 거래사례비교법에 의한 시산가격은 거래가격을 토지면적당 단가와 건축면적당 단가를 비교단위로 하여 각 오피스빌딩의 두 시산가격을 평균하여 산정할 것
2. 매입 대상 부동산의 가격 및 임대료를 구할 때 둘 이상의 사례를 사용하는 경우 각 사례에서 구한 시산가격을 평균하여 결정할 것
3. 건물감가상각은 정액법에 의함.
4. 오피스빌딩의 지분배당률을 구할 때 종합환원율 공식은 원금을 만기에 일시상환하는 대출관행을 고려해 Ross의 방법을 적용할 것
5. 각 대상 부동산에 대한 지분 및 차입금 투자비율은 동일한 것으로 가정할 것
6. 배당은 매년 8월 27일 실시한다고 가정할 것
7. 배당수익률과 지분배당률은 백분율로서 소수점 이하 셋째 자리에서 반올림하여 둘째 자리까지 표시할 것

감정평가사 김씨는 「도시 및 주거환경정비법」에 의한 A시 B구 C동 XX지구 주택재개발조합으로부터 조합원 P씨의 권리변환 및 정산을 위한 평가를 의뢰받아 다음 자료를 조사·수집하였다. 이 자료를 활용하여 다음 물음에 답하시오. 25점

(1) P씨의 종전자산가격을 구하시오.
(2) 조합 전체의 분양예정자산가격을 구하시오.
(3) 비례율, 권리액 등을 산정하여 P씨의 정산금을 구하시오.

(자료 1) P씨 소유토지와 건물내용

1. 토지

소재지	지목	면적	용도지역	도로교통	형상지세
A시 B구 C동 250번지	대	120㎡	제2종일반주거지역	세로(가)	사다리형 평지

2. 건물

소재지	구조	면적	신축일자	비고
A시 B구 C동 250번지	블록조 슬래브지붕	90㎡	1985.2.1	무허가건물

(자료 2) 재개발사업계획

1. 사업일정
    1) 재개발구역지정 고시일 : 2003.7.1
    2) 주택재개발조합 설립일 : 2004.3.1
    3) 주택재개발사업시행인가 고시일 : 2005.8.1
    4) 관리처분계획 인가일 : 2006.8.27
    5) 준공인가일 : 2007.12.31

2. 건축계획
    철근콘크리트조 슬래브지붕 15층 아파트 2개동
    32평형(전용면적 85㎡), 각층 1-4호, 총 120세대

3. 분양계획
    일반분양 : 각층 1호 30세대, 분양가는 인근 아파트의 시세와 비교 결정
    조합원분양 : 각층 2-4호 90세대, 분양가는 350,000,000원으로 동일
    분양아파트 층별 및 호별 효용도

층별	1층	2층	3~14층	15층
	100	106	110	104

호별	1호	2호	3호	4호
	100	103	103	100

(자료 3) 현장조사기간

1. 종전자산 : 2005.12.10~2006.2.1
2. 분양예정자산 : 2006.5.1~2006.7.1

(자료 4) 인근지역의 표준지공시지가 자료

일련번호	소재지지번	면적(㎡)	지목	이용상황	용도지역	도로상황	형상·지세	비고
1	A시 B구 C동 119	250	대	단독주택	제2종 일반주거	세로(가)	사다리형 평지	XX주택 재개발지구 내
2	A시 B구 C동 200	200	대	단독주택	제2종 일반주거	소로 한면	세장형 평지	XX주택 재개발지구 외
3	A시 B구 C동 300	300	대	단독주택	제3종 일반주거	소로 한면	사다리형 완경사	XX주택 재개발지구 외
4	A시 B구 C동 305	200	대	상업용	제2종 일반주거	세로(가)	사다리형 완경사	XX주택 재개발지구 내

일련번호	공시지가(원/㎡)			
	2003년	2004년	2005년	2006년
1	2,200,000	2,300,000	2,400,000	2,500,000
2	2,000,000	2,100,000	2,200,000	2,300,000
3	1,900,000	2,000,000	2,300,000	2,400,000
4	2,100,000	2,200,000	2,500,000	2,700,000

(자료 5) A시 B구 지가변동률

기간	용도지역별(%)			
	주거	상업	공업	녹지
2003.1.1~2003.7.1	1.102	1.051	1.200	1.301
2003.7.2~2003.12.31	1.101	1.022	1.051	1.251
2004.1.1~2004.3.1	1.120	1.031	1.022	1.301
2004.3.2~2004.12.31	1.501	2.007	1.032	1.053
2005.1.1~2005.8.1	2.000	1.054	2.002	1.023
2005.8.2~2005.12.31	1.050	1.021	0.101	1.035
2006.1.1~2006.2.1	0.500	1.031	0.023	2.005
2006.2.2~2006.8.27	0.500	2.001	1.054	0.053

(자료 6) 토지가격비준표

1. 도로상황

구분	광로	중로	소로	세로(가)	세로(불)	비고
광로	1.00	0.90	0.81	0.73	0.66	각지인 경우 10% 가산
중로	1.11	1.00	0.90	0.81	0.73	
소로	1.23	1.11	1.00	0.90	0.81	
세로(가)	1.36	1.23	1.11	1.00	0.90	
세로(불)	1.51	1.36	1.23	1.11	1.00	

2. 형상

구분	정방형	장방형	사다리형	부정형
정방형	1.00	0.95	0.85	0.70
장방형	1.05	1.00	0.95	0.75
사다리형	1.17	1.05	1.00	0.85
부정형	1.42	1.33	1.17	1.00

3. 지세

구분	평지	저지	완경사	급경사	고지
평지	1.00	0.97	0.95	0.85	0.80
저지	1.03	1.00	0.97	0.95	0.85
완경사	1.05	1.03	1.00	0.97	0.95
급경사	1.17	1.05	1.03	1.00	0.97
고지	1.25	1.17	1.05	1.03	1.00

(자료 7) 건물신축단가 등

구분	블록조 슬레이트지붕	블록조 기와지붕	블록조 슬래브지붕
내용연수(년)	35	40	40
잔존가치(원)	0	0	0
신축단가(원/㎡)	400,000	450,000	500,000

(자료 8) 인근지역 아파트 거래사례

소재지	사례물건	평형	건축시점	거래시점	거래가격
A시 B구 C동 201번지	D아파트 10층 1호	32평형 (전용면적 85㎡)	2003.5.6	2006.3.2	350,000,000원

(자료 9) 아파트 비교요인

1. 도로조건, 접근조건, 획지조건, 환경조건 등의 개별요인은 거래사례 아파트 대비 분양예정 아파트(10층 1호)가 5% 우세

2. 인근지역 고층아파트의 경과연수별 아파트시세 비율

경과연수	2년 이하	2년 초과 5년 이하	5년 초과 10년 이하	10년 초과 20년 이하	20년 초과
아파트시세 비율	100	85	70	65	60

3. 거래시점 이후 3·30 종합부동산대책의 영향으로 인근지역 아파트가격 시세는 10% 하락한 것으로 조사됨.

(자료 10) 기타

1. **추정 총사업비** : 사업에 소요되는 총사업비는 230억원으로 추산함.

2. P씨의 종전 자산가액은 조합 전체 종전 자산가액의 1%에 해당함.

3. 비례율은 백분율로서 소수점 이하 셋째 자리에서 반올림하여 둘째 자리까지 표시할 것

---

03 감정평가사 L씨는 S법원으로부터 토지소유자와 지상 건물소유자 간에 발생한 분쟁으로 제기된 소송의 판결을 위한 토지사용료 산정을 의뢰받았다. 다음 자료를 활용하여 적정 토지사용료를 구하시오. 10점

(자료 1) 감정평가 의뢰내용

1. 토지

소재지	지번	지목	면적(㎡)	용도지역
S시 Y동	30	대	600	일반상업지역

2. 건물

소재지	지번	구조	면적(㎡)	용도
S시 Y동	30	철골조 철판지붕 단층	400	아파트 모델하우스

3. 가격시점 : 2006.8.27

4. 평가할 사항 : 가격시점으로부터 향후 1년간 토지사용료

(자료 2) 현장조사 내용

1. 평가대상토지는 광대로에 접하며 세로장방형 평지

2. 인근지역은 노선을 따라 업무용 빌딩, 백화점, 병원 등이 소재
   도로 후면은 소규모 점포 및 주택 등이 혼재

3. 유사토지의 적정 임대사례를 찾지 못함.

4. 건물은 최근 신축, 건축비용은 3억원

(자료 3) 인근지역 공시지가 표준지 현황

공시기준일 : 2006.1.1.기준

일련번호	소재지	지번	면적(㎡)	지목	이용상황	용도지역	도로교통	형상지세	공시지가(원/㎡)
1	S시 Y동	15	550	대	상업나지	일반상업지역	소로각지	가장형 평지	1,000,000
2	S시 Y동	25	15,000	대	아파트	일반상업지역	광대한면	세장형 평지	750,000
3	S시 Y동	70	180	대	단독주택	일반상업지역	소로한면	정방형 평지	700,000
4	S시 Y동	95	750	대	업무용	일반상업지역	광대소각	가장형 평지	1,400,000

* 표준지 일련번호 1과 4는 도시계획시설 '도로'에 각각 25%, 30%가 저촉되며, 표준지공시지가 산정시 적용된 도시계획시설 '도로'의 공법상 제한 감안율은 15%임.

(자료 4) S시 지가변동률

기간 \ 용도지역	상업지역(%)
2006년 6월	0.005
누계(2006년 1월~6월)	1.200

(자료 5) 개별요인비교

대상토지	표준지 1	표준지 2	표준지 3	표준지 4
100	75	55	50	110

* 상기 요인비교에 공법상 제한은 고려되지 않았음.

(자료 6) 기대이율 적용 기준율표

토지용도 (최유효이용)		실제이용상황		
		최유효이용	임시적 이용	나지
상업용지	업무·판매시설	7~10%	4~6%	3~4%
	근린생활시설(주택·상가 겸용 포함)	5~8%	3~4%	2~3%
주거용지	아파트·연립·다세대	4~7%	2~4%	1~2%
	다중·다가구주택	3~6%	2~3%	1~2%
	일반단독주택	3~5%	1~3%	1~2%
공업용지	아파트형 공장	4~7%	2~4%	1~2%
	기타 공장	3~5%	1~3%	1~2%
농지	경작여건이 좋고 수익성 있는 순수농경지	3~4%		
	도시근교 및 기타 농경지	2% 이내		
임지	조림지·유실수단지·죽림지	1.5% 이내		
	자연림지	1% 이내		

(자료 7) 필요제경비

1. 필요제경비 : 종합토지세 등 조세공과

2. 연간 조세부담액 : 기초가격의 0.3%

(자료 8) 기타

1. 비교표준지 선정 및 기대이율 적용사유를 충분히 기술할 것

2. 범위로 된 기대이율의 적용시 범위의 중앙값으로 적용할 것

감정평가사 K씨는 (주)ABC로부터 도입기계에 대한 평가의뢰를 받고 다음과 같은 자료를 수집하였다. 도입기계의 평가액을 구하시오. 10점

(자료 1) 감정개요

1. 평가대상 : Lathe 1대
2. 가격시점 : 2006.8.27
3. 평가목적 : 공장저당법에 의한 담보평가

(자료 2) 평가기준

1. CIF, 원산지 화폐기준
2. 국내시장가격은 고려하지 않음.
3. 대상기계의 내용연수는 15년, 내용연수 만료시 잔가율은 10%

(자료 3) 외화환산율

적용시점	통화	해당 통화당 미(달러)	미$당 해당 통화	해당 통화당 한국(원)
2004년 7월	JPY	0.9140(100엔당)	109.4081	1,059.02(100엔당)
2004년 8월	JPY	0.9522(100엔당)	105.0198	1,059.05(100엔당)
2006년 8월	JPY	0.8735(100엔당)	114.4877	832.28(100엔당)

(자료 4) 기계가격보정지수

구분	국명 \ 연도	2005	2004
일반기계	미국	1.0000	1.0606
	영국	1.0000	1.0358
	일본	1.0000	0.9979
전기기계	미국	1.0000	0.9982
	영국	1.0000	0.9954
	일본	1.0000	0.9490

(자료 5) 수입신고서

수입신고서

(갑지)

(보관용)

(USD) 1,177.5200

①신고번호 11797-06-3000149	②신고일 2004/08/01	③세관.과 020-11	⑥입항일 2004/07/26	※ 처리기간 : 3일
④B/L(AWB)번호 EURFLH06803INC	⑤화물관리번호 06KMTCHN094-0021-008		⑦반입일 2004/07/28	⑧징수형태 11

⑨신 고 자 지평관세사무소(민경대)	⑭통관계획 D 보세구역장치후	⑮원산지증명서 유무 X	⑳총중량 5,487.0 KG
⑩수 입 자 (주) ABC { A].			
⑪납세의무자 (에이비씨-1-01-1-01-1 /220-04-75312)	⑯신고구분 A 일반P/L신고	⑲가격신고서 유무 Y	㉑총포장갯수 1 GT
(주소) 서울 중구 충무로 1가 123			
(상호) (주) ABC	⑰거래구분 11 일반형태수입	㉒국내도착항 INC 인천항	㉓운송형태 10-FC
(성명) 홍길동			
⑫무역대리점	⑰종류 K 일반수입(내수용)	㉔적출국 JP (JAPAN)	
⑬공 급 자 AGEHRA VELVET (CO LTD) JPAGE0002A(JP)		㉕선기명 LONG HE(CN)	
	㉖MASTER B/L 번호	㉗운수기관부호	

㉘검사(반입)장소 02011123-060039603A (대한통운국제물류)

● 품명·규격 (란번호/총란수: 1/1)

㉙품 명 LATHE FOR REMOVING METAL
㉚거래품명 LATHE
㉛상 표 NO

㉜모델·규격	㉝성분	㉞수량	㉟단가(USD)	㊱금액(USD)
LATHE (NUMERICALLY CCNTRCLLED)		1 U	100,000	100,000

㊲세번 부호	8458.11-0000	㊴순중량	5,000.0 KG	㊷C/S 검사		㊹사후확인기관
㊳과세가격(CIF)	$ 100,000	㊵수 량	1 U	㊸검사변경		
	₩ 117,752,250	㊶환급물량	1.000 GT	㊻원산지표시	JP-Y-Z-N	㊼특수세액

㊺수입요건확인 (발급서류명)						

㊽세종	㊾세율(구분)	㊿감면율	⑤세액	㊾감면분납부호	감면액	* 내국세종부호
관	8.00(A 기가)	50.000	4,710,080	A09500010401	4,710,080	
농	20.00(A)		942,016			
부	10.00(A		12,340,409			

㊽결제금액(인도조건-통화종류-금액-결제방법)	CIF - USD	100,000-LS	㊾환 율	1,177.5200

㊿총과세가격	$ 100,000	㊾운임	942,016	㊿가산금액		㊿납부번호	
	₩ 117,752,250	㊿보험료	17,662	㊿공제금액		㊿부가가치세과표	123,404,096

㊿세 종	㊿세 액	※관세사기재란	㊿세관기재란
관 세	4,710,080		
특 소 세			
교 통 세			
주 세			
교 육 세			
농 특 세	942,010		
부 가 세	12,340,400		
신고지연가산세			
미신고가산세			

㊿총세액합계	17,992,490	㊿담당자		㊿접수일자		㊿수리일자	

업태 :   종목 :   세관·과 : 020-11   신고번호 : 11797-06-3000149   page 1 / 1

(자료 6) 부대비용

1. 관세, 농어촌특별세, 부가가치세 및 관세감면율 : 도입시점과 동일
2. 설치비 : 도입가격의 1.5%
3. L/C 개설비 등 기타 부대비용 : 도입가격의 3%
4. 운임 및 보험료 : 도입시점과 동일

(자료 7) 정률법에 의한 잔존가치율

(잔가율 : 10%)

연간감가율 내용연수 경과연수	0.206 10	0.189 11	0.175 12	0.162 13	0.152 14	0.142 15	0.134 16	0.127 17	0.120 18	0.114 19	0.109 20
1	9/0.794	10/0.811	11/0.825	12/0.838	13/0.848	14/0.858	15/0.866	16/0.873	17/0.880	18/0.886	19/0.891
2	8/0.630	9/0.657	10/0.680	11/0.702	12/0.719	13/0.736	14/0.749	15/0.762	16/0.774	17/0.784	18/0.793
3	7/0.500	8/0.533	9/0.561	10/0.588	11/0.609	12/0.631	13/0.649	14/0.665	15/0.681	16/0.695	17/0.707
4	6/0.397	7/0.432	8/0.463	9/0.493	10/0.517	11/0.541	12/0.562	13/0.580	14/0.599	15/0.616	16/0.630
5	5/0.315	6/0.350	7/0.382	8/0.413	9/0.438	10/0.464	11/0.487	12/0.507	13/0.527	14/0.545	15/0.561
6	4/0.250	5/0.284	6/0.315	7/0.346	8/0.371	9/0.398	10/0.421	11/0.442	12/0.464	13/0.483	14/0.500
7	3/0.196	4/0.230	5/0.260	6/0.290	7/0.315	8/0.341	9/0.365	10/0.386	11/0.408	12/0.428	13/0.445
8	2/0.157	3/0.187	4/0.214	5/0.243	6/0.267	7/0.293	8/0.316	9/0.337	10/0.359	11/0.379	12/0.397
9	1/0.125	2/0.151	3/0.177	4/0.203	5/0.226	6/0.251	7/0.273	8/0.294	9/0.316	10/0.336	11/0.353
10	0.1	1/0.123	2/0.146	3/0.170	4/0.192	5/0.215	6/0.237	7/0.257	8/0.278	9/0.298	10/0.315
11		0.1	1/0.120	2/0.143	3/0.163	4/0.185	5/0.205	6/0.224	7/0.245	8/0.264	9/0.280
12			0.1	1/0.119	2/0.138	3/0.158	4/0.177	5/0.195	6/0.215	7/0.233	8/0.250
13				0.1	1/0.117	2/0.136	3/0.154	4/0.171	5/0.189	6/0.207	7/0.223
14					0.1	1/0.117	2/0.133	3/0.149	4/0.167	5/0.183	6/0.198
15						0.1	1/0.115	2/0.130	3/0.146	4/0.162	5/0.177
16							0.1	1/0.113	2/0.129	3/0.144	4/0.157
17								0.1	1/0.113	2/0.127	3/0.140
18									0.1	1/0.113	2/0.125
19										0.1	1/0.111
20											0.1

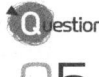 Y시로부터 보상평가를 의뢰받고 다음과 같은 자료를 수집하였다. 보상평가 관련 제규정에 의하여 적정 보상평가액을 산정하시오. 10점

(자료 1) 감정개요

1. 사업명 : 근린공원조성사업
2. 평가대상
   (1) 주택(토지는 시유지)

소재지	지번	건물구조	면적(m²)	신축일자
Y시 K동	10	목조 기와지붕 단층(한식구조)	100	1986.1.31

   (2) Y시 K동 12번지 지상 배나무 50주(근원경 10, 수고 4)

3. 사업인정 고시일 : 2006.2.5

4. 가격시점 : 2006.8.27

(자료 2) 해당 공공사업의 이주대책

1. 해당 공공사업에 편입된 주거용 건물소유자에 대해 주택입주권 부여

2. 주택입주권 가치 : 30,000,000원

(자료 3) 이전공사비율

공사비내역 구조 및 용도	신축공사비(원/m²)	이전공사비율				내용 연수
		해체공사	운반공사	보충자재	재축공사	
목조한식지붕틀 한식기와잇기 주택	630,000	0.142	0.030	0.168	0.538	45
목조지붕틀 시멘트기와잇기 주택	549,000	0.114	0.023	0.169	0.589	35
철골조철골지붕틀 컬러피복철판잇기 공장	524,000	0.168	0.014	0.170	0.502	35
통나무구조 -풀너치방식 주택-	988,000	0.086		0.064	0.277	45
통나무구조 -포스트앤빔 주택-	943,000	0.094		0.097	0.273	45
스틸하우스 -주택-	865,000	0.139	0.021	0.212	0.388	40

(자료 4) 해당 공공사업지구 내 주택거래사례

1. 사례물건 : Y시 K동 15번지 주택(토지는 시유지)

2. 사례건물 내용

건물구조	면적(㎡)	신축일자
목조 기와지붕 단층(한식구조)	105	1985.12.5

3. 거래가격 : 80,000,000원

4. 거래시점 : 2006.5.1(거래 이후 인근지역 주택가격 변동은 없음)

5. 건물개별요인 비교치(면적비교 제외) : 0.95

(자료 5) 이식비 품셈표

규격	굴취		운반	상하차비(원)	식재		재료비	부대비용	수익액(원)	수목가격(원)
H2.0R6	조경공 0.11	보통인부 0.01	0.008	357	조경공 0.11	보통인부 0.07	(굴취비+식재비)의 10%	전체이식비의 20%	10,000	55,000
H3.0R8	조경공 0.19	보통인부 0.02	0.015	1,017	조경공 0.23	보통인부 0.14	(굴취비+식재비)의 10%	전체이식비의 20%	15,000	80,000
H4.0R10	조경공 0.30	보통인부 0.04	0.030	2,000	조경공 0.40	보통인부 0.25	(굴취비+식재비)의 10%	전체이식비의 20%	20,000	120,000

(자료 6) 수목이식 관련 자료

1. 정부노임단가 : 조경공 45,000원, 보통인부 30,000원
2. 구역화물자동차 운임 : 43,000원(4.5t, 30Km 내)

(자료 7) 수종별 이식적기 및 고손율

구분	이식적기	고손율	비고
일반사과	2월 하순~3월 하순	15% 이하	그 밖의 수종은 유사수종에 준하여 적용
왜성사과	2월 하순~3월 하순, 11월	20% 이하	
배	2월 하순~3월 하순, 11월	10% 이하	
복숭아	2월 하순~3월 하순, 11월	15% 이하	

포도	2월 하순~3월 하순, 11월	10% 이하
감귤	6월 장마기, 11월, 12월~3월 하순	10% 이하
감	2월 하순~3월 하순, 11월	20% 이하
밤	11월 상순~12월 상순	20% 이하
자두	2월 하순~3월 하순, 11월	10% 이하
호두	2월 하순~3월 하순, 11월	10% 이하
살구	2월 하순~3월 하순, 11월	10% 이하

Question 06 대지권이 미등기된 구분건물이 경매평가로 의뢰된 경우에 다음에 대하여 약술하시오. 5점

(1) 평가처리방법
(2) (1)과 같이 평가처리하는 이유
(3) 감정평가서에 기재해야 할 사항

2007년 감정평가사 제18회

※ **공통유의사항**
각 문제는 해답 산정시까지의 산식과 도출과정을 반드시 기재할 것

 감정평가사 '甲'은 아래 부동산에 대한 평가의뢰를 받고 감정평가가격을 산정하고자 한다. 주어진 자료를 활용하여 아래의 물음에 답하시오. 35점

(1) 표준지공시지가를 기준으로 하여 토지가격을 산정하시오.
(2) 거래사례를 활용하여 토지가격을 산정하시오.
(3) 조성사례를 활용하여 토지가격을 산정하시오.
(4) 임대사례를 활용하여 토지가격을 산정하시오.
(5) 토지가격을 결정하고 원가법을 적용하여 건물가격을 결정한 후 대상 부동산의 감정평가가격을 구하시오.

(자료 1) 대상 부동산의 개황

소재지	A시 B구 C동 197번지
평가목적	일반거래
가격시점	2007.8.26
토지에 관한 사항	• 지역개황 : 평가대상토지는 주간선도로와 연계되는 보조간선도로변에 소재하며, 인근지역은 현재 상권이 잘 형성되어 있는 성숙한 노선상가지대임. • 용도지역 : 제3종일반주거지역 • 접면도로상태 : 남측으로 15m 도로에, 동측으로 2m 정도의 골목길에 양면 접함. • 지목 : 대, 면적 : 500㎡ • 형상, 고저 : 세장형, 평지 • 약 35㎡는 도시계획시설 도로에 저촉됨.
건물에 관한 사항	• 구조, 면적 : 철근콘크리트조 슬래브지붕 10층 근린생활시설, 1,200㎡ • 준공일자 : 1996.9.20 • 건물증축 : 11층 60㎡(구조 - 적벽돌조 슬래브지붕, 용도 - 직원숙소) • 증축일자 : 2003.5.3 • 건물 총공사비 : 670,000,000원(공사비 중 50,000,000원은 기초 터파기공사시 예상치 못한 지하암반 노출로 이를 제거하는 데 소요된 공사비임) • 부대설비 : 냉난방설비, 승강기, 화재탐지설비 • 증축부분을 제외한 기존 건물은 관리상태가 다소 불량하여 3년 정도의 관찰감가를 요함.

(자료 2) 인근 표준지공시지가(공시기준일 : 2007.1.1)

(단위 : 원/㎡)

기호	소재지	지번	면적(㎡)	이용상황	용도지역	도로교통	형상지세	주위환경	공시지가
1	C동	10	510	상업용	3종일주	중로한면	세장형 평지	미성숙 상가지대	970,000
2	C동	20	483	업무용	3종일주	중로각지	정방형 평지	성숙중인 상가지대	1,030,000
3	C동	30	451	상업나지	3종일주	중로한면	가장형 평지	노선상가 지대	1,100,000
4	C동	40	3,135	상업용	3종일주 근린상업	중로각지	세장형 평지	노선상가 지대	1,050,000
5	C동	80	420	상업나지	3종일주	소로각지	정방형 평지	번화한 상가지대	1,000,000

(자료 3) 지가변동률

• 용도지역별, 이용상황별 지가변동률

(단위 : %)

| 구분 | 상업지역 | 주거지역 | 대 | | 기타 |
			상업용	주거용	
2005년	2.378	3.193	1.154	2.156	3.004
2006년	1.268	2.158	1.487	1.389	1.167
2007년 1월	0.045	0.136	0.327	0.841	0.324
2007년 2월	0.069	0.519	0.423	0.346	0.813
2007년 3월	0.148	0.328	0.238	0.518	0.193
2007년 4월	0.085	0.137	0.327	0.542	0.426
2007년 5월	0.043	0.420	0.409	0.209	0.823
2007년 6월	0.166	0.256	0.178	0.218	0.204

* 2005년도와 2006년도의 지가는 연중 균등하게 상승하였다.

(자료 4) 생산자물가지수

2006년 1월	105.3	2006년 7월	107.6	2007년 1월	108.9
2006년 2월	105.8	2006년 8월	107.5	2007년 2월	109.3
2006년 3월	106.7	2006년 9월	107.9	2007년 3월	108.7
2006년 4월	106.3	2006년 10월	108.1	2007년 4월	108.6
2006년 5월	106.9	2006년 11월	108.0	2007년 5월	109.0
2006년 6월	107.3	2006년 12월	108.4	2007년 6월	109.6

(자료 5) 토지개별요인

1) 형상별 개별요인표

가장형	정방형	세장형
1.00	0.95	0.93

2) 도시계획 저촉 여부에 따른 개별요인표

미저촉	저촉
1.00	0.85

(자료 6) 사례자료

구분	거래사례		조성사례	임대사례
	사례 1	사례 2	사례 1	사례 1
용도지역	3종일주	3종일주	3종일주	3종일주
비교치 (대상지/사례지)	1.05	1.25	0.97	0.97
건물구조 등	철근콘크리트조 슬래브지붕 11층	철근콘크리트조 슬래브지붕 20층	-	철근콘크리트조 슬래브지붕 13층
용도	판매시설	사무실		근린생활시설
부대설비	승강기 화재탐지설비 스프링클러 냉난방설비	승강기 화재탐지설비 냉난방설비 스프링클러		승강기 화재탐지설비 스프링클러 냉난방설비 주차타워
내용연수	주체부분 : 40년 부대설비 : 20년	주체부분 : 40년 부대설비 : 20년		주체부분 : 40년 부대설비 : 20년
준공시점	1998.9.27	2003.10.17	2006.1.1	2001.8.5
거래시점	2007.1.13	2006.12.16	2006.7.13	-
사례의 특징		거래가격을 분석한 결과 통상적인 건물 감정평가액보다 10% 높은 금액으로 거래된 것으로 판단됨.	토지매입비 : 900,000,000원 조성공사비 : 400,000,000원 공사비는 공사시점(2004.1.1)에 1/2 지급, 2005.1.1에 1/2 지급 판매관리비 및 부대비용 : 조성 공사비의 20%(준공시점에 지급) 토지매입시점 : 2003.1.1 공사착공시점 : 2004.1.1	-

거래사례 1의 사례의 특징: 정상거래

			공사준공시점 : 2006.1.1 공사비 등은 표준적이며 시장 이자율은 연 8%를 적용	
토지 건물의 규모	대지 : 505㎡ 건물연면적 : 1,232㎡	대지 : 1,231㎡ 건물연면적 : 2,328㎡	대지 : 1,770㎡ 건물연면적 : 3,321㎡	대지 : 550㎡ 건물연면적 : 1,200㎡
거래가격	1,235,000,000원	2,860,000,000원	-	-

(자료 7) 임대사례 내역 : 최근 1년간 임대내역 및 필요제경비

(단위 : 원)

지출항목(연간)		수입항목(연간)	
유지관리비 : 6,000,000		보증금 운용익 : 10,000,000	
제세공과금 : 8,000,000		임대료 수입 : 144,000,000	
손해보험료 : 3,000,000		주차료 수입 : 14,000,000	
대손상각액 : 15,000,000			
공실손실상당액 : 2,000,000			
장기차입이자 : 1,500,000			

* (주) 1) 손해보험료는 소멸성임.
    2) 감가상각비는 별도 계산을 요함.

(자료 8) 건물신축단가

구분	재조달원가(원)	내용연수	잔가율
철근콘크리트조	600,000	40년	10%
적벽돌조 슬래브	510,000	35년	10%

(자료 9) 건물부대설비 보정단가

부대설비 구분	적용단가	비고
승강기	50,000원/㎡	12층 미만
	60,000원/㎡	12층 이상
화재탐지설비	4,000원/㎡	
스프링클러	6,000원/㎡	
냉난방설비	65,000원/㎡	
주차타워	150,000,000원/식	12층 미만
	180,000,000원/식	12층 이상

(자료 10)

1. 토지의 환원이율 : 연 8%
2. 건물의 상각 후 세공제전 환원이율 : 연 10%
3. 단가는 백원 단위에서 반올림하여 천원 단위까지 구함.
4. 지가변동률 산정시 미고시 기간은 직전 월의 변동률을 연장 적용하며, 백분율로 소수점 넷째 자리에서 반올림할 것
5. 비교표준지 선정시 도로조건에 유의할 것

감정평가사 K는 H은행 B지점으로부터 담보감정평가를 의뢰받고 사전조사 및 실지조사를 통하여 다음과 같은 자료를 수집·정리하였다. 제시된 자료를 활용하여 아래의 물음에 답하시오. 30점

(1) 담보물건에 대한 평가를 하는 감정평가사와 그가 소속된 감정평가업자가 준수하여야 할 사항을 5가지 이상 간략히 설명하시오. 5점

(2) 대상 부동산의 등기부상 권리내역을 분석하고 H은행이 대출 가능금액을 판단하는 데 필요한 사항을 기술하시오. 4점

(3) 감정의 목적을 감안하여 다음 순서에 따라 대상 부동산의 감정평가가격을 구하시오. 16점
   가) 토지가격 산정
   나) 건물가격 산정
   다) 대상 부동산의 감정평가가격

(4) 위 '(3)'의 순서에 따라 작성된 감정평가서를 발송하기 전에 미리 심사(검토)하여야 할 사항을 5가지 이상 기술하시오. 5점

(자료 1) 감정평가의 기본적 사항

1. 감정평가 의뢰물건 : 경기도 A시 B구 C동 321-12 소재 토지 및 건물
2. 감정평가 의뢰일자 : 2007.8.20
3. 현장조사일자 : 2007.8.23~2007.8.25
4. 감정평가서 작성일자 : 2007.8.26

(자료 2) 실지조사결과 확인내용

1. **토지** : 대상토지 남측에 접한 321-13(잡)은 시설녹지이며 지상에는 3미터 높이의 조경수목이 밀식되어 있음.

2. **건물**

   가) 이용상황 : 지층 - 창고, 1층 - 근린생활시설(소매점), 2층 - 다가구주택(2가구), 3층 - 다가구주택(1가구)

   나) 지층 및 1, 2층의 면적은 공부와 일치하나, 3층 부분의 실제면적은 60㎡임.

   다) 지상층에는 위생설비가 되어 있고, 2층과 3층에는 도시가스에 의한 개별난방설비가 되어 있음.

3. **임대차 내역** : 임대차 내역은 아래와 같이 조사됨.

구분	임대차 내역	비고
지층 및 1층	전체를 소유자가 이용 중임.	
2층	201호 : 김갑동(보증금 65,000,000원) 202호 : 이을동(보증금 60,000,000원)	전체 임대
3층	박병동(보증금 50,000,000원)	전체 임대

(자료 3) 인근의 공시지가 표준지 현황(공시기준일 : 2007.1.1)

일련번호	소재지	면적(㎡)	지목	이용상황	용도지역	도로교통	형상 및 지세	공시지가 (원/㎡)
1	C동 313-2	300	대	주·상 복합용지	제1종일반 주거지역	세로한면	가장형 평지	2,000,000
2	C동 320-8	230	대	주·상 복합용지	제1종일반 주거지역	소로각지	가장형 평지	2,250,000
3	C동 321-2	260	대	주·상 복합용지	제1종일반 주거지역	세로한면	가장형 평지	2,150,000
4	C동 350-5	250	대	주거용지	제1종일반 주거지역	소로한면	부정형 평지	1,800,000

(자료 4) 지가변동률

구분	상업지역	주거지역	녹지지역
2007년 6월 (1~6월 누계)	0.015% (1.421%)	0.246% (1.373%)	0.322% (1.537%)

(자료 5) 토지에 대한 지역요인 평점

구분	대상토지	공시지가 표준지
평점	100	100

(자료 6) 토지에 대한 개별요인 평점

구분	대상토지	공시지가 표준지 1	공시지가 표준지 2	공시지가 표준지 3	공시지가 표준지 4
평점	100	95	105	96	90

(자료 7) 기타요인자료

1) 인근지역의 평가사례

소재지	평가목적	가격시점	평가액(원/㎡)	비고
B구 C동 318-6	담보	2007.7.29	2,170,000	적정가격으로 판단됨.

* 평가대상토지와 인근 평가사례의 개별요인은 대등함.

2) 대상토지와 유사한 이용가치를 지닌 인근 토지의 가격시점 현재 적정 지가수준은 2,150,000원/㎡~2,250,000원/㎡ 정도임.

(자료 8) 건물 표준단가(가격시점 현재)

분류번호	용도	구조	급수	표준단가 (원/㎡)	내용연수
2-3-5-2	다가구주택	철근콘크리트조 경사슬래브지붕	3	800,000	50년
4-1-5-7	점포 및 상가	철근콘크리트조 경사슬래브지붕	4	600,000	50년

* (주) 지하부분의 재조달원가는 1층 표준단가의 70%를 적용함.

(자료 9) 건물 부대설비 보정단가(가격시점 현재)

1) 위생설비 : 근린생활시설 - 20,000원/㎡, 일반주택 및 다가구주택 - 40,000원/㎡
2) 난방시설(유류 및 도시가스 온수식) : 일반주택 및 다가구주택 - 50,000원/㎡

(자료 10) 평가대상 부동산의 공부

1) 토지이용계획확인서 내용 : 제1종일반주거지역, 소로2류 접함.
2) 지적도 등본 - 1부 첨부
3) 토지등기부등본 및 건물등기부등본 - 각 1부 첨부
4) 토지대장 - 1부 첨부
5) 일반건축물대장 - 1부 첨부

(자료 11) 유의사항

1) 시점수정치 산정시 백분율로 소수점 넷째 자리에서 반올림할 것
2) 각 단계의 가격(금액) 산정시 천원 미만은 절사할 것
3) 건물의 감가수정은 정액법으로 하여 만년감가하고 내용연수 만료시 잔가율은 0%임.
4) 비교표준지 선정시 도로조건에 유의할 것
5) 기타요인 보정시 산출근거를 제시할 것

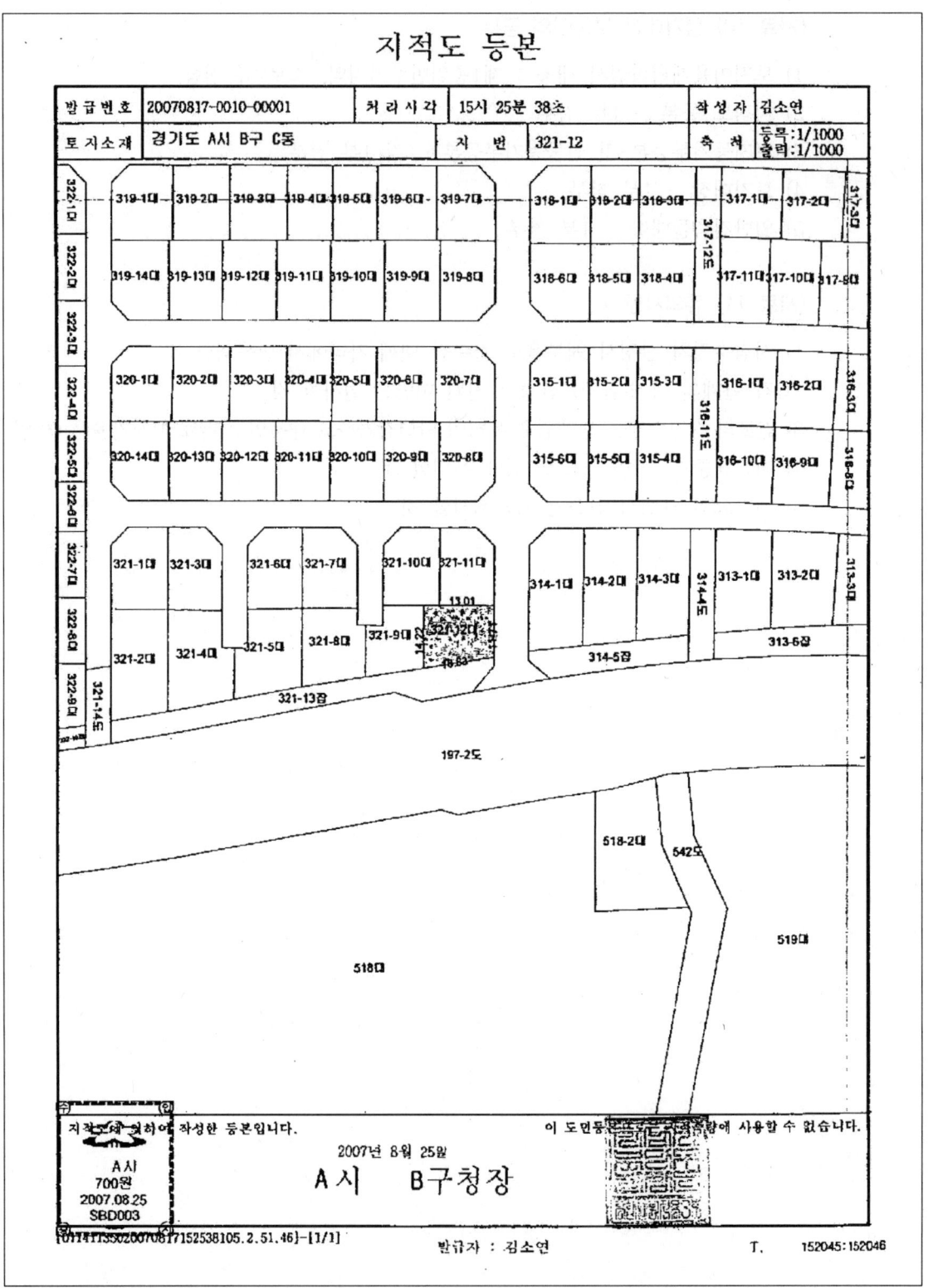

등기부 등본 (말소사항 포함) - 토지

고유번호 1356-1996-075718

[토지] 경기도 A시 B구 C동 321-12

[표 제 부] (토지의 표시)

표시번호	접 수	소 재 지 번	지 목	면 적	등기원인 및 기타사항
1 (전 3)	1995년8월28일	경기도 A시 B구 C동 321-12	대	215.8㎡	부동산등기법 제177조의 6 제1항의 규정에 의하여 2001년 01월 03일 전산이기

[갑 구] (소유권에 관한 사항)

순위번호	등 기 목 적	접 수	등 기 원 인	권리자 및 기타사항
1 (전 3)	소유권이전	1996년3월20일 제35222호	1993년4월29일 매매	소유자 김○○ 4*****-******* A시 B구 C동 321-12 부동산등기법 제177조의 6 제1항의 규정에 의하여 2001년 01월 03일 전산이기
2	소유권이전	2001년5월28일 제36934호	2001년4월24일 매매	소유자 이○○ 5*****-******* A시 B구 C동 517 P아파트 612-1502
3	소유권이전	2002년11월22일 제106947호	2002년9월20일 매매	소유자 박○○ 6*****-******* A시 B구 C동 526 P아파트 707-403

1/2

발행일 2007/08/25

[토지] 경기도 A시 B구 C동 321-12

고유번호 1356-1996-075718

【을 구】 (소유권 이외의 권리에 관한 사항)

순위번호	등 기 목 적	접 수	등 기 원 인	권 리 자 및 기 타 사 항
1	근저당권설정	2007년7월27일 제46678호	2007년7월27일 설정계약	채권최고액 금336,000,000원 채무자 경기도 A시 B구 C동 526 P아파트 707-403 근저당권자 IBK은행 110136-0027690 서울특별시 K구 S동 75 (B지점) 공동담보 건물 경기도 A시 B구 C동 321-12

— 이 하 여 백 —

관할등기소 S지방법원 S지원 B등기소 / 발행등기소 S지방법원 S지원 B등기소

수수료 1,000원 영수함

전산운영책임관 강한수

이 등본은 부동산 등기부의 내용과 틀림 없음을 증명합니다.

서기 2007년 8월 25일

법원행정처 등기정보중앙관리소

* 실선으로 그어진 부분은 말소사항을 표시함.　* 등기부에 기록된 사항이 없는 갑구 또는 을구는 생략함.
* 증명서는 컬러 또는 흑백으로 출력 가능함. 인터넷등기소(http://www.iros.go.kr)의 발급확인 메뉴에서 발급확인번호를 입력하여 위·변조 여부를 확인할 수 있습니다. 발급확인번호를 통한 확인은 발행일부터 3개월까지 5회에 한하여 가능합니다.

발행번호 13520013506197086010960171SMR07575240DH318SC011122　발행일 2007/08/25　2/2　발급확인번호 ANKA-HGNJ-7185

[전물] 경기도 A시 B구 C동 321-12

등기부 등본 (말소사항 포함) - 건물

고유번호 1356-1996-076170

[표 제 부] (건물의 표시)

표시번호	접 수	소재지번 및 건물번호	건 물 내 역	등기원인 및 기타사항
1 (전 1)	1997년2월14일	경기도 A시 B구 C동 321-12	철근콘크리트조 경사슬라브지붕 주택및 근린생활시설 지층 106.70㎡ 1층 106.70㎡ 2층 107.48㎡ 3층 107.48㎡	부동산등기법 제177조의 6 제1항의 규정에 의하여 2001년 01월 03일 전산이기

[갑 구] (소유권에 관한 사항)

순위번호	등 기 목 적	접 수	등 기 원 인	권리자 및 기타사항
1 (전 1)	소유권보존	1997년2월14일 제19205호		소유자 김OO 4******-******* A시 B구 C동 321-12 부동산등기법 제177조의 6 제1항의 규정에 의하여 2001년 01월 03일 전산이기
2	소유권이전	2001년5월28일 제36934호	2001년4월24일 매매	소유자 이OO 5******-******* A시 B구 C동 517 P아파트 612-1502

발행일 2007/08/25

문서 하단의 바코드를 스캐너로 확인하거나, 인터넷등기소(http://www.iros.go.kr)의 발급확인 메뉴에서 발급확인번호를 입력하여 위·변조 여부를 확인할 수 있습니다. 발급확인번호를 통한 확인은 발행일부터 3개월까지 5회에 한하여 가능합니다.

발행번호 13520013506197086010980171SWB07615240DH170490111227   1/3   발급확인번호 ANKA-HGNI-1709

[건물] 경기도 A시 B구 C동 321-12   고유번호 1356-1996-076170

순위번호	등 기 목 적	접 수	등 기 원 인	권 리 자 및 기 타 사 항
3	소유권이전	2002년11월22일 제106947호	2002년9월20일 매매	소유자 박○○ 6***** - ******* A시 B구 C동 526 P아울 707-403

[을   구]   (소유권 이외의 권리에 관한 사항)

순위번호	등 기 목 적	접 수	등 기 원 인	권 리 자 및 기 타 사 항
1	근저당권설정	2007년7월27일 제46678호	2007년7월27일 설정계약	채권최고액 금336,000,000원 채무자 경기도 A시 B구 C동 526 P아울 707-403 근저당권자 (주)은행 110136-0027690 서울특별시 K구 S동 75 (B지점) 공동담보 토지 경기도 A시 B구 C동 321-12

발행번호 13520013506197086010960171SWB076152400H2704901122   2/3   발급확인번호 ANKA-HGNI-1709   발행일 2007/08/25

[전화] 경기도 S시 B구 C동 321-12
수수료 1,000원 영수함

관할등기소　　　S지방법원 S지원 B등기소 / 발행등기소　S지방법원 S지원 B등기소

고유번호 1356-1996-076170

이 등본은 부동산 등기부의 내용과 틀림 없음을 증명합니다.

서기 2007년 8월 25일

법원행정처 등기정보중앙관리소

전산운영책임관　강한수

발행일 2007/08/25

3/3 발급확인번호 AMKA-HGNI-1709

* 실선으로 그어진 부분은 빈칸임을 표시함.　* 등기기록에 기록된 사항이 없는 갑구 또는 을구는 생략함.
* 증명서 하단의 바코드를 스캐너로 확인하거나, 인터넷등기소(http://www.iros.go.kr)의 발급확인 메뉴에서 발급확인번호를 입력하여
위・변조 여부를 확인할 수 있습니다. 발급확인번호를 통한 확인은 발행일부터 3개월까지 5회에 한하여 가능합니다.
발행번호 13520013506197086001710960171SMB07615240DH470490111122

토지대장

고유번호	4113510700-10321-0012		도면번호	26	발급번호	20070817-0192-0001
토지소재	경기도 A시 B구 C동		장번호	1-1	처리시각	15시 22분 00초
지 번	321-12	축 척	수치		작성자	김소연

토 지 표 시

지 목	면 적(㎡)	사 유			
		변동일자	변동원인		
(08) 대	*215.8	(62)1995년8월3일 수치경정 완료	2002년11월22일 (03)소유권이전		
		--- 이하 여백 ---	526 POR 등 707-403 박○○ --- 이하 여백 ---		등록번호 6*****-*******

소 유 자

변동일자 변동원인	성명 또는 명칭	주 소	등록번호

등 급 수 정 년 월 일	1995년8월3일 설정	2002년1월1일	2003년1월1일	2004년1월1일	2005년1월1일	2006년1월1일	2007년1월1일
토 지 등 급 (기준수확량등급)	221						
개별공시지가기준일		2002년1월1일	2003년1월1일	2004년1월1일	2005년1월1일	2006년1월1일	2007년1월1일 용도지역 등
개별공시지가(원/㎡)		721,000	793,000	1,170,000	1,470,000	1,840,000	2,020,000

토지대장에 의하여 작성한 등본입니다.

2007년 8월 25일

경기도 A시 B구청장

일반건축물대장(갑)

장번호: 1-1

고유번호	4113510700-1-03210012						
대지위치	경기도 A시 B구 C동		지번	321-12	명칭및번호		특이사항
대지면적	215.8㎡	연면적	428.36㎡	지역	일반주거지역(도시계획)	지구	구
건축면적	107.48㎡	용적률산정용 연면적	㎡	주구조	철근콘크리트조	주용도	주택및근린생활시설	층수	1층/지상 3층
건폐율	49.97%	용적률	149.05%	높이	10.5m	지붕	경사슬라브	부속건축물	동 ㎡

건축물 현황

구분	층별	구조	용도	면적(㎡)
주	지1층	철근콘크리트조	근린생활	63.92
주	지1층	철근콘크리트조	대피소	42.78
주	1층	철근콘크리트조	근린생활시설	106.7
주	2층	철근콘크리트조	다가구주택(2가구)	107.48
주	3층	철근콘크리트조	다가구주택(1가구)	107.48
	- 이하여백 -			

소유자 현황

성명(명칭) 주민등록번호 (부동산등기용등록번호)	주소	소유권 지분	변동일자 변동원인
김OO 4*****-*****	321-12		1997.02.14 소유권보존
이OO 5*****-*****	51.7 P마을 612-1502		2001.05.28 소유권이전
박OO 6*****-*****	526 P마을 707-403		2002.11.22 소유권이전
- 이하여백 -			

이 등(초)본은 건축물대장의 원본내용과 틀림없음을 증명합니다.

2007년 08월 25일

경기도 A시

고유번호	4113510700-1-03210012					장번호	2-1
구분	성명 또는 명칭	면허(등록)번호				대허가일자	1996.08.08
건 축 주	김○○	4*****-*******				대착공일자	1996.08.16
설 계 자	세진건축사사무소 박철훈	******				사용승인일자	1996.12.25
공사감리자	세진건축사사무소 박철훈					관련지번	
공사시공자	김○○	4*****-*******				기타기재사항	

동	주	차	장		
		종류	수량	용도	
옥내	자주식	대		비상용	
	기계식	대	m²		
옥외	자주식	3 대	34.5 m²	장 애 인	
	기계식	대	m²	중 형	승용

변동사항		
변동일자	변동내용 및 원인	변동일자	변동내용 및 원인
2001.10.11	소유권이전		
2003.01.14	소유권이전		
	- 이하 여백 -		

경기도 태평시 남구 춘향동에 사는 K씨는 6년 전 자신의 주택이 근린공원 조성사업에 편입되어 손실보상을 받고 인접지로 이주하였다. 그 후 K씨가 새로 이주한 주택이 다시 ○○공사가 시행하는 택지개발사업지구에 편입되었다. 택지개발사업에 따른 기대심리로 사업지구 내의 토지가격이 상당히 상승하였고, 이와는 별도로 2006.12.20자 정부의 도로사업(서울 – 태평고속화도로 건설공사) 계획발표로 인하여 사업지구를 포함한 인근지역의 토지가격이 약 10% 상승하였다.
다음 자료를 활용하여 ○○공사가 K씨에게 지급하여야 할 토지 및 지장물의 총보상금액을 산정하시오. 20점

(자료 1) 택지개발사업 개요

1. 택지개발예정지구 지정일 : 2004.6.22

2. 택지개발계획 승인고시일 : 2005.8.3

3. 택지개발사업 실시계획인가일 : 2006.3.8

4. 보상평가 현장조사일 : 2007.1.11~2007.1.20

(자료 2) 편입대상물건의 상황

1. 토지

   가. 소재지 : 태평시 남구 춘향동 71, 대, 500㎡(토지대장상 면적)

   나. 용도지역 : 자연녹지지역

   다. 기타제한 : 군사시설보호구역, 도시계획시설 도로 저촉(저촉비율은 전체 면적의 약 15%)

   라. 형상, 고저 : 사다리, 완경사

   마. 접면도로상태 : 세로한면

2. 지장물

기호	용도	공부	현황	건축연도
1	주택	적벽돌조 슬래브 50㎡	시멘트벽돌조 슬래브 45㎡	1990.9.1
2	주택	블록조 기와 18㎡	공부와 동일	1993.7.6
3	축사	–	블록조 슬레이트 155㎡	1996.8.20 무허가

(자료 3) 공시지가 표준지 현황

1. 택지개발사업지구 내 표준지

(단위 : 원/㎡)

기호	소재지	지번	면적(㎡)	이용상황	용도지역	도로교통	형상지세	공법상 제한사항	각 연도별 공시지가		
									2004	2005	2006
1	춘향동	19	429	전	자연녹지	세로한면	세장형저지	군사시설보호구역 도로저촉	130,000	150,000	170,000
2	춘향동	33-1	530	단독	자연녹지	세로각지	부정형완경사	군사시설보호구역	160,000	175,000	195,000
3	춘향동	53	501	주거나지	자연녹지	세로한면	세장형평지	군사시설보호구역 광장저촉	150,000	180,000	198,000
4	춘향동	69	483	단독	자연녹지	세로(불)	사다리평지	-	155,000	175,000	187,000

2. 택지개발사업지구 외 인근지역 표준지

(단위 : 원/㎡)

기호	소재지	지번	면적(㎡)	이용상황	용도지역	도로교통	형상지세	공법상 규제사항	각 연도별 공시지가		
									2004	2005	2006
5	춘향동	201	853	단독	자연녹지	세로한면	세장형평지	군사시설보호구역 도로저촉	145,000	148,000	151,000
6	춘향동	256	428	주거기타(교회)	자연녹지	세로각지	부정형평지	군사시설보호구역	150,000	153,000	158,000
7	춘향동	289	360	단독	자연녹지	세로한면	세장형완경사	군사시설보호구역 광장저촉	155,000	158,000	161,000
8	춘향동	321-3	411	주거나지	자연녹지	세로한면	사다리평지	-	150,000	153,000	155,000

(자료 4) 지가변동률

(단위 : %)

구분	행정구역	상업지역	주거지역	녹지지역	공업지역
2005년	태평시 남구	2.945	3.051	2.365	2.197
2006년	태평시 남구	1.425	2.208	3.016	1.511
2007년 1월~3월 누계	태평시 남구	1.425	1.097	2.333	0.997
2007년 4월	태평시 남구	0.162	0.136	1.231	0.674
2007년 5월	태평시 남구	0.201	0.601	0.337	0.354
2007년 6월	태평시 남구	0.152	0.238	0.601	0.784

(자료 5) 토지가격비준표(경기도 태평시)

1. 도시계획시설

미저촉	학교	도로
1.00	0.90	0.85

2. 공법상 제한상태

미저촉	군사시설 보호구역
1.00	0.75

(자료 6) 지역요인 : 각 표준지와 대상지의 지역요인은 동일함.

(자료 7) 개별요인

1. 접면도로

세로불	세로한면	세로각지
1.00	1.07	1.10

2. 형상

부정형	사다리	세장형	정방형, 가장형
1.00	1.05	1.08	1.10

3. 고저

완경사	평지	저지
1.00	1.05	1.01

(자료 8) 이전공사 항목(재조달원가 대비 비율)

기호	구분	노무비	해체비	이전비	자재비	폐자재 처분익	설치비	재조달원가 (원/m²)	내용 연수
1	적벽돌 슬래브조 주택	0.213	0.157	0.138	0.213	0.086	0.160	680,000	40
2	시멘트벽돌조 슬래브 주택	0.207	0.143	0.135	0.208	0.053	0.168	520,000	35
3	블록조 기와주택	0.120	0.153	0.141	0.111	0.065	0.165	480,000	45
4	철골조 슬레이트 축사	0.123	0.137	0.135	0.116	0.031	0.167	120,000	15
5	블록조 슬레이트 축사	0.115	0.145	0.140	0.110	0.014	0.169	150,000	20

(자료 9) 유의사항

1) 지역요인과 개별요인의 비교수치는 각 세항목별로 소수점 셋째 자리에서 반올림하여 둘째 자리까지 표시한다.
2) 토지 및 지장물 적용단가는 100원 단위에서 반올림하여 1,000원 단위까지 표시한다.
3) 감가수정은 만년감가를 적용한다.

Question 04 다음 자료를 활용하여 ○○주식회사의 2006년 12월 31일 현재 비상장주식의 1주당 가격을 평가하시오(단, 원 미만은 반올림한다). 15점

(자료 1) 평가대상 주식내용

구분	수권주식수	발행주식수	1주의 금액
○○주식회사 비상장주식	500,000주	300,000주	5,000원

(자료 2) 2006.12.31자 ○○주식회사의 재무상태표는 다음과 같다.

(단위 : 원)

차변		대변	
과목	금액	과목	금액
현 금 예 금	550,000,000	외 상 매 입 금	400,000,000
유 가 증 권	150,000,000	지 급 어 음	600,000,000
외 상 매 출 금	500,000,000	미 지 급 비 용	150,000,000
받 을 어 음	800,000,000	단 기 차 입 금	2,000,000,000
재 고 자 산	200,000,000	대 손 충 당 금	16,000,000
선 급 비 용	50,000,000	건물감가상각충당금	64,800,000
부 도 어 음	100,000,000	기계기구감가상각충당금	1,606,500,000
토 지	945,000,000	퇴 직 급 여 충 당 금	180,000,000
건 물	900,000,000	자 본 금	1,500,000,000
기 계 기 구	3,500,000,000	이 익 준 비 금	500,000,000
창 업 비	20,000,000	당기말미처분이익잉여금	697,700,000
합계	7,715,000,000	합계	7,715,000,000

(자료 3) 기말정리사항은 다음과 같다.

1) 유가증권은 130,000,000원으로 평가함.
2) 매출채권 잔액에 대하여 2%를 대손충당금으로 설정함.
3) 재고자산은 변동이 없음.
4) 차입금에 대한 미지급이자가 30,000,000원 있음.
5) 이미 지급한 보험료 중 기간 미경과된 금액이 20,000,000원임.
6) 부도어음을 검토한 결과 50,000,000원은 회수불가능함.
7) 퇴직금 관련 제규정에 따라 2006.12.31 현재 퇴직급여충당금을 설정해야 하는 금액은 200,000,000원임.
8) 창업비는 매년 상각하여 왔으며 이번 기에 미상각잔액 전부를 상각하여야 함.
9) 가격시점 현재 토지의 평가금액은 1,260,000,000원이며, 건물과 기계기구의 평가금액은 (자료 4) 및 (자료 5)를 활용하여 구함.

(자료 4) 건물의 자료

1. 대상건물

구조	연면적	사용승인일	건축비 (원/㎡)	건축비 검토결과
철근콘크리트조 슬래브지붕 3층건	1,800㎡	2001.12.31	500,000	건축비는 표준적인 것으로 판단됨.

2. 철근콘크리트구조 건물의 건축비지수

2002.1	2003.1	2004.1	2005.1	2006.1	2007.1
100	107	115	126	135	145

3. 철근콘크리트구조 건물의 경제적 내용연수는 50년이며, 내용연수 만료시 잔가율은 10%임.

(자료 5) 기계기구의 자료

1. 가격시점 현재 기계기구의 재조달원가 총액은 3,800,000,000원이며 2001년 12월에 모두 신품을 구입하였음(모든 기계의 경제적 내용연수는 15년이며 감가수정 방법은 정률법에 의하고 잔가율은 10%로 함).
2. 정률법에 의한 잔존가치율표(잔존가치 : 10%)

연간감가율 내용연수 경과연수	0.319 6	0.280 7	0.250 8	0.226 9	0.206 10	0.189 11	0.175 12	0.162 13	0.152 14	0.142 15
1	5/0.681	6/0.720	7/0.750	8/0.774	9/0.794	10/0.811	11/0.825	12/0.838	13/0.848	14/0.858
2	4/0.464	5/0.518	6/0.562	7/0.599	8/0.631	9/0.658	10/0.681	11/0.702	12/0.720	13/0.736
3	3/0.316	4/0.373	5/0.422	6/0.464	7/0.501	8/0.534	9/0.562	10/0.588	11/0.611	12/0.631
4	2/0.215	3/0.268	4/0.316	5/0.539	6/0.398	7/0.433	8/0.464	9/0.492	10/0.518	11/0.541
5	1/0.147	2/0.193	3/0.237	4/0.278	5/0.316	6/0.351	7/0.383	8/0.412	9/0.439	10/0.464
6	0.1	1/0.139	2/0.178	3/0.215	4/0.251	5/0.285	6/0.316	7/0.436	8/0.373	9/0.398
7		0.1	1/0.133	2/0.167	3/0.200	4/0.231	5/0.216	6/0.289	7/0.316	8/0.341
8			0.1	1/0.129	2/0.158	3/0.187	4/0.215	5/0.242	6/0.268	7/0.293
9				0.1	1/0.126	2/0.152	3/0.178	4/0.203	5/0.228	6/0.251
10					0.1	1/0.123	2/0.147	3/0.170	4/0.193	5/0.215
11						0.1	1/0.121	2/0.143	3/0.164	4/0.185
12							0.1	1/0.119	2/0.139	3/0.158
13								0.1	1/0.118	2/0.136
14									0.1	1/0.117
15										0.1

2008년 감정평가사 제19회

※ **공통유의사항**
1. 각 문제는 해답 산정시 산식과 도출과정을 반드시 기재할 것
2. 단가는 관련 규정에서 정하고 있는 사항을 제외하고 유효숫자 셋째 자리까지, 기타 요인 보정치는 소수점 첫째 자리까지 사정함

감정평가사 L씨는 택지개발예정지구로 지정고시된 지역의 보상에 대하여 중앙토지수용위원회로부터 이의재결 평가를 의뢰받았다. 보상관련법규의 제규정 등을 참작하고 제시된 자료를 활용하여 보상액을 산정하시오. 40점

(1) 의뢰토지에 대한 가격시점 결정 및 비교표준지 선정사유를 설명하고, 기호 3을 제외한 나머지 토지의 보상감정평가액을 산정하시오.

(2) 건물의 보상감정평가액을 산정하시오.

(3) (자료 8)을 활용하여 아래 조건에 따라 영업손실보상액을 산정하되, 구체적인 산출근거를 제시하시오.
   1) 영업허가를 득하고 영업장소가 적법인 경우
   2) 영업허가를 득하고 영업장소가 무허가건축물인 경우
   3) 무허가 영업이고 영업장소가 적법인 경우
   4) 무허가 영업이고 영업장소가 무허가건축물인 경우

(자료 1) 사업개요

1. 사업의 종류 : ○○택지개발사업
2. 택지개발사업 예정지구 공람·공고일 : 2006.4.5
3. 택지개발사업 개발계획승인 고시일 : 2007.10.24
4. 추가 세목고시일 : 2008.3.24
5. 협의평가 가격시점 : 2008.5.21
6. 재결일 : 2008.8.25
7. 현장조사 완료일 : 2008.9.21
8. 이의재결시점 : 2008.10.5
9. 서울시 강남구, 동작구 및 성남시 수정구와 인접하고 있는 서울시 서초구는 해당 공익사업의 영향으로 지가변동률이 높게 나타나고 있음.
10. 해당 사업지구의 용도지역이 기존에는 자연녹지(개발제한구역)였으나 공익사업시행에 따른 절차로서 제2종일반주거지역으로 변경되었음.

(자료 2) 의뢰물건 내용

1. 토지조서

기호	소재지	면적(㎡) 공부	면적(㎡) 편입	지목	비고
1	서초구 신원동 210	450	350	대	
2	서초구 신원동 221	600	450	대	
3	서초구 신원동 230	2,000	2,000	임야	
4	서초구 신원동 240	900	900	전	

2. 지장물 조서

기호	소재지	물건의 종류	구조·규격	수량	비고
가	신원동 210	주택	시멘트벽돌조 슬래브지붕 단층	50㎡	20㎡ 편입
나	신원동 210	점포	블록조 슬레이트지붕 단층	40㎡	전부 편입
다	신원동 210	나라안경	-	1식	영업권

(자료 3) 인근지역의 표준지공시지가 현황

기호	소재지	면적(㎡)	지목	이용상황	용도지역	도로교통	형상지세	공시지가(원/㎡) 2007년	공시지가(원/㎡) 2008년
A	신원동 125	300	대	단독	제2종일반	소로한면	세장형 평지	900,000	950,000
B	신원동 130	900	전	전	제2종일반	세로가	부정형 완경사	600,000	650,000
C	신원동 산15	3,000	임야	토지임야	제2종일반	맹지	부정형 완경사	250,000	280,000
D	신원동 233	450	대	단독	개발제한	세로가	가장형 평지	500,000	600,000
E	신원동 245	450	대	주거나지	개발제한	세로가	세장형 평지	300,000	350,000
F	신원동 280	1,000	전	전	개발제한	세로(불)	부정형 평지	140,000	180,000
G	신원동 산100	3,000	임야	토지임야	개발제한	맹지	부정형 완경사	12,000	15,000

※ 표준지 A, D는 도시계획도로에 20% 저촉됨.

(자료 4) 시점수정자료

1. 지가변동률

① 서초구, 서울시 평균 용도지역별 지가변동률(단위 : %)

구분	서초구		서울시 평균	
	주거지역	녹지지역	주거지역	녹지지역
2007.1.1~12.31	8.350	10.750	2.350	2.675
2008년 1월	1.110	1.325	0.150	0.235
2008년 2월	1.125	1.355	0.100	0.325
2008년 3월	1.130	1.335	0.125	0.234
2008년 4월	1.145	1.375	0.130	0.235
2008년 5월	1.145	1.375	0.145	0.325
2008년 6월	1.150	1.350	0.125	0.234
2008년 7월	1.100	1.325	0.130	0.225
2008년 8월	1.125	1.355	0.145	0.285

※ 2008년 9월 및 10월의 지가변동률은 미고시된 상태임.

② 강남구, 동작구, 성남시 수정구 용도지역별 지가변동률(단위 : %)

구분	강남구		동작구		성남시 수정구	
	주거지역	녹지지역	주거지역	녹지지역	주거지역	녹지지역
2007.1.1~12.31	2.350	3.555	2.150	2.750	2.750	2.180
2008.1.1~6.30	1.125	2.373	1.145	1.504	1.130	1.565
2008년 7월	0.230	0.335	0.140	0.235	0.120	0.225
2008년 8월	0.245	0.385	0.130	0.275	0.115	0.275

※ 2008년 9월 및 10월의 지가변동률은 미고시된 상태임.

2. 생산자물가상승률

연도	2005.12	2006.1	2006.12	2007.1	2007.12	2008.1
지수	128.8	129.2	130.2	130.5	132.5	132.7
연도	2008.2	2008.3	2008.7	2008.8	2008년 9월과 10월은 추정	
지수	132.8	133.0	133.4	133.5		

(자료 5) 대상물건 조사사항

1. 토지

구분	내용
위치 및 부근상황	대상물건은 서초구 신원동 속칭 장수리마을 내에 소재하며 부근은 자연부락 내의 단독주택, 농경지, 임야 등으로 형성되어 있음.
교통상황	대상물건 인근까지 차량접근이 가능하고 인근에 시내버스정류장이 소재하여 일반적인 대중교통사정은 보통임.
형태 및 이용상황	기호 1) 사다리형의 토지로서 남측 인접필지보다 다소 고지이며 주변은 완만한 경사를 이루고 있으며 주상용 건물부지로 이용 중임. 기호 2) 가장형의 토지로서 인접필지와 등고 평탄하며 주거나지로 이용 중임. 기호 3) 부정형의 토지로서 서하향의 완경사를 이루고 있으며 전으로 이용 중임. 기호 4) 세장형의 토지로서 인접필지와 등고 평탄하며 전으로 이용 중임.
도로상황	기호 1) 대상물건 남측과 서측으로 각각 노폭 약 8m, 2m 포장도로에 접하고 있음. 기호 2) 대상물건 동측으로 노폭 약 2m 포장도로에 접함. 기호 3) 지적도상 맹지이나 대상물건 북측으로 약 2m 농로에 접하고 있음. 기호 4) 대상물건 동측으로 노폭 약 4m 포장도로에 접함.
토지이용 계획관계	기호 1~4) 제2종일반주거지역, 택지개발예정지구, 도시계획도로에 20% 정도 저촉됨.
기타 참고사항	기호 2) 건축허가를 득하였으나 공사착공 전에 사업부지에 편입됨. 기호 3) 2001.3.5.에 불법으로 형질변경하여 전으로 이용 중인 것으로 조사됨. 기호 4) 사업구역이 확장되면서 추가로 편입됨.

2. 건물

① 기초자료

구분		기호 (가)	기호 (나)	비고
사용승인일자		1989.10.25	1978.10.1	
건물내용연수		45년	40년	
가격시점 현재 재조달원가(원/㎡)		550,000	450,000	
이전비 (원)	해체비	4,000,000	2,000,000	
	운반비	1,500,000	1,200,000	
	정지비	1,200,000	1,000,000	
	재건축비	20,000,000	15,000,000	설비 개량비용 각 5,000,000원 포함
	보충자재비	5,000,000	3,000,000	
	부대비용	5,000,000	3,000,000	

② 건물조사내용
- 본 건물의 이전비는 전체 건물을 기준으로 한 것임.
- 기호 가) 건물은 기둥이 없는 구조임.
- 건물높이는 2m이며 벽면적은 반올림하여 소수점 첫째 자리까지 사정함.
- 건축 보수비용은 400,000원/㎡을 적용함.
- 화장실은 편입되어 재설치되어야 하고 위생설비 설치비용은 전체 면적을 기준으로 하여 50,000원/㎡을 적용함.
- 위생설비 이외에는 추가적인 설비공사는 없음.
- 건물단가는 천원 미만은 절사함.
- 건축허가 관련 비용 : 12,000,000원
- 기호 가) 건물단면도

(자료 6) 요인비교자료

1. 표준지와 보상선례의 지역요인은 동일함.

2. 이용상황

구분	주거용	주상용
주거용	1.00	1.20
주상용	0.83	1.00

3. 도로접면

구분	소로각지	소로한면	세로가	세로(불)	맹지
소로각지	1.00	0.96	0.86	0.80	0.70
소로한면	1.04	1.00	0.90	0.85	0.75
세로가	1.16	1.05	1.00	0.95	0.83
세로(불)	1.25	1.15	1.11	1.00	0.88
맹지	1.43	1.33	1.20	1.13	1.00

4. 형상

구분	가장형	세장형	사다리형	부정형
가장형	1.00	0.97	0.92	0.85
세장형	1.03	1.00	0.95	0.88
사다리형	1.09	1.05	1.00	0.92
부정형	1.18	1.14	1.08	1.00

5. 지세

구분	평지	완경사
평지	1.00	0.90
완경사	1.11	1.00

6. 도시계획도로(저촉률 20%일 경우 전체 토지에 적용하는 비준율)

구분	비저촉	저촉
비저촉	1.00	0.97
저촉	1.03	1.00

(자료 7) 보상평가선례

1. 사업명 : ○○지구 택지개발사업
2. 가격시점 : 2008.1.24
3. 소재지 : 강남구 세곡동 424-5번지
4. 용도지역 : 자연녹지지역(개발제한구역)
5. 기타요인 보정치 산정을 위한 시점수정치는 1.02100을 적용함.

6. 보상단가 등

구분		424-5번지	500번지
지목		대	전
단가(원/㎡)		700,000	240,000
토지 특성	이용상황	주상용	전
	도로접면	세로(불)	맹지
	형상	부정형	사다리형
	지세	완경사	완경사
	도시계획도로	저촉	비저촉

(자료 8) 영업보상 관련 자료

1. 대상건물의 임차인은 개인사업자로서 2003.12.1부터 안경점을 운영하여 왔음.

2. 영업이익에 관한 자료

① 재무제표에 의한 영업이익 산정(단위 : 원)

구분	2004년	2005년	2006년	2007년
매출액	180,000,000	200,000,000	240,000,000	150,000,000
매출원가	87,000,000	95,000,000	113,000,000	65,000,000
판매 및 일반관리비	35,000,000	40,000,000	50,000,000	40,000,000

* 2007년 매출액은 택지개발사업 개발계획승인이 고시됨으로써 매출액이 감소된 것으로 조사됨.

② 부가가치세 과세표준액 기준매출액 등

구분	매출액(원)	표준소득률(%)
2004년	110,000,000	20
2005년	120,000,000	20
2006년	150,000,000	20
2007년	90,000,000	20

③ 인근 동종 유사규모업종의 영업이익 수준

대상물건을 포함한 인근지역 내 동종 유사규모업종의 매출액을 탐문조사한 바 연간 220,000,000원 수준이고 매출액 대비 영업이익률은 약 30%인 것으로 조사되었음.

3. 이전 관련 자료

① 상품재고액 : 30,000,000원

② 상품운반비 : 3,000,000원

③ 영업시설 등의 이전비 : 2,000,000원

④ 상품의 이전에 따른 감손상당액 : 상품가액의 10%

⑤ 고정적 비용 : 임차인은 영업과 관련된 차량에 대한 자동차세 600,000원과 매달 임대료로 500,000원을, 종업원(소득세의 원천징수 안함)은 2인으로서 각각 1,200,000원/월을 지급하고 있으며 휴업기간 중에는 1인만 필요함.

⑥ 이전광고비 및 개업비 등 부대비용 : 2,000,000원

4. 기타자료

① 제조부문 보통인부 노임단가 : 50,000원/일

② 도시근로자 월평균 가계지출비

구분	월평균 가계지출비
2인	2,500,000
3인	3,000,000
4인	3,500,000
5인	4,000,000
6인	4,500,000

③ 영업이익은 만원 단위에서 반올림하여 사정함.

토지소유자 J씨는 C시 D읍 E리 30번지 토지에 대하여 토지등기부등본을 첨부하여 감정평가사 S씨에게 아래와 같은 조건으로 부동산자문 의뢰를 하였다. 주어진 자료를 활용하여 물음에 답하시오. 35점

(1) 2008.1.1을 가격시점으로 하여 토지의 정상가격을 평가하시오. 5점

(2) 2008.1.1을 가격시점으로 하여 적산임대료 산정을 위한 토지의 기초가격을 평가하시오. 5점

(3) 2008.1.1을 가격시점으로 하여 (자료 3)에 주어진 투자조건 등을 만족하는 토지의 투자가격을 결정하시오. 15점

(4) 2008.9.21을 가격시점으로 하여 토지의 정상가격을 평가하시오. 5점

(5) 2008.1.1을 가격시점으로 한 앞의 세 가지 가격을 가치기준(Valuation Bases)에 따라 비교·설명하시오. 5점

(자료 1-1) 사전조사사항 Ⅰ

1. 등기부등본

    ① 토지등기부등본(의뢰시 첨부서류)

소재지번	지목	면적	기타사항
C시 D읍 E리 30번지	임야	630㎡	--

    ② 건물등기부등본

소재지번 및 건물번호	건물내역	기타사항
C시 D읍 E리 30번지	목조 함석지붕 창고 단층 36㎡	--

2. 토지대장

토지소재	지번	토지표시 지목	토지표시 면적(㎡)	사유
C시 D읍 E리	30	전	300	2007년 12월 28일 분할되어 본번에 -1을 부함. 2007년 12월 30일 임야에 전으로 등록전환
C시 D읍 E리	30-1	임야	330	2007년 12월 28일 30번지에서 분할

3. 건축물대장등본 : C시 D읍 E리 30번지 및 동소 30-1번지는 건물이 등재되어 있지 않음.

4. 토지이용계획확인원 : 관리지역, 토지거래계약에 관한 허가구역

5. 지적도

(자료 1-2) 사전조사사항 II

1. 인근의 비교가능한 표준지공시지가(공시기준일 : 2008.1.1)

연번	소재지	면적 (m²)	지목	이용상황	용도지역	도로교통	형상·지세	공시지가 (원/m²)
1	C시 D읍 E리 23	455	전	전	관리	세로가	부정형 완경사	62,000
2	C시 D읍 E리 50	766	답	답	관리	맹지	부정형 평지	51,000
3	C시 D읍 E리 135	356	대	단독주택	관리	세로가	부정형 평지	95,000
4	C시 D읍 E리 150	420	차	주차장	관리	세로가	부정형 평지	68,000
5	C시 D읍 E리 200	300	대	상업용	관리	소로한면	정방형 평지	190,000
6	C시 D읍 E리 356	836	임	토지임야	관리	세로(불)	부정형 완경사	43,000
7	C시 D읍 E리 산12	4,260	임	자연림	관리	세로가	부정형 완경사	30,000

2. 지가변동률 : 국토교통부장관 발표자료로 추정한 2008.1.1부터 2008.9.21까지의 C시 관리지역 지가변동률은 1.000%임.

3. 가격자료 및 기타사항
   ① 해당 지역의 공시지가 수준은 적절한 균형을 유지하고 있으며 적정지가를 비교

적 잘 반영하고 있으나 2008.3.2 이후 대지에 대한 수요증가로 국지적인 가격변동이 있었음.

② 실거래가는 일부 포착되었으나 세부내용이 없어 검토가 어려움.

③ 신뢰할 만한 평가선례자료는 다음과 같음.

연번	소재지	면적(m²)	지목	이용상황	용도지역	평가목적	가격시점	평가가격(원/m²)
1	C시 D읍 E리 140	455	대	단독	관리	경매	2008.7.11	140,000
2	C시 D읍 E리 255	766	대	상업용	관리	경매	2008.6.20	300,000

평가선례 및 기타자료 등을 종합검토한 바 2008.9.21 기준으로 대상토지 평가시 기타요인 보정필요성이 제기되었으며, 분석결과 그 수치는 1.30으로 산정되었음.

(자료 2-1) 현장조사사항 I : 2008.1.1 기준

1. C시 D읍 E리 30번지

    ① 인접 토지와 등고평탄한 토지로 현재 지표 위에 부직포를 덮고 주차장부지로 이용 중이고 유의할 만한 다른 물건은 없었음.

    ② 해당 토지는 북측에 인접한 A공장에 일시적으로 주차장부지로 임대 중이라 하며 제시받은 임대차계약서 내용은 아래와 같음.
    - 소재지 : C시 D읍 E리 30번지
    - 당사자 : 임대인 J, 임차인 A공장 대표이사 R
    - 임대면적 및 용도 : 300m², 주차장부지
    - 임대금액 : 금 --,--원
    - 임대기간 : 2008.1.1~2008.12.31
    - 기타사항 : 임대기간은 J씨의 사정에 의해 임의로 종료될 수 있고 이에 따른 부담은 없으며, 임대종료시 임차인이 설치한 주차 관련 지장물(부직포 등)은 임차인이 제거하기로 함.

2. C시 D읍 E리 30-1번지

    ① 인접 토지와 등고평탄한 부정형 토지로 현재 전으로 이용 중이고 남서측 일부에는 P씨의 종중묘지가 소재하고 있어 이를 확인한 바 면적은 30m²이고 보존가치가 있어 보존묘지로 지정되어 있는 것으로 조사됨.

② 소유자에 따르면 분할 전(前) 30번지는 수년 전에 전으로 개간되었고, 농지원부에도 등재되어 있다고 하며 이는 사실로 확인됨.

③ 이 토지는 이웃에 거주하는 P씨에게 임대 중인 것으로 조사되었으며, 제시받은 임대차계약서 내용은 아래와 같음.
  - 소재지 : C시 D읍 E리 30-1번지
  - 당사자 : 임대인 J, 임차인 P
  - 임대면적 및 용도 : 330㎡, 전
  - 임대금액 : 금 --,--원
  - 임대기간 : 2008.1.1~2008.12.31
  - 기타사항 : 임대계약은 기간 중 J가 임의로 해지할 수 있고, 수년 간 임대해 온 점을 고려하여 별도의 부담은 없도록 함.

(자료 2-2) 현장조사사항 II : 2008.9.21 기준

1. 현장조사시 건축공정률이 80% 정도인 상업용 건물을 신축 중이었고 부지조성공사는 완료된 상태였음.

2. 제시받은 건축허가서 내용
  ① 건축구분 : 신축
  ② 대지위치 : C시 D읍 E리 30, 동소 30-1
  ③ 대지면적 : 560㎡
  ④ 주용도 : 제1종근린생활시설(소매점)
  ⑤ 건축물내역 : 경량철골조 판넬지붕, 1층, 연면적 200㎡
  ⑥ 허가번호 : 2008 - 도시건축과 - 신축허가 - 5
  ⑦ 허가일자 : 2008.6.30
  ⑧ 부속 협의조건 : 종전 토지 중 40㎡는 도로로 기부채납하고 사업부지는 사업완료 후 지목변경하여야 함.

※ 음영부분은 건축허가서상 사업부지임.

(자료 3) 투자가격결정을 위한 참고자료

1. 투자조건
   ① 투자대상 : 숙박시설(모텔 : 객실 30개)
   ② 투자조건 : 가격시점에서 소득수익률 ≧ 15%이면 투자(단, 소득수익률 = 순영업소득(NOI) / 부동산평가액(V)으로 하되, 부동산평가액은 공시지가를 기준한 토지가액과 원가법에 의한 건물가액으로 판단하기로 함)

2. 기타 조사자료 및 참고사항
   ① 인근의 숙박업소 조사내역

   인근의 숙박업소에 대하여 규모를 제외한 가격요인보정 후의 안정화된 소득자료는 다음 표와 같으며 현재까지는 신뢰할 만한 것으로 보인다. 감정평가사 S씨의 선임평가사는 가능총소득(PGI), 객실점유율 등의 자료를 분석하여 적절히 활용할 것을 권고하였다. 추세가 있는 경우에는 회귀분석법(Regression Analysis)을 적용하되, 평가서에 세밀한 계산과정은 기술하지 않아도 무방하다고 조언하였다(단, 구축모형은 유의하다고 가정하고 회귀계수와 회귀상수는 소수점 둘째자리까지 산정함).

조사시점	규모(객실수)	PGI / 객실·월(천원)	객실점유율(%)
2006.12	15	700	75.5
2007.2	30	800	82.2
2007.3	31	810	81.8
2007.5	16	690	74.1
2007.6	30	800	80.5
2007.8	29	790	80.0
2007.10	15	710	72.2
2007.12	30	800	78.8

※ 조사시점은 매월 초일을 기준하고, 충당금은 무시함.

   ② 기타소득은 자판기 등의 수익으로 1만원 / 월·객실을 거둘 수 있을 것으로 본다.

   ③ 운영경비(OE)는 제반자료를 분석한 바 아래와 같이 의미있는 결과를 얻을 수 있었다.
   $\hat{y}$ = 1,200,000원 + 0.4x($\hat{y}$: 운영경비, x : 가능총소득, R^2 = 0.951)

   회귀상수(a) = $\dfrac{(\Sigma y \cdot \Sigma x^2 - \Sigma x \cdot \Sigma xy)}{n\Sigma x^2 - (\Sigma x)^2}$

   회귀상수(b) = $\dfrac{n\Sigma xy - \Sigma x \cdot \Sigma xy}{n\Sigma x^2 - (\Sigma x)^2}$

④ 환원이율은 신뢰할 만하고 의미있는 시장자료를 분석한 결과 다음과 같이 적용 가능한 결과를 얻을 수 있었다.

구분	지가변동성 낮음	지가변동성 중립	지가변동성 높음
토지환원이율	8%	10%	12%
건물환원이율	10%	11%	12%
발생확률	10%	40%	50%

⑤ 건축업자가 제시한 숙박시설의 건물투자비용은 730,000,000원이고 구성항목은 다음과 같으나 건물평가시 원가법에 의한 건물평가항목으로 인정하기 어려운 것은 조정이 필요함.

구분		비율(%)	내역
직접투자비	1. 설계비	4.0	감리비, 설계비용
	2. 기본건축비	25.0	기초 및 골조공사비 등
	3. 내외장공사비	25.0	미장, 창호공사 등
	4. 기계설비비	18.0	냉난방, 엘리베이터 등
	5. 전기설비비	10.0	전기 및 통신공사비 등
	6. 집기비품	4.0	비품, 소모품 등 동산
	소계	86.0	
간접투자비	7. 일반관리비	3.0	
	8. 이윤, 기타	5.0	이윤, 건설이자 등
	소계	8.0	
개업비	9. 개업준비금	4.0	개업 전 인건비, 판촉비 등
	10. 운영자금	2.0	초기운전자금
	소계	6.0	
총계		100.0	

(자료 4) 기타 참고사항

1. 지역요인 : 동일함.

2. 개별요인 : 이용상황이 동일하면 별도의 지목감가는 하지 아니함.

① 도로접면

구분	소로한면	세로가	세로(불)	맹지
소로한면	1.00	0.93	0.86	0.83
세로가	1.07	1.00	0.92	0.89
세로(불)	1.16	1.09	1.00	0.96
맹지	1.20	1.12	1.04	1.00

② 형상

구분	정방형	장방형	사다리형	부정형
정방형	1.00	0.99	0.98	0.95
장방형	1.01	1.00	0.99	0.96
사다리형	1.02	1.01	1.00	0.97
부정형	1.05	1.04	1.03	1.00

③ 지세

구분	평지	완경사
평지	1.00	0.97
완경사	1.03	1.00

A감정평가사는 ○○청으로부터 아래와 같은 내용의 입목에 대한 감정평가의뢰를 받았다. 제시자료를 검토하여 입목의 취득가격을 결정하시오. (단, 입목의 평가방법은 제시자료에 타당한 합리적이고 보편적인 방식을 선택하여 평가할 것) 15점

(자료 1) 감정평가 의뢰내역

1. 개요
   ① 평가목적 : 조림대부지 내 입목의 취득(매수)
   ② 소재지 : ○○○도 ○○군 ○○면 ○○리 산21
   ③ 지목 : 임야
   ④ 면적 : 1,050,000㎡

2. 입목현황

임종	임상	수종	혼효율(%)	임령	영급	경급(cm)	수고(m)	ha당 재적(㎥)
천연림 (자연림)	활엽수	참나무 기타 활엽수	70	$\frac{29}{15-45}$	Ⅱ - Ⅴ	$\frac{18}{8-35}$	$\frac{10}{8-18}$	75
	침엽수	소나무						
인공림 (조림)	침엽수	잣나무 낙엽송 리기다소나무	30	$\frac{35}{25-45}$	Ⅲ - Ⅴ	$\frac{20}{10-36}$	$\frac{11}{8-19}$	95

* 참고사항 : 1. 조림대부지로서 입목의 관리상태는 양호함.
  2. 경급(cm) : $\frac{평균경급}{최저경급 - 최고경급}$

3. 수종별 재적

임종	임상	수종	재적(㎥)	비고
천연림 (자연림)	활엽수	참나무	1,653.80	
		기타 활엽수	3,307.50	
	침엽수	소나무	551.30	
	소계		5,512.60	
인공림 (조림)	침엽수	잣나무	1,047.40	
		낙엽송	748.10	
		리기다소나무	1,197.00	
	소계		2,992.50	
합계			8,505.10	

(자료 2) 입목평가자료

1. 원목 시장가격(가격시점 현재)

등급기준	흉고직경(경급)	원목가격(원/㎥)					
		참나무	기타 활엽수	소나무	잣나무	낙엽송	리기다 소나무
상	30cm 이상	105,000	100,000	110,000	100,000	105,000	100,000
중	16cm 이상	90,000	85,000	95,000	90,000	95,000	90,000
하	16cm 미만	85,000	78,000	85,000	80,000	85,000	80,000

*용재림 및 기타 용도(펄프, 갱목, 목탄 및 목초액의 용도 등) 등으로 사용할 수 있는바 일반기준 벌기령은 적용하지 아니하고, 시장가격은 천연림과 인공림(조림)의 구분없이 형성되고 있음.

2. 조재율(단위 : %)

등급기준	활엽수	침엽수
상	90	90
중	85	85
하	80	80

3. 생산비용

① 벌목조재비

1일 노임/인		기계상각비 및 연료비	1일 작업량/인
벌목비	조재비		
80,000원	80,000원	30,000원	10.0㎥

② 산지집재비(소운반 포함)

1일 노임은 80,000원/인이며 1일 작업량은 10.0㎥/인임.

③ 운반비

구분	1일 노임/인	1일 작업량/인
상하차비	80,000원	10.0㎥
자동차운반비	110,000원	10.0㎥

④ 임도 보수 및 설치비

1일 노임/인	1일 작업량/인	소요임도
90,000원	0.3km	2.1km

⑤ 잡비 : 생산비용의 10%

4. 이자율 및 기업자이윤 등
   ① 자본회수기간은 6개월 정도이며 이자율은 금융기관의 대출금리기준 연 7.0%를 적용함.
   ② 기업자 이윤은 10%, 산재보험을 포함한 위험률은 5.0%로 적용함.

(자료 3) 참고사항

1. 일부 수종에서 참나무 시들음병이 발생되어 피해도가 "중" 이상인 입목은 평가에서 제외하고 피해도가 "경" 이하인 입목은 정상입목 평가액의 90% 수준으로 평가함이 적절함.

2. 참나무 시들음병 피해도를 조사한 바, 조사재적 중 "중" 이상 입목은 약 50%(826.90㎥), "경" 이하 입목은 약 20%(330.80㎥)임.

3. 단가 계산은 원 단위는 절사하고 십원 단위까지만 표기 요함.

Question 04
대여시설(리스자산)의 감정평가시 현장조사 유의사항에 대하여 약술하시오. 5점

Question 05
표준지의 평가에 있어 개발이익 반영 여부에 대하여 약술하시오. 5점

2009년 감정평가사 제20회

※ 공통유의사항
1. 각 문제는 해답 산정시 산식과 도출과정을 반드시 기재하여야 합니다.
2. 단가는 관련 규정에서 정하고 있는 사항을 제외하고 유효숫자 셋째 자리까지, 기타 요인 보정치는 소수점 첫째 자리까지 사정하여야 합니다.

자동차부품업체를 운영하고 있는 김갑동 사장은 공장을 증설하기 위하여 임야를 매입하고, 자금 마련을 위해 개발단계별로 담보대출을 신청하려 한다. 주어진 조건과 자료를 참고하여 다음 물음에 답하시오. 40점

(1) 2009.1.1을 가격시점으로 하여 토지를 평가하시오. 5점
(2) 2009.3.31을 가격시점으로 하여 토지를 평가하시오. 10점
(3) 2009.9.6을 가격시점으로 하여 공장을 평가하시오. 25점

(자료 1) 평가의뢰 내역

1. 평가물건
   ① 토지 : C시 Y읍 S리 산11번지 중 김갑동 소유지분
   ② 건물 : 위 지상 소재 건물
2. 평가목적 : 담보

(자료 2) 2009.1.1 가격시점 관련 사항

1. 사전조사사항
   ① 토지등기부등본

소재지번	지목	면적	소유자
C시 Y읍 S리 산11	임야	23,955㎡	공유자 지분 3분의 1 김갑동 지분 3분의 1 이갑동 지분 3분의 1 박갑동

   ② 건물등기부등본 및 건축물대장등본 : 해당 사항 없음.
   ③ 토지대장등본 : 등기부와 동일
   ④ 지적도 : 지적분할신청 중으로 발급받지 못함.
   ⑤ 토지이용계획확인원 : 계획관리지역, 준보전산지

⑥ 공장신설승인신청서 사본(요약)

소재지번	용도지역	공장용지 면적	제조시설 면적	부대시설 면적
C시 Y읍 S리 산11 (분할 후 11번지)	계획관리지역	7,780㎡	2,000㎡	500㎡

* 분할 후 11-3번지는 진입도로로 조성할 것이며 토지가분할 측량성과도와 같이 분할예정임.

⑦ 토지가분할 측량성과도

2. 현장조사사항

① 대상토지인 산11번지는 왕복 2차선 국도변에 위치한 남서향 완경사의 임야로 대부분 활잡목인 임지상의 임목은 별도의 평가가치가 없는 것으로 판단되었으며 부근은 국도주변 중소규모 공장 및 농경지대임.

② 대상토지는 토지분할 및 공장신설승인신청서가 곧 수리될 예정인 것으로 탐문되었음.

3. 심사평가사의 심사의견 : 해당 지역은 2009.1.1 기준으로 관리지역 세분화가 시행되었고 임야의 경우 산지번에서 등록전환, 분할측량 등의 경우에는 면적이 달라질 수 있음.

(자료 3) 2009.3.31 가격시점 관련 사항

1. 사전조사사항

① 토지등기부등본 : C시 Y읍 S리 산11에서 C시 Y읍 S리 11로 등록전환되고 면적은 23,940㎡로 변경되었으며, 지목과 소유자는 동일함.

② 건물등기부등본 및 건축물대장등본 : 해당 사항 없음.

③ 토지대장등본

토지소재	지번	토지표시			소유자
		지목	면적	사유	
C시 Y읍 S리	11	임야	23,940㎡	2009년 3월 1일 산11에서 등록전환	공유자 지분 3분의 1 김갑동 지분 3분의 1 이갑동 지분 3분의 1 박갑동
C시 Y읍 S리	11	임야	7,780㎡	2009년 3월 2일 분할되어 본번에 -1, -2, -3을 부함.	김갑동

토지소재	지번	토지표시			소유자
		지목	면적	사유	
C시 Y읍 S리	11-1	임야	7,780㎡	2009년 3월 2일 11번지에서 분할	이갑동

토지소재	지번	토지표시			소유자
		지목	면적	사유	
C시 Y읍 S리	11-2	임야	7,780㎡	2009년 3월 2일 11번지에서 분할	박갑동

토지소재	지번	토지표시			소유자
		지목	면적	사유	
C시 Y읍 S리	11-3	임야	600㎡	2009년 3월 2일 11번지에서 분할	공유자 지분 3분의 1 김갑동 지분 3분의 1 이갑동 지분 3분의 1 박갑동

④ 토지이용계획확인원

토지소재	지번	지목	면적	토지이용계획사항
C시 Y읍 S리	11	임야	7,780㎡	계획관리지역, 준보전산지
C시 Y읍 S리	11-1	임야	7,780㎡	계획관리지역, 준보전산지
C시 Y읍 S리	11-2	임야	7,780㎡	계획관리지역, 준보전산지
C시 Y읍 S리	11-3	임야	600㎡	계획관리지역, 준보전산지

⑤ 지적도 및 기타사항 : 토지가분할 측량성과도와 같이 분할되어 확정되었으며, 공장신설건은 2009.3.10자로 신청서와 같이 승인되었음.

2. 현장조사사항

① 대상토지는 인접 토지와 평탄하게 공장부지 조성공사(조경·바닥포장 공사는 착수하지 않았음) 및 접면도로 포장공사가 완료되어 있었음.

② 현장조사시 제시받은 공장부지 조성원가 자료는 아래와 같음.

구분	금액(단위 : 원)
가설 및 토공사	45,000,000
자재 및 운반비	150,000,000
옹벽공사	30,000,000
조경·바닥포장공사	55,000,000
기타 제간접경비 등	72,000,000

* 접면도로 포장비는 포함되어 있지 않고 별도 고려하지 아니함.

③ 대상토지의 공장용지부분에 건물신축을 위해 임시사용승인을 받은 경량철골조 철판지붕 단층 작업장(바닥면적 : 100㎡)이 소재함.

3. 심사평가사의 심사의견

① 제시한 조성공사비의 대부분은 적정하나 자재비가 일시 폭등한 시점에 공사가 이뤄져 자재 및 운반비는 통상적인 공사에 비해 50% 정도 높은 것으로 보이니 가격검토시 이를 고려할 것(단, 기타 간접제경비 등은 제시금액으로 할 것)

② 만약 제시 외 건물의 토지에 대한 영향 정도를 파악할 경우 건물의 바닥면적 만큼만 고려할 것

③ 막다른 길이 있는 각지의 도로접면은 한 면으로 인식할 것

(자료 4) 2009.9.6 가격시점 관련 사항

1. 사전조사사항

① 토지등기부등본 및 토지대장등본 : 2009.3.31 토지대장과 동일

② 건물등기부등본 : 해당 사항 없음.

③ 토지이용계획확인원 및 지적도 : 종전과 동일

④ 건축물대장등본 : 소유자는 김갑동임.

대지위치	지번	대지면적	건축면적	사용승인일자
C시 Y읍 S리	11	7,780㎡	2,500㎡	2009.9.6
구분	층별	구조	용도	면적
주1	1	일반철골구조	공장	2,000㎡
주2	1	일반철골구조	사무실	500㎡

* 5일 이내에 토지지목 변경을 조건부로 한 사용승인이었음.

⑤ 기계기구 의뢰목록

구분	기계명	수량	제작 및 구입일자	구입가격(원/대)
1	CNC M/C (수치제어선반)	2	수입신고서 참조	수입신고서 참조
2	선반	3	2009.1.1	50,000,000
3	Air Compressor	1	2008.8.1	12,000,000

2. 현장조사사항

① 공장부지 조성공사는 완료되어 있었음.

② 현장조사시 제시받은 건물공사비 내역서 자료는 다음과 같음.

구분	공장동(단위 : 원)	사무실동(단위 : 원)
기초공사	30,000,000	5,000,000
옹벽공사	30,000,000	--
철골 및 철근콘크리트 공사	250,000,000	30,000,000
조적 및 벽체공사	120,000,000	15,000,000
창호 및 지붕공사	100,000,000	13,000,000
미장, 타일, 도장, 위생 및 냉난방공사 등	170,000,000	31,000,000
일반관리비 등(간접경비)	50,000,000	25,000,000
설계, 감리, 전기기본공사	100,000,000	19,000,000
수배전설비(100Kw)	150,000,000	--
크레인설비(20ton)	15,000,000	--

③ 기계장치는 신규 설치되어 정상가동되고 있으며 도입기계 중 CNC M/C 1대는 향후 증설을 예상하여 도입하였으나 설치하지 않고 보관 중으로 증설시기는 미정이며, 목록에 포함되지 않은 기계기구의 제작 및 구입일자는 선반과 동일한 것으로 조사되었음.

④ 도입기계 관련 수입신고서(요약)

신고일	입항일	반입일	적출국
2009.2.1	2009.1.5	2009.1.8	JP(JAPAN)
품명	수량	단가(USD)	금액(USD)
CNC M/C	2U	100,000	200,000
과세가격	$200,000 ₩280,304,000	원산지 표시	JP-Y-Z-N
세종 관	세율 8.00	감면율 50.000	세액 11,212,160

	농	20.00		2,242,432
	부	10.00		29,375,859
결재금액		CIF-USD200,000	환율	1,401.52

3. 심사평가사의 심사의견 : 업자가 제시한 기계기구 구입가격 및 건물공사비 내역서의 금액은 적정한 것으로 보이나 일부 항목은 건물공사비 산입의 적정성을 재검토하고 특히 기계기구 의뢰목록은 재작성해야 할 것이라는 의견을 제시함.

(자료 5) 가격결정을 위한 참고자료

1. 표준지공시지가 현황(현장조사일과 감정평가서 작성완료일은 동일하고 공시지가 공시기준일은 매년 1월 1일, 공시일은 매년 3월 1일임)

일련번호	소재지	면적 (m²)	지목	이용상황	용도지역		도로교통	형상 및 지세	공시지가(원/m²)	
					2008년도	2009년도			2008년도	2009년도
1	C시 Y읍 S리 산20	17,345	임야	임야	관리	계획관리	맹지	부정형 완경사	51,000	50,000
2	C시 Y읍 J리 산17	22,915	임야	임야	관리	보전관리	세로가	부정형 완경사	39,000	38,000
3	C시 Y읍 S리 107	8,950	공장용지	공업용	관리	계획관리	소로한면	부정형 평지	151,000	150,000
4	C시 Y읍 S리 55	2,235	잡종지	상업용	관리	계획관리	소로한면	장방형 평지	223,000	220,000

2. 적용할 지가변동률(월말에 해당 월 변동률을 발표한다고 간주, 단위 : %)

① 2008년도

구분	공업지역	관리지역	농림지역	임야	공업용
2008.1.1~12.31	-1.179	-1.245	-1.377	-1.154	-0.912
2008.12.1~12.31	-0.179	-0.389	-0.247	-0.169	-0.088

② 2009년도

구분	공업지역	보전관리	계획관리	임야	공업용
2009.1.1~3.31	-0.697	-0.765	-0.454	-0.667	-0.546
2009.1.1~9.6	0.998	0.996	0.997	0.988	0.917

3. 지역요인 : 동일함.

4. 개별요인 : 이용상황이 동일하면 별도의 지목감가는 하지 아니함.
   ① 도로접면

구분	소로한면	세로가	세로(불)	맹지
소로한면	1.00	0.93	0.86	0.83
세로가	1.07	1.00	0.92	0.89
세로(불)	1.16	1.09	1.00	0.96
맹지	1.20	1.12	1.04	1.00

   ② 형상

구분	정방형	장방형	사다리형	부정형
정방형	1.00	0.99	0.98	0.95
장방형	1.01	1.00	0.99	0.96
사다리형	1.02	1.01	1.00	0.97
부정형	1.05	1.04	1.03	1.00

   ③ 지세

구분	평지	완경사
평지	1.00	0.97
완경사	1.03	1.00

   ④ 2009.3.31 기준 C시 Y읍 S리 11번지 토지의 성숙도 비교치

대상토지	표준지 3	표준지 4	거래사례	평가선례
1.00	1.10	1.10	0.50	0.90

5. 거래사례 및 평가선례
   ① 거래사례

소재지	지목	면적(㎡)	이용상황	용도지역	도로교통	형상 및 지세	단가(원/㎡)	거래시점
C시 Y읍 S리 산11	임야	7,985	임야	관리	소로한면	부정형 완경사	110,000	2008.12.1

② 평가선례 : 유사사례가 많으나 대표적인 것만 제시함.

소재지	지목	면적(㎡)	이용상황	용도지역	도로교통	형상 및 지세	단가(원/㎡)	거래시점
C시 Y읍 S리 산22	임야	7,890	공장예정지	계획관리	소로한면	부정형완경사	120,000	2009.1.1

③ 심사평가사의 심사의견 : 수집한 자료들 중 평가선례는 적정하나 거래사례는 개발이익의 상당부분이 매도자에게 귀속된 것으로 보이고 공장예정지인 평가선례는 개별요인에서 성숙도를 보정해야 한다는 의견을 제시함.

6. 원가법에 의한 평가시 : 투하자금에 대한 기간이자는 고려하지 아니함.

7. 건물평가자료 : 제시자료를 활용하되, 내용연수는 35년을 적용할 것

8. 기계기구 평가자료
   ① 내용연수는 15년, 최종잔가율은 10% 적용
   ② 도입기계 관련 자료
   • CIF, 원산지 화폐를 기준하고 국내 시장가격은 고려하지 아니함.
   • 기계가격보정지수 : 1.0
   • 외화환산율

적용시점	통화	해당 통화당 미(달러)	미(달러)당 해당 통화	해당 통화당 한국(원)
2009.1	JPY	0.7150(100엔당)	139.8601	1,409.10(100엔당)
2009.2	JPY	0.7532(100엔당)	132.7669	1,425.05(100엔당)
2009.8	JPY	0.7635(100엔당)	130.9758	1,405.22(100엔당)

   • 도입부대비 : 설치비는 도입가격의 1.5%, L/C 개설비 등 기타 부대비용은 도입가격의 3%를 적용하고 세율, 감면율 등은 도입시점과 동일하게 적용함.
   • 정률법에 의한 잔존가치율(내용연수는 15년, 최종잔가율은 10%)

경과연수	1	2	3	4
잔존가치율	0.858	0.736	0.631	0.541

 투자가 K씨는 다음의 부동산(A, B) 중 하나에 투자하려고 한다. 감정평가사인 Y씨는 대상토지가치의 타당성 검토를 의뢰받았다. 동일한 금액을 투자할 경우 적절한 투자방안을 결정하고 그 이유를 설명하시오. 25점

(자료 1)

1. 대상 부동산 A
   ① 소재지 : ○○시 ○○구 ○○동 ○○번지
   ② 지목 : 대
   ③ 면적 : 500㎡
   ④ 이용상황 : 나지
   ⑤ 도시계획 : 일반상업지역

2. 대상 부동산 B
   ① 소재지 : △△시 △△구 △△동 △△번지
   ② 지목 : 대
   ③ 면적 : 1,000㎡
   ④ 이용상황 : 나지
   ⑤ 도시계획 : 일반상업지역

(자료 2) A투자계획

1. 대상 부동산 A에 업무용 건물을 건축하여 임대할 예정으로 연면적 2,000㎡, 지상 5층(각층 동일면적, 지하층 없음)으로 계획 중임.

2. 건물신축비용은 950,000원/㎡임.

3. 예상지불임대료
   ① 1층 : 월임대료 30,000원/㎡, 월관리비 9,000원/㎡로 책정됨.
   ② 2, 3층 : 월임대료 15,000원/㎡, 월관리비 9,000원/㎡로 책정됨.
   ③ 4, 5층 : 월임대료 12,000원/㎡, 월관리비 9,000원/㎡로 책정됨.

4. 보증금은 월임대료의 12개월분으로 함(관리비는 포함하지 않음).

5. 유사 부동산들의 수익률 범위를 조사한 바, 그중 70%는 수익률 12%, 15%는 수익률 13%, 15%는 수익률 11%로 조사됨.

(자료 3) B투자계획

1. 대상 부동산 B에 할인점을 건축하여 수수료매장으로 운영할 예정임.
   연면적 2,000㎡, 지상 2층(지하층 없음)으로 계획 중임.

2. 건물신축비용은 700,000원/㎡임.

3. 할인점은 수수료매장으로 운영하여 매출액의 2%를 지불임대료로 받음.
   △△시에 거주하는 가구수의 40%가 대상 할인점을 이용할 것으로 예상되며 △△시는 가구당 평균인구수가 3.5인, 가구당 연간 평균소득은 30,000,000원임. 대상 할인점을 이용하는 가구는 평균적으로 소득의 3%를 대상 할인점을 통해 물품을 매입할 것으로 조사되었음.

4. 별도의 관리비는 징수하지 아니함.

5. 보증금은 월지불임대료의 12개월분으로 함.

6. 유사 부동산들의 수익률 범위를 조사한 바 그중 70%는 수익률 12%, 15%는 수익률 14%, 15%는 수익률 10%로 조사됨.

(자료 4) 기타

1. ○○시 인구규모 : 1,000,000명이며 미미하게 증가추세를 보임.
   △△시 인구규모 : 300,000명으로 정체 중임.

2. 보증금 운용이율은 8%로 적용하며 시장의 무위험이자율은 7%로 적용함.

3. 필요제경비는 대상 부동산 A의 경우 관리비 수령액의 80%로 하며, 대상 부동산 B의 경우 지불임대료의 30%로 함.

4. 임대가능성, 대손, 공실 등은 고려하지 아니함.

5. 환원이율은 무위험이자율에 위험률을 합한 율로 적용하며 위험률의 산정은 유사 부동산 수익률 범위의 표준편차를 적용함.

03 감정평가사 S씨는 투자자로부터 부실채권(Non Performing Loan) 투자와 관련한 자문을 요청받았다. 부실채권은 해당 부동산과 관련된 담보부채권이다. 주어진 자료를 활용하여 다음 물음에 답하시오. 20점

(1) 가격시점 현재 대상 부동산가격을 평가하시오. 10점

(2) 대상 부동산의 예상낙찰가를 낙찰가율과 낙찰사례를 통하여 각각 구해 결정하고, 법원의 경매절차 진행시 낙찰을 통해 대상 부실채권으로부터 얻을 수 있는 예상현금흐름을 구하시오. (단, 시간적 요인은 고려하지 아니함) 10점

(자료 1) 기본적 사항

1. 대상 부동산
   ① 토지 : A시 B구 C동 77번지, 대, 250㎡, 주거용, 일반상업지역, 세로에 접함, 장방형, 평지
   ② 건물 : 위 지상 벽돌조 슬래브지붕 2층건, 연면적 200㎡(1, 2층 각 100㎡)

2. 가격시점 : 2009.9.6

3. 개요
   ① 대상 부동산이 속한 A시 B구는 구도심 내 일반상업지역인 C동, 아파트가 많이 소재하는 D동, 정비된 주택지대인 E동, 기타 F동 등으로 형성되어 있으며, 대상 부동산의 주변은 구도심 내 일반상업지역으로 노변으로는 다소 노후화된 3~4층 규모의 상업용 건물이 소재하고 후면으로는 노후화된 주상용 건물, 주거용 건물 등이 혼재하여 있다. 도심지 재개발과 관련하여 사업을 추진 중인 추진위원회는 설립되어 있으나 구체적인 계획은 미정인 상태임.
   ② 본건은 노후화된 2층의 주거용 건물로써 1층에는 소유자가 거주하고 있으며 2층 일부는 임차인이 거주하고 있음.
   ③ 본건 주변의 거래상황은 재개발가능성을 염두에 둔 수요가 다소 있어 매도호가는 다소 상승 중인 것으로 조사되었으며, 거래관행은 본건 주변건물이 대체로 노후화되어 있어 토지면적만을 기준으로 가격이 형성되어 있는 것으로 조사됨.

4. 대상 부실채권(NPL) : 상기 대상 부동산에 관련된 M은행의 500,000,000원의 담보부채권으로서 2순위로 근저당이 설정되어 있음(미납이자 등은 고려하지 아니함).

(자료 2) 표준지공시지가(공시기준일 2009년 1월 1일)

본건과 가장 비교가능성이 있는 다음의 표준지를 기준함.

일련번호	소재지	면적(㎡)	지목	이용상황	용도지역	도로교통	형상 및 지세	공시지가(원/㎡)
1	A시 B구 C동 78	260	대	주거용	일반상업	세로	정방형 평지	5,000,000

(자료 3) 거래사례

1. 토지 : C동 100번지, 대, 300㎡, 주거용, 일반상업지역, 소로에 접함, 사다리형, 완경사
2. 건물 : 벽돌조 슬래브지붕 2층건, 연면적 200㎡
3. 거래가격 : 1,455,000,000원
4. 거래시점 : 2009.5.1
5. 기타 : 본 거래에 특이사항은 없었던 것으로 판단됨.

(자료 4) 임대내역 등

1. 본건 1층은 소유자 자가사용이고, 2층 일부는 임차인에게 임대 중이나 정확한 내역은 미상임.
2. 주변 탐문조사 결과 본건을 임대할 경우 1, 2층 각각 보증금 50,000,000원, 월세 1,400,000원에 임대가능한 것으로 조사됨.
3. 제경비는 임차인 부담으로 필요제경비, 공익비 및 실비초과액 등은 고려하지 아니함.

(자료 5) 낙찰사례

1. 토지 : C동 60번지, 대, 350㎡, 주거용, 일반상업지역, 세로에 접함, 사다리형, 완경사
2. 건물 : 벽돌조 슬래브지붕 2층, 연면적 180㎡
3. 경매평가금액(최초법사가) : 1,600,000,000원
4. 낙찰가 : 1,070,000,000원
5. 낙찰시점 : 2009.6.1
6. 기타 : 경매 당시 소유자와 일부 임차인이 거주 중이었고, 권리관계 등 제반사항은 본건과 유사한 것으로 조사되었음.

(자료 6) 토지개별요인 비교

1. 도로 : 세로(95), 소로(100), 중로(105), 광로(115)
2. 형상 : 정방형(100), 장방형(100), 기타(95)
3. 지세 : 평지(100), 완경사(95)
4. 기타 : 토지의 기타 개별요인은 대상 부동산과 표준지·사례들이 유사함.

(자료 7) 건물에 관한 사항

1. 건물개요

구분	대상건물	거래사례	낙찰사례
준공일자	1980.1.1	1982.1.1	1981.1.1
대지면적(㎡)	250	300	350
연면적(㎡)	200	200	180
구조	벽돌조 슬래브지붕	벽돌조 슬래브지붕	벽돌조 슬래브지붕

2. 벽돌조 슬래브지붕 건물신축단가(2009.1.1 기준) : 700,000(원/㎡)
3. 내용연수 50년, 잔존가치 0%
4. 감가상각은 만년감가함.

(자료 8) 낙찰가율자료 : 최근 6개월간 A시 B구 낙찰가율

구분	낙찰가율(%)
아파트	80
단독주택	70
연립, 다세대주택	68
상업용 건물	73
기타	65

(자료 9) 시점수정자료

1. 지가변동률
   ① 2009.1.1~가격시점 : 1.00300
   ② 2009.5.1~가격시점 : 1.01000
   ③ 2009.6.1~가격시점 : 1.00700

2. 건축비지수

2009년 1월 1일 이후 건축비는 보합세임.

(자료 10)

현금흐름 산정시 검토할 이해관계는 다음과 같음.

1. 등기부상
   ① 1순위 근저당(I은행) : 400,000,000원
   ② 2순위 근저당(M은행 : 대상부실채권) : 500,000,000원
   ③ 3순위 근저당(N은행) : 100,000,000원
   ④ 4순위 근저당(P은행) : 50,000,000원

2. 기타
   ① 경매감정평가 수수료 및 경매집행비용 : 7,000,000원
   ② 소액임차인 : 16,000,000원
   ③ 일반채권 : 10,000,000원

(자료 11) 기타사항

1. 같은 동에서 소재하는 부동산은 동일한 지역요인을 가지는 것으로 조사됨.
2. 보증금 운용이율과 적용환원이율은 6%로 함.
3. 근저당과 관련한 미납이자나 채권최고액 등은 고려하지 아니함.

Question 04 다음을 약술하시오. 15점

(1) 표준주택 중 건물의 선정기준 5점
(2) 공정가치 5점
(3) 새로이 하천구역에 편입되는 토지의 평가 5점

2010년 감정평가사 제21회

※ **공통유의사항**
1. 각 문제는 해답 산정시 산식과 도출과정을 반드시 기재할 것
2. 단가는 관련 규정에서 정하고 있는 사항을 제외하고 천원 미만은 절사, 기타 요인 보정치는 소수점 셋째 자리까지 사정함

Question 01

공정감정평가법인 소속 감정평가사인 김한국 씨는 아래 부동산 중 이대한 씨 지분에 대해서 한강은행(담보)과 甲구청(보상)으로부터 동시에 평가의뢰를 받고 감정평가 가격을 구한 후 감정평가서를 작성하고자 한다. 주어진 자료를 활용하여 다음의 물음에 답하시오. 40점

(1) 평가목적별로 이대한 씨 소유의 토지와 건물을 평가하시오. 20점
  1) 평가목적이 담보일 경우
  2) 평가목적이 보상일 경우

(2) 감정평가에 관한 규칙 제9조에서 규정하고 있는 필수적 기재사항에 의거 서술식으로 감정평가서를 작성하시오(단, 평가목적이 보상일 경우에 중복되는 항목은 생략). 20점
  1) 평가목적이 담보일 경우
  2) 평가목적이 보상일 경우

(자료 1) 사전조사사항

1. 토지등기부등본

기호	소재지	지목	면적(m^2)	소유자
1	甲구 乙동 54	대	500	공유자지분 2분의 1 이대한 공유자지분 2분의 1 박조선
2	甲구 乙동 산75	임야	2,550	공유자지분 2분의 1 이대한 공유자지분 2분의 1 박조선

2. 건물등기부등본

기호	소재지	물건의 종류	구조, 규격	면적(m^2)	소유자
가	甲구 乙동 54	점포	철근콘크리트조 슬래브지붕 단층	80	이대한
나	甲구 乙동 54	주택	시멘트벽돌조 슬래브지붕 단층	70	박조선

3. 토지대장

기호	소재지	지목	면적(㎡)	소유자
1	甲구 乙동 54	대	500	공유자지분 2분의 1 이대한 공유자지분 2분의 1 박조선
2	甲구 乙동 산75	임야	2,800	공유자지분 2분의 1 이대한 공유자지분 2분의 1 박조선

4. 건축물대장

기호	소재지	물건의 종류	구조, 규격	면적(㎡)	소유자
가	甲구 乙동 54	점포	철근콘크리트조 슬래브지붕 단층	80	이대한
나	甲구 乙동 54	주택	시멘트벽돌조 슬래브지붕 단층	70	박조선

5. 甲구청 제시목록

① 토지

기호	소재지	면적(㎡)	지목	비고
1	甲구 乙동 54	100	대	소유자 : 이대한
2	甲구 乙동 산75	500	임야	공유자지분 2분의 1 이대한 공유자지분 2분의 1 박조선

② 건물

기호	소재지	물건의 종류	구조, 규격	면적(㎡)	소유자
가	甲구 乙동 54	점포	철근콘크리트조 슬래브지붕 단층	20	이대한
㉠	甲구 乙동 54	창고	시멘트블록조 슬래브지붕 단층	10	이대한

6. 토지이용계획확인원

① 기호 1 : 일반상업지역(250㎡), 제2종일반주거지역(250㎡), 도시계획도로저촉
② 기호 2 : 자연녹지지역

7. 지적도

(자료 2) 현장조사사항

1. 2010.8.30에 현장조사를 하였으나 가격자료수집이 미흡하여 2010.9.2에 재조사 완료하였음.

2. 기호 1 토지는 인접 필지와 대체로 평탄하며, 점포부지(이대한 소유)와 주택부지(박조선 소유)로 이용 중이고, 기호 2 토지는 남하향의 완경사 자연림으로서 형상은 부정형이고, 지상에 자연생 활잡목이 자생하고 있으나 경제적 가치는 없는 것으로 판단됨.

3. 기호 1 토지의 도로접면은 지적도와 동일하며, 기호 2 토지의 도로접면은 세로가에 접하고 있음.

4. 기호 1 토지의 지상에 시멘트블록조 슬래브지붕 단층 창고(이대한 소유 : 기호 ㉠)와 시멘트블록조 슬래브지붕 단층 창고(박조선 소유 : 기호 ㉡)가 무허가건축물로 존재하고 있으며, 신축연도는 모두 2001.9.7에 건축된 것으로 탐문조사되었고, 이로 인하여 토지에 미치는 영향은 없는 것으로 판단됨.

5. 건물배치도

(자료 3) 가격결정을 위한 참고자료

1. 표준지공시지가 현황

기호	소재지	면적(m²)	지목	이용상황	용도지역	도로교통	형상지세	공시지가(원/m²)		
								2008년	2009년	2010년
A	乙동 57	250	대	상업용	일반상업	광대세각	세장형 평지	900,000	980,000	1,100,000
B	乙동 58-1	250	대	단독주택	제2종일반주거	세로가	세장형 평지	380,000	400,000	420,000
C	乙동 산74	3,000	임야	자연림	자연녹지	맹지	부정형 완경사	38,000	45,000	50,000

※ 표준지공시지가는 공법상 제한이 없는 상태임.

2. 지가변동률(甲구)

구분	상업지역	주거지역	녹지지역
2008.1.1~2010.8.30	1.15100	1.20000	1.25000
2008.1.1~2010.9.2	1.15500	1.21000	1.25500
2009.1.1~2010.8.30	1.10000	1.12000	1.13000
2009.1.1~2010.9.2	1.11500	1.12500	1.13500
2010.1.1~2010.8.30	1.05000	1.06500	1.07000
2010.1.1~2010.9.2	1.05500	1.07000	1.07500

3. 지역요인 : 동일함.

4. 개별요인

① 도로접면

구분	광대세각	광대한면	소로한면	세로가	세로(불)	맹지
광대세각	1.00	0.95	0.86	0.81	0.75	0.72
광대한면	1.05	1.00	0.91	0.85	0.78	0.75
소로한면	1.16	1.10	1.00	0.93	0.86	0.83
세로가	1.24	1.18	1.07	1.00	0.92	0.89
세로(불)	1.34	1.28	1.16	1.09	1.00	0.96
맹지	1.39	1.32	1.20	1.12	1.04	1.00

② 형상

구분	정방형	장방형	사다리형	부정형
정방형	1.00	0.99	0.98	0.95
장방형	1.01	1.00	0.99	0.96
사다리형	1.02	1.01	1.00	0.97
부정형	1.05	1.04	1.03	1.00

③ 지세

구분	평지	완경사
평지	1.00	0.97
완경사	1.03	1.00

④ 공법상 제한(도시계획도로 저촉 : 토지, 건물 공동사용)

구분	일반	제한
일반	1.00	0.85
제한	1.18	1.00

5. 기타요인 산정을 위한 자료

① 평가선례

기호	소재지	지목	면적(㎡)	이용상황	용도지역	단가(원/㎡)	가격시점	평가목적
A	乙동 59	대	250	상업용	일반상업	1,300,000	2010.1.1	담보

B	乙동 59-1	대	250	단독주택	2종일반 주거	500,000	2010.1.1	담보
C	乙동 60	대	250	상업용	일반상업	1,150,000	2009.1.1	담보
D	乙동 60-1	대	250	단독주택	2종일반 주거	480,000	2009.1.1	담보
E	乙동 110	대	250	상업용	일반상업	1,500,000	2010.1.1	보상
F	乙동 110-1	대	250	단독주택	2종일반 주거	600,000	2010.1.1	보상
G	乙동 111	대	250	상업용	일반상업	1,300,000	2009.1.1	보상
H	乙동 111-1	대	250	단독주택	2종일반 주거	560,000	2009.1.1	보상
I	乙동 112	대	250	상업용	일반상업	1,100,000	2008.1.1	보상
J	乙동 112-1	대	250	단독주택	2종일반 주거	540,000	2008.1.1	보상

② 지가변동률은 상기에서 제시한 자료와 동일하고 대상토지와 평가선례와의 지역요인 및 개별요인은 동일함.

③ 평가선례는 공법상 제한이 없는 상태임.

④ 지목이 '임야'인 표준지공시지가는 지목이 '대'인 표준지공시지가와 기타요인이 동일함.

(자료 4) 건물평가자료

1. 사용승인일자

구분	점포	주택
사용승인일자	2001.9.7	2001.9.7

2. 건물재조달원가(원/㎡)

구분	철근콘크리트조	시멘트벽돌조	시멘트블록조
주택	1,000,000	900,000	600,000
점포	700,000	550,000	450,000
창고	500,000	400,000	350,000

3. 내용연수

구분	철근콘크리트조	시멘트벽돌조	시멘트블록조
내용연수	50년	45년	30년

4. 본 건물의 감가수정은 만년감가를 기준으로 함.

5. 창고 전체와 점포 중 20㎡가 도시계획도로에 저촉됨.

6. 본 건물 중 점포 잔여부분 보수비는 건축법상 요구되는 시설개선비 2,000,000원을 포함하여 총 5,000,000원임(담보감정시 보수비는 고려하지 아니함).

(자료 5) 기타 참고사항

1. 물음 (2) 작성시 감정평가서 필수적 기재사항 중 평가액의 산출근거 및 그 결정에 관한 의견서를 목적별로 구체적으로 작성하시오(단, 물음 (1)에서 작성된 가격산출근거는 생략).

2. 기호 1 토지의 지상에 소재하는 이대한 소유의 건물과 박조선 소유의 건물은 합법적인 건축물로서 소유자별로 각각 점유하고 있음.

3. 가격시점에 대해서는 별도로 제시받지 아니함.

4. 보상평가를 위한 사업개요
   ① 사업의 종류 : 乙지구 택지개발사업
   ② 택지개발예정지구 공람·공고일 : 2008.12.1
   ③ 택지개발예정지구 지정·고시일 : 2009.9.15

5. 보상가격 산정을 위한 참고자료
   ① 택지개발예정지구 공람·공고일 이후 해당 공익사업지구 내 표준지공시지가의 평균변동률이 해당 시·군·구 전체의 표준지공시지가의 평균변동률보다 1.4배 높고 그 변동률 차이는 10% 정도임.
   ② 기호 1, 2 토지 공히 일부만 택지개발예정지구에 편입되었으나, 잔여지손실보상에 대해서는 고려하지 아니함.

6. 감정평가사인 김한국 씨는 감정평가서를 최종적으로 2010.9.4에 작성·완료하여, 2010.9.5에 심사 후 발송하였음.

이대한 씨는 甲구 乙동에 근린생활시설을 소유하고 있다. 이 건물의 1층은 편의점으로, 2층은 주거용으로 사용되고 있다. 대상토지는 제1종 주거지역 내 정방형의 대(지목)로서 150㎡ 중 50㎡가 공익사업인 자동차 전용도로 개설사업에 편입되어 보상협의요청서를 받았으나 토지에 대하여는 협의에 응하지 않고 재결의 신청을 청구하였는바, 사업시행자로부터 재결서 정본을 수령하였다. 재결에 불복한 이대한 씨는 이의신청과 동시에 잔여지의 손실에 대하여도 손실보상을 청구하기로 하였다. 다음의 자료를 검토, 분석 후 물음에 답하시오. 20점

(1) 잔여지(100㎡)와 관련하여 다음 질문에 답하시오. 10점
  1) 잔여지에 대한 손실보상을 받기 위한 요건을 약술하시오.
  2) 잔여지 손실보상의 종류와 각각의 종류에 따른 보상액 산정방법을 설명하되, 자료를 활용하여 산정 가능한 범위 내에서 이대한 씨가 청구할 수 있는 손실보상액을 산정하시오.

(2) 공정감정평가법인 소속 김한국 감정평가사가 이대한 씨의 영업손실보상액을 산정(협의보상)하기 위하여 수집하였을 것으로 판단되는 제반자료 및 조사사항을 "공익사업을 위한 토지 등의 취득 및 보상에 관한 법률" 및 동법 시행규칙, "영업손실보상 평가지침" 등과 관련하여 설명하시오. 10점

(자료 1) 손실보상금 지급내역서(요약)

소재지	지번	면적	편입면적	단가(원/㎡)	금액(원)
甲구 乙동	123-1	150	50	1,500,000	75,000,000

※ 건물 등 지장물과 영업손실의 보상금은 협의를 위한 보상협의 요청시 수령하였음.

(자료 2) 대상 부동산의 상황 등

1. 잔여지 100㎡는 자동차 전용도로가 잔여지의 전면부를 통과하여 맹지가 되어 건축이 불가능한 상태임.
2. 가격조사 결과 공익사업시행 후, 잔여지 매매가능가액은 700,000원/㎡ 내외로 파악되었음.
3. 도로개설공사 완료일 : 2010년 9월 5일
4. 본건의 사업인정고시일 : 2009년 1월 1일
5. 본 사업으로 인한 인근지역의 지가변동은 없는 것으로 조사되었음.

Question 03 총 3인의 조합원으로 구성된 재개발조합은 분양계획의 조정을 위하여 아래와 같은 자료를 수집하였다. 구체적으로 조합원 부담의 감소를 위하여 분양계획 1안을 2안으로 변경하고자 한다. 이때 각 1안 및 2안의 비례율을 산정하여, 2안으로 변경할 경우 유리한 조합원의 순서를 판별하되, 산출과정 및 그 이유를 설명하시오. 15점

(자료 1) 조합원별 종전자산 평가액

1. 김한국 : 80,000,000원
2. 이대한 : 140,000,000원
3. 박조선 : 180,000,000원

(자료 2) 건축계획 및 사업관련비용 등

1. 단위세대당 105㎡ 면적의 총 10세대를 건축할 예정이며, 이 중 3세대는 조합원 분양분이고, 7세대는 일반분양예정임.

2. 본 사업의 진행을 위해서는 기존주택 등의 철거비로 100,000,000원이 소요될 전망이고, 신축공사비로 1,400,000,000원의 지출이 예상됨.

(자료 3) 분양예정가격

1. 1안 : 조합원에 대한 분양예정가격은 단위세대당 160,000,000원, 일반분양예정가격은 단위세대당 200,000,000원임.

2. 2안 : 조합원에 대한 분양예정가격은 단위세대당 140,000,000원, 일반분양예정가격은 단위세대당 200,000,000원임.

Question 04

이대한 씨는 甲구 乙동에 소재한 구형 단독주택을 구입하여 철거한 후, 다가구주택을 신축하여 임대하고자 한다. 다음의 자료를 활용하여 신축예정 다가구주택의 수익가치를 산정하고, 이 사업으로 인한 요구수익률을 충족시킬 수 있는 구형 단독주택의 최대 매수(지불)가능가격을 산정하시오. 15점

(자료 1) 신축예정 다가구주택의 개요

1. 총 18개의 단위호로 구성된 철근콘크리트조의 원룸형으로 기존주택 철거비를 포함하여 신축공사비는 총 550,000,000원이 소요될 예정임.
2. 신축건물의 예상임대료는 각 단위호당 임대보증금 10,000,000원에 월세 800,000원을 받을 수 있을 것으로 추정되며, 월세 징수에 따른 시간가치는 고려하지 아니함.
3. 임대보증금의 운용이율은 1년 만기 정기예금금리 수준인 연 4%가 적정한 것으로 조사되며, 예상되는 공실손실상당액 및 대손액 등은 가능총수익(PGI)의 8%, 관리 등에 소요되는 제반 경비는 유효총수익(EGI)의 20%로 예상됨.

(자료 2) 인근 유사 다가구주택의 거래사례 및 임대자료(사례수 : 3개)

1. 사례 1 : 2009년 1월 – 매매금액 2,000,000,000원
   연간 순수익(NOI) 220,000,000원
2. 사례 2 : 2009년 6월 – 매매금액 2,000,000,000원
   연간 순수익(NOI) 180,000,000원
3. 사례 3 : 2010년 8월 – 매매금액 1,800,000,000원
   연간 순수익(NOI) 180,000,000원

(자료 3) 기타 참고사항

1. 이대한 씨는 사업자본의 50%를 차입(타인자본)할 예정임. 차입자금의 연간 금리수준은 10%이며, 자기자본에 대한 요구수익률은 위험을 고려하여 차입자금 금리수준의 2배를 기대하고 있음. 한편, 본 사업에 적용할 종합적인 요구수익률은 물리적 투자결합법을 활용하여 산정할 예정임.

2. 수익가치 산정에 사용할 환원이율은 시장추출법에 의하여 산정하되, 수집된 자료 중 가장 최근의 자료에 50%의 가중치를 두고, 나머지 자료는 동일한 비중으로 취급할 예정이고, 환원방법은 직접법에 의함.

Question 05

주어진 자료는 2010년 상반기에 월별로 수집된 실거래 사례의 토지단가(원/㎡)이다. A시 외곽의 동일수급권 내 자연녹지지역의 '답'에 대한 자료로서 용도 및 규모가 유사하며 제반 요인의 차이가 없다. 또한, 대상기간 동안 지가변동도 미미하였다. 이 자료에만 의거하여 금년 7월 1일 기준으로 부동산 가격공시에 관한 법률상 언급되는 '성립될 가능성이 가장 높다고 인정되는 가격'을 결정하고자 한다. 다음의 순서에 입각하여 요구하는 값을 모두 구하고, 적정가격을 결정하되, 그 사유를 설명하시오. 10점

(1) 범위(range) 및 평균(mean)의 산정
(2) 중위값(median) 및 최빈치(mode)의 산정
(3) 적정가격 결정사유의 설명

(자료) 수집된 토지가격자료 : 총 12개

1. 2010년 1월 : 190,000원, 180,000원

2. 2010년 2월 : 190,000원, 200,000원

3. 2010년 3월 : 238,000원, 190,000원, 210,000원

4. 2010년 4월 : 225,000원

5. 2010년 5월 : 210,000원, 210,000원

6. 2010년 6월 : 195,000원, 210,000원

2011년 감정평가사 제22회

※ 공통유의사항
1. 각 문제는 해답 산정시 산식과 도출과정을 반드시 기재
2. 단가는 관련 규정에서 정하고 있는 사항을 제외하고 천원 미만은 절사, 기타 요인 보정치는 소수점 셋째 자리까지 사정

감정평가사 甲은 (주)K생명보험으로부터 동 회사가 보유 중인 부동산에 대한 감정평가를 의뢰받아 처리계획을 수립한 후 현장조사를 수행하고 아래와 같이 자료를 수집·분석하였는바, 이를 활용하여 시산가치 조정을 통한 최종 감정평가액을 산출하되, 평가방식 적용시 필요한 경우 그 판단에 대한 의견을 명기하시오. 40점

(자료 1) 기본적 사항

- 감정평가 의뢰내역

항목	기호	소재지	지목/층	면적(m²)	용도지역·용도
토지	1	경기도 Y시 B읍 K리 219	잡종지	225.0	계획관리
	2	〃 219-2	잡종지	291.0	〃
	3	〃 219-1	대	975.0	〃
	4	〃 219-3	대	554.0	〃
	5	〃 219-4	도로	105.0	〃
	6	〃 219-5	도로	144.0	〃
건물	가	〃 219-1 〃 219-3	지하 1 지상 3	1,254.3	근린생활시설 및 숙박시설
	나	〃 219-1 〃 219-3	1	72.24	근린생활시설

- 의뢰인 : (주)K생명보험
- 평가목적 : 일반거래(매매참고용)
- 제출처 : (주)K생명보험
- 목록표시 근거 : 등기부등본, 일반건축물관리대장등본
- 가격시점 : 2011.9.4
- 조사기간 : 2011.8.31~2011.9.4
- 작성일자 : 2011.9.4

(자료 2) 대상 부동산에 관한 기본자료 및 현장조사 내용

1. 토지
    - 이용상황
        - 기호 (1, 2) : 본건 기호 (5, 6) 토지와 경계구분 없이 본건(가, 나) 건물의 진출입을 위한 포장도로로 이용 중임.
        - 기호 (3) : 현황 숙박시설로 이용 중인 본건 기호 (가) 건물부지임.
        - 기호 (4) : 현황 주택으로 이용 중인 본건 기호 (나) 건물부지임.
        - 기호 (5, 6) : 본건 기호 (1, 2) 토지와 경계구분 없이 본건(가, 나) 건물 진출입을 위한 포장도로로 이용 중임.
    - 접면도로
        - 본건 기호 (2, 6) 토지가 남서측으로 ○○번 국도에 접함.
    - 형상 및 지세
        - 본건 일단의 토지 전체를 기준으로 자루형에 가까운 평지임.

2. 건물
    - 공통사항
        - 사용승인일 : 1997.8.29
        - 건폐율 / 용적률 : 24.91% / 65.07%
    - 기호 (가)
        - 구조 : 철근콘크리트 슬래브지붕
        - 난방설비, 패키지 에어컨에 의한 냉방설비, 위생 및 급배수설비, 화재탐지·경보 및 소화설비 등
        - 이용상황

층	용도	면적	이용상황
지 1	근린생활시설	331.55	창고, 보일러실
1	숙박시설	305.23	접수대, 객실 9
2	숙박시설	308.76	객실 10
3	숙박시설	308.76	객실 10

    - 기호 (나)
        - 구조 : 연와조 슬래브지붕 단층
        - 면적 : 72.24㎡
        - 주요설비 : 난방설비, 위생 및 급배수설비 등
        - 이용상황 : 주택(방 2, 화장실 겸 욕실, 주방 겸 거실)

3. 임대 및 사용현황
   - 2009년부터 乙에게 무상으로 임대 중인 것으로 조사되었음.

4. 본건 평가전례
   - 가격시점 : 2006.3.2
   - 평가목적 : 담보
   - 평가액 : 1,402,384,500원

(자료 3) 경기도 Y시 개황

1. Y시는 경기도 북동측 내륙권, 서울에서 직선거리 약 30km 거리에 위치하며 대체로 산지가 많고 평지가 적음.

2. 도로 및 전철 등 서울로의 대중교통 접근조건이 개선됨에 따라 대규모택지개발사업 시행 및 그로 인하여 인구유입이 지속적으로 증가되어 왔고, 이에 따라 주택이 지속적으로 공급되어 왔음.

3. Y시의 산업별 사업체 수는 제조업, 도소매업, 숙박(음식점)업 순으로 나타났고, 종사인원을 기준으로 할 경우 제조업이 50% 정도를 차지하나 대형할인점 등의 입지에 따른 3차 산업의 발달 등 급격한 도시화로 도소매업의 증가가 두드러진 반면 숙박업은 지속적인 감소세를 나타내고 있음.

4. Y시 토지거래는 2000년대 초반, 시 승격을 전후로 연간 6,500여 건에서 연간 16,000여 건으로 거래량이 급격히 상승하였으나 2000년대 중반 이후 등락을 보이다 최근에는 연간 10,000여 건으로 안정세를 보이고 있음.

(자료 4) 지역 및 대상 부동산 개황

1. 본건은 Y시 B읍 K리 소재 K저수지 북동측 인근에 위치하고 있으며, 인근은 국도 및 지방도변을 따라 숙박시설 및 근린생활시설 등이 산재하고 후면으로 농경지 및 임야 등이 혼재하여 있음.

2. 본건 토지 남서측으로 ○○번 국도에 접하고 있어 본건까지 제반 차량의 진출입이 원활하고, 본건 북서측 인근에 ○○번 국도와 동서로 연결되는 ㅁㅁ번 지방도가 연결되는 삼거리가 소재함.

3. Y시 관내를 연결하는 버스정류장이 본건 남동측 인근에 위치하나, 운행간격 등에 비추어 대중교통 사정은 다소 불편함.

(자료 5) 인근지역 분석

1. 본건은 계획관리지역 내 3층 숙박시설(객실 29개)로서, 용도적·기능적 동일성을 기준으로 본건 남서측 인근에 소재한 K저수지 북측의 ○○번 국도변 및 동 국도에 동서로 연결되는 □□번 지방도를 따라 본건 북서측 인근 M저수지에 이르는 지방도변 일대가 본건 부동산의 인근지역으로 판단됨.

2. 인근지역은 K저수지를 중심으로 유원지·낚시터 등의 이용객들을 위한 음식점, 숙박시설, 카페 등이 산재되어 있고, M저수지 주변도 이와 유사한 이용을 보이고 있으며 특히, 숙박시설은 독립적으로 위치하기 보다는 몇 개씩 집단화하고 있는 양상을 보이고 있으나, 경기침체 및 유원지·낚시터 등의 이용객의 감소와 더불어 숙박시설이 집단화한 지역으로서의 전반적인 경쟁력 약화 등이 상승작용하여 영업상황이 악화되어 가고 있으며, 영업을 중지하는 숙박시설이 증가하고 있는 추세임.

3. 인근지역은 ○○번 국도 및 □□번 지방도를 따라 노변 또는 후면에 음식점 또는 숙박시설이 주류를 이루고 있으며, 숙박시설의 경우 3층으로서 객실 30~35개 규모가 일반적 이용임.

4. 토지가격수준에 대한 탐문조사 결과, ○○번 국도에 접하고 있는 경우 @453,000원/㎡~@600,000원/㎡, 후면지의 경우 @272,000원/㎡~@300,000원/㎡ 수준이고, M저수지에서 동측으로 □□번 지방도에 접하고 있는 경우 @453,000원/㎡~@544,000원/㎡, 후면지의 경우 @211,000원/㎡~@300,000원/㎡ 수준으로 호가되고 있음.

5. 또한, 최근 인근지역에는 영업이 중단된 숙박시설을 노인전문요양원 등 타용도로 전환·이용하려는 목적으로 매물을 찾는 문의가 간혹 있으나 실제 노인전문요양원 등으로 전환·이용된 사례는 없는 것으로 조사되었음.

(자료 6) 공시지가 표준지 및 매매사례

1. 비교표준지 공시지가

소재지	면적(㎡)	지목	이용상황	용도지역	도로교통	형상지세	공시기준일	공시지가	비고
K리 217-1	880.0	대	상업용	계획관리	소로각지	부정형평지	2007.1.1	405,000	본건 남동측 인접, ○○번 국도변
							2008.1.1	455,000	
							2009.1.1	420,000	
							2010.1.1	425,000	
							2011.1.1	430,000	

2. 매매사례

구분		매매사례 #1	매매사례 #2	매매사례 #3	매매사례 #4
소재지		K리 354	K리 419-3	K리 418	K리 381-5
매매금액		481,100,000	903,500,000	685,100,000	850,100,000
매매일자		2009.6.5	2010.1.7	2009.8.20	2011.2.27
토지면적(㎡)		974.0	1,327.0	1,405.0	1,258.0
건물내역	구조	-	철근콘크리트조 슬래브지붕	철근콘크리트조 슬래브지붕	철근콘크리트조 슬래브지붕
	용도	-	숙박시설	숙박시설	숙박시설
	객실수	-	31	26	34
	층(지상/지하)	-	3/1	5/1	3/1
	연면적(㎡)	-	1,349.74	975.24	2,410.27
	사용승인일	-	2004.12.24	1999.8.15	2002.9.1
비고		-	-	현 영업중단	현 영업중단

(자료 7) 표준건축비 자료(가격시점기준)

1. 철근콘크리트조 숙박시설 : @1,060,000원/㎡
2. 연와조 단독주택 : @850,000원/㎡

(자료 8) 시점수정자료

- 2007.1.1 이후 인근지역 토지시장 및 건축물 신축가격은 큰 변화가 없었던 것으로 조사되어 시점수정은 필요 없음.

(자료 9) 본건 영업자료 등

1. 매출액 : 5,500,000원/월

2. 영업경비
    - 단기내용연수 항목에 대한 대체충당금을 제외한 세금 등 고정비와 인건비, 냉난방비, 공과금 등 변동비에 대한 자료검토 결과 평균 4,500,000원/월 소요됨.

3. 동산항목 가치
    - 가격시점 현재 본건 숙박시설 내 가구, 전자제품 등의 잔존가치는 객실당 @600,000원으로 산정됨.

(자료 10) 요인비교자료

1. 토지개별요인 비교치

공시지가 표준지	본건(전체기준)	매매사례 #1	매매사례 #2	매매사례 #3	매매사례 #4
1.00	0.78	1.15	1.07	0.97	0.95

2. 건물개별요인 비교치

- 철근콘크리트조

표준건축비	본건	매매사례 #2	매매사례 #3	매매사례 #4
1.00	1.00	1.00	1.03	1.00

- 연와조

표준건축비	본건
1.00	1.05

(자료 11) 각종 이율 등

1. 시장금리 등
    - 국고채(3년) : 3.96%/연
    - 회사채(3년, AA-) : 6.12%/연
    - 저당이자율(예금은행 가중평균대출금리) : 6.73%/연

2. 숙박시설 지분환원율 등
    - 지분환원율 : 12.0%/연
    - 대출비율 : 45%

3. 숙박시설 투자수익률 등
    - 투자수익률 : 15.0%/연
    - 가치변동 : 전형적인 보유기간인 5년 동안 인근지역 숙박시설의 가치는 35% 정도 하락할 것으로 예상됨.

(자료 12) 기타

1. 원가방식 중 내용연수법 적용시 내용연수 또는 잔존내용연수 조정이 필요할 경우 매매사례를 활용

2. 비교방식 중 개별요인 비교는 사례의 토지/건물 가치구성비율을 활용하고, 내용연수 만료시 잔존가치율은 1%를 적용

3. 숙박시설 운영을 위해서는 직원 등의 숙소가 필요함이 일반적인 바, 본건 기호 (나) 건물은 무상임차인 乙과 운영을 돕고 있는 그 자녀 1인의 숙소로 사용되는 바, 숙박시설 용도에 부합하는 것으로 판단

4. 가격시점 현재 건축물의 철거비는 @15,000원/㎡임.

A감정평가법인에 소속된 감정평가사 김정직은 OO도 OO시 OO동 100번지 일대에 소재하는 OO 1-1 주택재개발 정비사업구역의 사업시행인가 신청을 위한 정비기반시설의 감정평가의뢰를 받았다. 주어진 자료를 활용하여 관련법규에 따라 주택재개발 정비사업의 시행으로 인하여 용도폐지되는 기존의 정비기반시설 부지와 새로이 설치하는 정비기반시설 예정부지를 감정평가하시오(단, 가격의 산정과정과 본건 감정평가에 적용할 비교표준지의 선정이유는 반드시 기술). 20점

평가조건

(1) 본 감정평가의 대상토지는 관련 제 규정에 따라 가장 적정하다고 판단되는 인근 공시지가 표준지를 기준으로 공시기준일로부터 가격시점까지의 지가변동률과 토지의 제반가격형성요인을 종합고려하여 적정가격으로 감정평가할 것

(2) 국가 또는 지방자치단체로부터 사업시행자인 해당 정비사업조합에 무상으로 양여되는 국·공유 정비기반시설 부지는 용도폐지를 전제로 감정평가할 것

(3) 사업시행자로부터 사업시행인가권자인 지방자치단체에 무상으로 귀속되는 새로이 설치하는 정비기반시설은 토지의 형질변경 등 그 시설의 설치에 소요되는 비용은 포함하지 않고 현장조사 당시 현재의 현황을 기준으로 감정평가할 것

(자료 1) 사업의 개요

1. 정비구역현황

사업의 종류	구역의 명칭	위치	면적(m²)	비고
주택재개발 정비사업	○○1-1주택 재개발정비 사업구역	○○시 ○○동 100번지 일원	97,600	제2종 일반주거지역

2. 토지이용계획

구분		명칭	면적(m²)	비율(%)	비고
합계			97,600	100.0	
토지이용계획	정비기반시설 등	소계	24,800	25.4	
		도로	6,700	6.9	확장 및 신설
		공원	18,100	18.5	신설
	획지	소계	72,800	74.6	
		획지 1	70,500	72.2	공동주택 및 부대시설
		획지 2	2,300	2.4	종교시설

3. 건축계획

구분		내용
밀도	건폐율	18.20%(공동주택 : 15.60%, 부대시설 : 2.60%)
	용적률	229.00%
규모		공동주택 22개동 1,550세대(16층~22층)

4. 지적개황도(축척 없음)

(자료 2) 기타 참고사항

1. 주택재개발 정비구역 지정고시일 : 2010.2.25
2. 주택재개발 정비조합설립인가 고시일 : 2010.11.8
3. 가격시점 : 2011.11.30

(자료 3) 평가대상토지 목록

1. 용도폐지되는 정비기반시설 부지

일련번호	지번	지목	면적(㎡)	소유자	비고
1	100-28	공원	3,216.0	국(국토교통부)	현황 도시계획시설 공원
2	100-33	도로	1,303.3	○○시	현황 도시계획시설 도로

2. 새로이 설치되는 정비기반시설 부지

일련번호	지번	지목	면적(㎡)	소유자	비고
3	100-2	대 (상업용)	95.6	박부자	대로 3-1호선 확장 도로 15% 저촉
4	100-5	대 (주상용)	91.5	강개발	중로 2-8호선 신설 도로 62% 저촉
5	100-14	대 (주거용)	138.7	최토지	근린공원신설 공원 100% 저촉

3. 위 평가대상토지 중 일련번호 (1) 100-28번지 공원부지의 용도지역은 제1종일반주거지역이었으나 정비사업의 시행으로 인하여 제2종일반주거지역으로 변경(2010. 2.25, 정비구역 지정고시일)되었음.

(자료 4) 토지가격 산정에 참고할 자료

1. 인근 공시지가 표준지
   - 해당 정비사업구역 내 공시지가 표준지

일련번호	지번	면적(㎡)	이용상황	용도지역	도로교통	형상지세	공시지가(원/㎡)		비고
							2010년	2011년	
371	○○동 100-3	541.9	상업용	2종일주	광대소각	정방형 평지	2,240,000	2,350,000	도로 15% 저촉
372	○○동 100-5	147.5	주상용	2종일주	소로각지	정방형 평지	1,270,000	1,330,000	도로 62% 저촉
373	○○동 100-12	153.9	단독주택	2종일주	세로(가)	가장형 평지	1,130,000	1,180,000	공원 100% 저촉

- 해당 정비사업구역 외 공시지가 표준지

일련번호	지번	면적(m²)	이용상황	용도지역	도로교통	형상지세	공시지가(원/m²)		비고
							2010년	2011년	
375	○○동 110-16	127.9	주상용	2종일주	소로한면	가장형평지	1,230,000	1,290,000	
377	○○동 111-5	137.4	단독주택	2종일주	소로한면	세장형평지	1,120,000	1,170,000	
378	○○동 111-11	600.3	상업용	2종일주	광대세각	세장형평지	2,800,000	2,900,000	
380	○○동 115-10	109.6	단독주택	1종일주	세로(불)	세장형평지	950,000	990,000	

2. 지가변동률(○○시)

구분	평균	주거지역	상업지역	공업지역
2010.1.1~2010.12.31	1.04583	1.04629	1.04475	1.04400
2011.1.1~2011.8.31	1.01591	1.01584	1.01547	1.01622
2011.8.1~2011.8.31	1.00173	1.00160	1.00118	1.00191

3. 개별요인
   - 도로접면

구분	광대한면	중로한면	소로한면	세로(가)	세로(불)
격차율	1.00	0.92	0.85	0.80	0.75

※ 도로접면이 각지인 경우는 한 면에 접하는 경우에 비해 3% 우세함.

   - 이용상황

구분	주거용	주상용	상업용
격차율	1.00	1.08	1.15

   - 형상

구분	가장형	정방형	세장형	사다리형	부정형
격차율	1.00	0.98	0.96	0.92	0.78

   - 도시계획시설 저촉

구분	일반	도로	공원
격차율	1.00	0.85	0.60

D건설회사는 총 720세대 규모의 아파트단지 조성사업을 시행하여 입주가 완료되었으나 그중 12세대는 일반적인 아파트와는 달리 거실 유리창의 일부가 감소되도록 설계되어 입주 후 가치하락액을 산정하여 환불해주기로 하고 환불대상세대 및 환불액 결정을 K감정평가법인에 의뢰하였다. 아래에 제시된 조건과 자료의 범위 내에서 K감정평가법인이 수행해야 할 환불대상세대 결정 및 대상세대의 최종 환불액을 평가하시오. 20점

(자료 1) 기본적 사항

1. 환불액 평가의 가격시점은 2011.8.1로 한다.

2. 환불액 지급대상세대는 (자료 2)에 제시된 세대 중 연속일조시간이 2시간 미만이고 총일조시간이 4시간 미만인 세대만을 대상으로 한다.

3. 환불액은 일조시간을 기초로 산정한 가치하락액을 기준으로 결정한다. 이 경우 본 아파트단지에서 일조권 가치가 전체 가치에서 차지하는 비율은 평형에 관계없이 6%이며 총일조시간(x분)과 해당 세대의 가치하락률(y) 간의 관계는 다음 산식으로 산정한다.
$y = 0.06(1 - x / 240)$

4. 환불대상세대 중 1년 이내에 거래사례가 있는 경우에는 거래사례에 의해 산정한 가치하락액과 일조시간을 기준으로 산정한 가치하락액을 비교하여 적은 금액으로 환불액을 결정한다.

(자료 2) 대상 아파트단지 개요

- 소재지 : S시 A구
- 규모 : 총 720세대(10개동 × 각동 72세대)
- 층수 : 각동 공히 18개층 높이이며 각층별 세대수는 동일하게 건축되었음.
- 동별 현황
    • 101동~108동 : 전세대 85㎡형
    • 109동, 110동 : 전세대 110㎡형

(자료 3) 창면적 감소세대 현황

동번호	해당 세대	창면적 감소비율(%)	총일조시간(분)	연속일조시간(분)
101	301호	45	165	95
	302호	18	265	183
	401호	45	170	98
	402호	18	270	185
102	602호	60	160	93
	702호	25	250	170
109	301호	45	165	125
	302호	18	265	183
	401호	45	170	128
	402호	18	270	185
110	602호	60	160	93
	702호	25	250	170

(자료 4) 본건 아파트단지의 층별 효용지수

층	1	2	3	4	5	6	7	8	9	10
효용지수(%)	90	94	96	98	99	100	100	100	100	100
층	11	12	13	14	15	16	17	18	–	–
효용지수(%)	100	100	100	100	100	100	100	98		

(자료 5) 본건 아파트단지의 위치별 효용지수

위치	1호	2호	3호	4호
효용지수(%)	98	100	98	96

(자료 6) 본건 아파트단지의 면적 타입별 효용지수

면적(m²)	85	110
효용지수(%)	100	104

(자료 7) 본건 아파트단지 내 거래사례자료

1. 창면적 감소가 없는 사례
   - 동, 호수 : 107동 503호
   - 거래시점 : 2011.6.25
   - 거래가격 : 322,000,000원

2. 창면적 감소가 있는 사례
   - 동, 호수 : 101동 401호
   - 거래시점 : 2011.3.12
   - 거래가격 : 305,000,000원

(자료 8) 인근지역의 아파트가격 변동지수

2011.1.1	2011.2.1	2011.3.1	2011.4.1	2011.5.1	2011.6.1	2011.7.1
113	114	116	116.8	117.8	119	120

(자료 9) 기타 평가조건

1. 각 호별 정상가격 산정에 있어서 개별소유자가 개별투자한 내부마감재, 구조변경, 추가설비 및 관리상태의 차이 등의 개별적 사항은 고려하지 않는다.

2. 본건 아파트단지 내 각 동별 효용격차는 없는 것으로 가정한다.

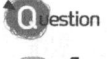

Question 04

서울지방법원 민사 00단독 재판장 판사 한공정은 민사소송사건의 심리를 위하여 다음과 같은 사건의 감정평가를 당신에게 의뢰하였다. 주어진 자료를 검토한 후 판사의 감정요청사항에 대하여 견해를 간단하게 약술하시오. 10점

〈사건의 개요〉

(1) 감정평가 목적물 : 서울특별시 OO구 OO동 1669-1 한라산 오리엔탈 1층 13호 건물 29.00㎡, 대지권 5,500㎡ × 5,500분지10.60㎡

(2) 청구내용 : 원고 이대리는 2009.9.20 피고 (주)한라산개발이 시공하여 분양하는 위 목적물을 분양받아 현재 점포를 운영 중에 있으며, 피고는 분양 당시 전·후면 모두 인근 도로와 같은 높이의 평탄한 건축물인 것처럼 광고하였고 이에 원고는 그 중 후면 상가인 위 목적물을 분양받았다. 그러나 건축물이 완공되어 입주하여 보니 건물의 전면 상가와는 달리 후면의 상가는 인근 도로에 비해 약 1.2m 정도 높은 상태로 계단이 설치되어 고객의 통행이 불편한 구조로 되어 있음을 알게 되었고 분양 당시 광고와는 다른 구조로 인하여 실제 영업이익이 기대한 바에 미치지 못할 뿐만 아니라 현재시점에서 위 목적물의 시가가 분양가에 미치지 못하는 등 손해를 입게 되었음을 주장하면서 이러한 손해를 이유로 2009.9.20 당시 분양가격이 과다하고 따라서 피고가 부당하게 얻은 분양가격의 일부를 반환할 것을 청구하는 소를 제기하였다.

1) 원고의 주장이 타당한지 여부와 분양 당시 전면 상가의 분양가격과 비교할 때 후면 상가의 분양가격이 적정한지 여부를 약술하시오. 5점
2) 분양가격이 적정하였다고 판단한다면 그 근거를 약술하고, 적정하지 않았다고 판단한다면 적정가격수준은 어느 정도인지를 약술하시오. 5점

(자료 1) 분양가격자료(2009.9.20 당시 1층 상가의 분양자료)

구분	면적(㎡)		분양가격		비고
	전용면적	대지권	금액(원)	단가(원/㎡)	
1층 4호	26.00	9.50	498,000,000	19,154,000	전면
1층 6호	65.00	23.80	1,200,000,000	18,462,000	전면
1층 9호	26.00	9.50	475,000,000	18,269,000	전면
1층 13호	29.00	10.60	425,000,000	14,655,000	후면
1층 14호	29.00	10.60	425,000,000	14,655,000	후면
1층 17호	32.00	11.70	460,000,000	14,375,000	후면

(자료 2) 실거래가격 자료 및 임대사례

구분	거래사례			임대료(천원)		임대수익률
	금액(천원)	매매일자	상승률	보증금	월임대료	
1층 4호	550,000	2011.8.4	10.44%	-	-	자가사용
1층 6호	-	-	-	200,000	2,800	3.97%
1층 9호	-	-	-	55,000	1,150	3.72%
1층 13호	-	-	-	-	-	자가사용
1층 14호	460,000	2010.6.15	8.24%	60,000	1,000	3.81%
1층 17호	500,000	2010.10.31	8.70%	70,000	1,050	3.80%

※ 임대사례는 모두 2009년에 임대되었고 2011년 9월에 갱신되었음.

(자료 3) 경제동향

구분	지가변동률	주택가격상승률	생산자물가상승률
2009.1.1~2009.12.31	1.07525	1.0473	1.0435
2010.1.1~2010.12.31	1.05366	1.0408	1.0459
2011.1.1~2011.8.31	1.03824	1.0311	1.0330

※ 지가변동률과 주택가격상승률은 ○○구 평균임.

(자료 4) 상가배치도(축척 없음)

Question 05

A은행은 ○○○씨 소유의 상가를 담보로 하여 만기 1년짜리 담보대출을 실행하기 위하여 K감정평가법인에 두 개의 보고서를 요청하였다. 2011.9.4 가격시점으로 정상가격을 평가한 감정평가보고서와 2012.9.4 가격시점에 예상되는 정상가격에 대한 컨설팅보고서를 제출할 것을 요청하였다. K감정평가법인이 2012.9.4 가격시점의 컨설팅보고서를 작성할 때, 2011.9.4 가격시점의 감정평가보고서 작성시와는 다르게 추가로 고려하여야 할 요인들 중 5가지만 열거하시오. 5점

Question 06

부적정하게 평가된 담보감정평가가 국민경제에 미치는 영향에 대하여 약술하고 현실적으로 적정한 담보감정평가를 저해하는 요인을 열거하시오. 5점

2012년 감정평가사 제23회

※ 공통유의사항
1. 각 문제는 해답 산정시 산식과 도출과정을 반드시 기재할 것
2. 단가는 관련 규정에서 정하고 있는 사항을 제외하고 천원 미만은 절사, 기타 요인 보정치는 소수점 셋째 자리까지 사정함.

Question 01

(주)A감정평가법인 甲감정평가사는 (주)K자산운용으로부터 감정평가 등을 의뢰받았다. 주어진 자료를 활용하여 다음 물음에 답하시오. 40점

(1) 계약임대료를 기준으로 대상물건을 감정평가하시오. 10점
(2) 시장임대료를 기준으로 대상물건을 감정평가하시오. 15점
(3) 물음 (1)의 감정평가액과 거래예정금액, 물음 (2)의 감정평가액과 거래예정금액을 이용하여 각각의 순현재가치(NPV; Net Present Value)와 내부수익률(IRR; Internal Rate of Return)을 산출하시오. 5점
(4) 벤치마크 투자수익률을 내부수익률로 실현하기 위해 甲감정평가사가 (주)K자산운용에 제시할 대상물건의 거래예정금액을 결정하시오. 10점

(자료 1) 대상물건 개요

1. 토지·건물의 내역

토지	소재지	서울특별시 G구 Y동 OO빌딩
	지목	대
	면적	2,833㎡
	용도지역	일반상업지역
건물	구조	철골철근콘크리트조 (철근)콘크리트지붕
	용도	업무시설
	건축면적	1,983.48㎡
	연면적	49,587㎡
	층수	지상 20층 / 지하 5층
	사용승인	1999.12
	주차	100대
	승강기	승객용 5(H사, 1,150kg, 90m/min, 15인) 비상용 1(H사, 750kg, 90m/min, 10인)

2. 대상물건 거래관련 자료

거래예정금액	275,000,000,000원
거래조건	없음
거래예정시점	2012.9.30
거래예정금액 지급조건	일시불(자기자본 : 110,000,000,000원, 타인자본 : 165,000,000,000원)
토지·건물 배분예정금액	토지 : 210,000,000,000원, 건물 : 65,000,000,000원
오피스빌딩 하위시장	YS 북부

(자료 2) 시장임대료(Market Rent) 관련 자료

1. 보증금, 연간임대료, 연간관리비, 고정경비 및 변동경비상승률
    1) 1, 2년차 : 5% 또는 소비자물가지수(CPI; Consumer Price Index) 중 높은 율
    2) 3년차부터 : 4% 또는 CPI 중 높은 율

2. 공실 및 대손충당금
    1) 가능총소득(PGI; Potential Gross Income)의 5% 또는 PGI의 CPI
    2) 일반경기의 회복지연으로 창업률이 낮아 공실률은 증가하고 있다. 따라서 대상물건의 감정평가시 공실 및 대손충당금 비율은 보수적인 측면을 고려하여 적용하여야 할 것으로 판단된다.

3. 보증금 운용이율 : 연 5%

(자료 3) 계약임대료(Contract Rent) 관련 자료

1. 보증금, 연간임대료, 연간관리비, 고정경비 및 변동경비상승률 : 5% 또는 CPI 중 낮은 율

2. 공실 및 대손충당금
    1) PGI의 3.5%
    2) 대상물건은 양호한 임차인이 입주하고 있어 오피스빌딩 하위시장의 공실 및 대손충당금 비율에 비해 낮은 상태를 유지하고 있다.

3. 보증금 운용이율 : 연 5%

(자료 4) 공통자료

1. 각종 지표

    1) 2008년 금융위기 이후 일반경기의 본격적인 상승이 이루어지지 않고 있으며, CPI는 연간 3.5% 상승이 예상된다.

    2) 채권금리 등

구분	국고채(3년)	회사채(3년)	CD(91일)
%	4.34	5.44	2.79

    3) 벤치마크 투자수익률

하위시장	SN 북부	SN 남부	YS 북부	YS 남부
투자수익률(%)	6.0	6.2	7.0	6.5

2. 영업경비

    1) 고정경비 : 연간관리비의 40%

    2) 변동경비 : 연간관리비의 30%

    3) 대체충당금 : 2년차에 100,000,000원, 4년차에 150,000,000원 설정 예정

3. 할인율(Discount Rate)

    1) 甲감정평가사는 할인율 결정방법을 (주)A감정평가법인의 감정평가심사위원회 (이하 '위원회')에 부의하여 결정하기로 하였다.

    2) 동 위원회는 자본자산평가모델(CAPM; Capital Asset Pricing Model), 가중평균자본비용(WACC; Weighted Average Cost of Capital), 국고채금리에 일정률을 가산하여 구하는 방법 등을 종합 검토한 결과 본 감정평가에 적용할 할인율 결정방법은 WACC로 적용하는 것이 타당할 것 같다고 甲감정평가사에게 권고하였고, 甲감정평가사는 이를 수용하였다.

    3) 甲감정평가사가 오피스빌딩 하위시장에서 조사한 자기자본수익률은 6.50%, 타인자본수익률은 5.67%이다.

    4) 甲감정평가사가 대상물건과 관련하여 조사한 자기자본수익률은 6.25%, 타인자본수익률은 5.00%이다.

    5) IRR, WACC는 소수점 넷째 자리 이하 절사한다.

4. 기출환원이율(Terminal Cap Rate)

1) 甲감정평가사는 기출환원이율도 위원회에 부의하여 결정하기로 하였다.

2) 위원회는 향후 오피스빌딩시장의 가격변동률이 하락할 것으로 예상되어 기출환원이율의 결정은 보수적인 입장을 취하는 것이 합리적이라는 판단을 하였다.

3) 그래서 위원회는 甲감정평가사에게 기출환원이율은 결정된 할인율에 0.5%p를 가산하여 적용하는 것이 타당할 것이라는 권고를 하였다. 甲감정평가사도 오피스빌딩시장이 부동산경기 및 일반경기 침체로 인해 하락할 것으로 판단하여 위원회의 권고안을 받아들이기로 하였다.

5. 보유기간 및 복귀가격

1) 보유기간은 5년으로 하고, 재매도비용은 공인중개사수수료 및 기타비용 등을 고려할 때 2%로 한다.

2) 복귀가격 결정을 위한 PGI 등은 5년차의 PGI 등에 연간임대료, 관리비 등의 상승률을 적용하여 6년차의 순영업소득(NOI; Net Operating Income)을 기준으로 결정한다.

6. 할인율과 기별계수

구분	1기	2기	3기	4기	5기
2.79%	0.973	0.946	0.921	0.896	0.871
4.34%	0.958	0.919	0.880	0.844	0.809
5.00%	0.952	0.907	0.864	0.823	0.784
5.44%	0.948	0.899	0.853	0.809	0.767
5.50%	0.948	0.898	0.852	0.807	0.765
5.80%	0.945	0.893	0.844	0.798	0.754
5.94%	0.944	0.891	0.841	0.794	0.749
6.00%	0.943	0.890	0.840	0.792	0.747
6.50%	0.939	0.882	0.828	0.777	0.730
7.00%	0.935	0.873	0.816	0.763	0.713
7.50%	0.930	0.865	0.805	0.749	0.697
8.00%	0.926	0.857	0.794	0.735	0.681
8.50%	0.922	0.849	0.783	0.722	0.665
9.00%	0.917	0.842	0.772	0.708	0.650
9.50%	0.913	0.834	0.762	0.696	0.635
10.00%	0.909	0.826	0.751	0.683	0.621

7. 임대사례

구분	임대사례 1	임대사례 2	임대사례 3	대상물건
소재지	서울특별시 G구 Y동	서울특별시 G구 Y동	서울특별시 G구 Y동	서울특별시 G구 Y동
건물명	XX빌딩	gg빌딩	zz빌딩	OO빌딩
층(지상/지하)	30F/B3	20F/B6	25F/B6	20F/B5
구조	철골철근 콘크리트	철골철근 콘크리트	철골철근 콘크리트	철골철근 콘크리트
건물연면적(㎡)	66,000	46,280	59,985	49,587
토지면적(㎡)	3,333	2,966	3,225	2,833
전용률(%)	53.1	48.4	52.1	49.8
사용승인(년)	1991	2000	2010	1999
오피스빌딩 하위시장	YS북부	YS북부	YS남부	YS북부
보증금(원/㎡)	180,000	210,000	300,000	240,000
월임대료(원/㎡)	18,000	21,000	30,000	24,000
월관리비(원/㎡)	8,000	8,000	11,000	10,000

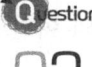
선임심사역인 감정평가사 甲은 KY은행 본점에서 감정평가서 심사업무를 담당하고 있다. (자료 1)의 감정평가서를 대상으로 주어진 자료를 활용하여 다음 물음에 답하시오(단, 심사대상 감정평가서 내용 중 달리 판단할 근거가 없는 경우에는 적정한 것으로 본다). 30점

(1) (자료 1) 감정평가서 중 부적정한 평가내용이 있다면 구체적인 사유와 보완내용을 포함하여 기술하시오. 15점

(2) (자료 1) 감정평가서에서 적용하지 않은 다른 방식으로 평가가격을 검토하시오. 5점

(3) KY은행이 평가조건을 요구(동의)하지 않았을 경우의 감정평가액을 구하고 (자료 1) 감정평가서의 평가개요 중 달라지는 항목을 기술한 후 감정평가명세표를 재작성하시오. 10점

(자료 1) 심사대상 감정평가서(부분 요약 발췌)

1. 평가개요

   1) 본 감정평가는 K시 H구 A동에 소재하는 부동산에 대한 담보목적의 감정평가로 감정평가 관련법규에 따라 평가하였습니다.

   2) 본 토지상에 사용승인을 득하고, 일반건축물대장에 등재예정인 건물(명세표상 기호 ㉮ 건물)은 귀 KY은행의 요구에 따라 일반건축물대장에 등재된 것을 전제로 하여 토지와 건물을 평가하였고 가격시점은 2012년 9월 9일입니다.

   3) 토지는 해당 토지와 유사한 이용가치를 지닌다고 인정되는 표준지공시지가를 기준으로 공시기준일부터 가격시점까지의 지가변동률, 해당 토지의 위치·형상·환경·이용상황 기타 가격형성상의 제요인과 인근 지가수준 등을 종합적으로 참작하여 평가하였습니다.

   4) 건물은 구조, 용도, 부대설비 및 시공상태 등을 종합 참작하여 원가법으로 평가하였으며, 감가수정은 정액법을 적용하였습니다.

2. 평가대상물건 현황

   1) 인근지역 현황

   대상 부동산은 1990년대에 민간이 조성한 소규모 협동화공장단지 내에 소재하며 동 단지는 약 100,000㎡ 규모로 13개 업체가 입주가능하고 현재의 입주율은 85% 정도입니다. 입주업체는 의료분야의 중소규모업체가 대부분이며 전체 종업원은 1,200명 정도입니다. 이 단지는 진입로변 국도를 통해 고속도로와 연결되어 교통, 물류 등의 여건이 비교적 양호하며 용수, 전력, 인력수급 등의 여건도 양호한 편입니다.

2) 대상 부동산 현황

해당 토지는 2차선 포장도로를 통해서 단지 내 도로와 연결되고 있으며, 평탄한 콘크리트지반이 조성된 사다리 형태의 상업용지로서 공부상 지목은 잡종지로 경쟁가능성이 없는 독점적인 위치를 가진 적정규모의 토지입니다. 용도지역은 동단지 전체가 준공업지역이고, 토지의 임대상황은 없으며 등기사항전부증명서상 소유자는 乙입니다. 일반건축물대장에 소유자 乙로 등재예정인 지상건물의 현황은 아래와 같습니다.

구조	건축연면적	건물규모	용도
철근콘크리트조 슬래브지붕	300㎡	지상 2층	근린생활시설

3. 감정평가가액 산출근거

1) 토지가액 산출근거

(1) 비교표준지 공시지가 : 2012.1.1 공시된 인근지역 내 비교가능한 표준지는 아래와 같으며 이 중 제반 여건이 유사한 기호 ② 표준지를 선정하였습니다.

기호	소재지	면적(㎡)	지목	이용상황	용도지역	도로교통	형상지세	공시지가(원/㎡)
①	A동 57	350	대	상업용	일반공업지역	소로한면	사다리평지	450,000
②	A동 154	630	장	주상용	준공업지역	소로한면	세장형평지	420,000
③	A동 322	245	대	단독주택	준공업지역	소로한면	부정형완경사	400,000

※ 기호 ① 표준지는 도시계획도로에 5% 저촉됨.

(2) 지가변동률 : 국토교통부장관이 조사발표한 K시 H구 공업지역의 2012.1.1부터 가격시점까지의 지가변동률은 0.750%입니다.

(3) 지역요인 : 인근지역에 소재하여 지역요인은 동일합니다.

(4) 개별요인 : 대상토지가 비교표준지 ②에 비하여 다소 열세합니다.

가로조건	접근조건	환경조건	획지조건	행정적 조건	기타조건	격차율
1.00	1.00	1.00	0.99	1.00	1.00	0.99

(5) 기타요인

가. 신뢰성 있고 채택가능한 평가선례

(단위 : ㎡, 원/㎡)

기호	소재지	지목	면적	이용상황	용도지역	평가단가 (가격시점)	평가목적	비고 (평가기관)
①	A동 159	대	250	상업용	준공업지역	450,000 (2012.1.1)	경매	K법인
②	A동 522	대	250	주상용	준공업지역	504,000 (2012.1.1)	보상평가	K법인

나. 비교가능하고 신뢰할 만한 최근의 거래사례는 포착하지 못하였으며, 인근 유사토지의 가격수준은 470,000원/㎡~530,000원/㎡입니다.

(6) 토지가격 결정

공시지가 (원/㎡)	지가변동률	지역요인	개별요인	기타요인	평가단가 (원/㎡)
420,000	1.00750	1.00	0.99	1.20	500,000

2) 건물가액 산출근거

(1) 재조달원가 : 신축건물이므로 업자가 제시한 적산자료를 활용하여 직접법에 의하여 재조달원가를 구하였습니다.

〈표〉 적산자료

(단위 : 원)

구분	내역	업자제시액	최종사정액
설계비	설계비용, 감리비	13,000,000	12,000,000
기본건축비	기초 및 골조 공사비	54,000,000	54,000,000
옹벽공사비	옹벽 및 배수로 공사	9,000,000	8,000,000
내외장공사비	미장, 창호공사 등	47,000,000	47,000,000
위생 및 냉난방설비비	위생, 냉난방공사 등	22,000,000	22,000,000
전기통신설비비	전기 및 통신공사비 등	16,000,000	16,000,000
조경공사비	토지입구 조경수 등	14,000,000	14,000,000
집기 및 비품비	비품, 소모품 등	8,000,000	8,000,000
일반관리비 등	일반관리비, 이윤 등	15,000,000	14,000,000
총액	-	198,000,000	195,000,000

(2) 평가단가

(단위 : 연, 원/㎡)

재조달원가	내용연수	경과연수	산식	평가단가
650,000	50	0	650,000×50/50	650,000

4. 감정평가명세표

기호	소재지	지목용도	용도지역 및 구조	면적(㎡) 공부	면적(㎡) 사정	평가가격 단가	평가가격 금액	비고
①	K시 H구 A동 103-1	잡종지	준공업지역	400	400	500,000	200,000,000	현황 "대"
㉮	〃	근린생활시설	철근콘크리트조 슬래브지붕 2층	300	300	650,000	195,000,000	650,000 × 50/50
	합계						395,000,000	

5. 기타 부속내용(지적개황도 관련부분)

(자료 2) 심사 감정평가사의 조사자료

1. 각종 공적장부 확인자료

    토지 등기사항전부증명서를 확인한 바 103-1번지는 근저당권자 KY은행, 채권최고액은 2억원인 권리관계가 존재하고 있다.

2. 가격조사자료

    1) 경매낙찰가율 자료(최근 6개월, 단위 : %)

지역	공업용	주거용	상업용	평균
H구	70	90	80	80
K시 전체	75	95	85	85

    2) 평가선례 검토자료

       (1) 평가선례 ① : 경매감정평가서를 열람하여 보니 평가 당시 지상의 부가물을 포함한 평균단가로 평가하였고 지상의 부가물은 조경석 3톤, 조경수 2그루였으나 구체적인 평가액은 알 수 없었다.

       (2) 평가선례 ② : 당시 동 사업의 감정평가에 참여했던 나머지 법인의 자료가 A법인은 505,000원/㎡, B법인은 506,000원/㎡에 평가된 것으로 조사되었다.

    3) 임대사례 조사자료

       (1) 공실 및 대손충당금 비율은 인근지역이 연간 가능총임대료의 15%, 대상 부동산은 5%가 확실시된다.

       (2) 운영경비비율은 모두 유사하나 시장에서 구체적인 내역을 수집하지는 못하였다.

       (3) 대상 부동산은 가격시점과 임대시점, 임대면적과 건축연면적이 각각 동일하며 연간 가능총임대료는 59,000원/㎡인 것으로 조사되었다.

    (단위 : ㎡, 원)

기호	소재지	토지면적	임대면적	이용상황	용도지역	연간 가능총임대료	부동산가액	임대시점
①	A동 69	333	250	상업용	준공업지역	15,000,000	304,000,000	2012.9.9
②	A동 90	400	300	상업용	준공업지역	20,000,000	345,000,000	2012.9.9

(자료 3) 기타 관련 자료 등

1. KY은행에서는 감정평가업무협약서상 기타요인의 산출근거를 설시하도록 요구하고 있으며, 감정평가사가 임의로 평가조건을 설정할 수 없도록 하고 있다.

2. 개별요인 비교자료(지역요인은 동일함)

대상	표준지 ①	표준지 ②	표준지 ③	평가선례 ①	평가선례 ②
100	105	101	95	91	99

3. 대상물건에 적용할 환원이율과 임대료승수(GRM; Gross Rent Multiplier 또는 EGRM; Effective Gross Rent Multiplier)는 2개 이상 적정한 사례자료를 기준으로 산술평균하여 구한다.

4. 해당 지역의 법정지상권 감안비율은 인근 송유관부지 구분지상권의 사용료(지료)가 가격에서 차지하는 비율의 10배 정도가 적정한 것으로 조사되었다.

   1) 송유관이 지나는 105번지의 토지 등기사항전부증명서를 확인한 바 지목은 도로, 면적은 180㎡, 소유자는 乙과 丙이 각 1/2씩 소유하고 있었고 지상권자는 DH 송유관공사, 사용료는 90,000원이었다.

   2) 지상권 사용료 산정 당시의 토지감정평가액은 250,000원/㎡이었고 송유관이 지나는 부지의 폭은 3m, 길이는 6m이었다.

Question 03

甲은 본인이 소유하고 있는 토지를 이용하여 공장을 신축하였다. B시청에서는 해당 사업이 개발부담금 부과대상사업에 해당되어 개발부담금을 부과하려고 한다. 주어진 자료를 활용하여 다음 물음에 답하시오. 20점

(1) 30 - 2번지에 대하여 개시시점지가와 종료시점지가를 산정하시오. 10점
(2) 30 - 4번지에 대하여 개시시점지가와 종료시점지가를 산정하시오. 5점
(3) 30 - 5번지에 대하여 개시시점지가(매입가액기준)와 종료시점지가를 산정하시오. 5점

(자료 1) 기본적 사항

1. 개발사업 인가일 : 2011.10.1
2. 개발사업 준공인가일 : 2012.8.30
3. 사업인가조건 : 30 - 2번지 중 일부(500㎡)를 도로 등으로 기부채납
4. 현장조사 완료일 : 2012.9.9

(자료 2) 대상토지자료

1. 기본내용

일련번호	토지소재	지번	지목	이용상황	면적(㎡)
①	B시 D동	30 - 2	전	전	3,500
②	B시 D동	30 - 4	답	답	3,000
③	B시 D동	30 - 5	답	답	1,000

2. 용도지역 : 계획관리지역임.
3. 토지특성 : 일련번호 ①, ②, ③ 토지의 특성은 동일함.
   1) 개발 전 : 세로가, 부정형, 완경사
   2) 개발 후 : 소로한면, 세장형, 평지

(자료 3) 가격결정을 위한 참고자료

1. 표준지공시지가 현황

기호	소재지	면적(㎡)	지목	이용상황	용도지역	도로교통	형상지세	공시지가(원/㎡) 2011년	공시지가(원/㎡) 2012년
①	D동 32	500	답	답	계획관리지역	세로(가)	세장형 평지	50,000	55,000
②	D동 50-1	1,000	장	공업용	계획관리지역	세로(가)	세장형 평지	200,000	210,000

2. 개별공시지가

일련번호	토지소재	지번	2011년(원/㎡)	2012년(원/㎡)
1	B시 D동	30-2	-	-
2	B시 D동	30-4	45,000	50,000
3	B시 D동	30-5	45,000	50,000

3. 甲은 30-5번지를 경매로 60,000원/㎡에 낙찰받아 2011.6.10에 소유권이전을 완료하였다.

4. 지가변동률(%)

구분	A도 평균	B시 평균	B시 계획관리지역
2011.1.1~2011.6.10	3.1	7.1	5.1
2011.1.1~2011.10.1	5.5	10.0	7.5
2011.6.10~2011.10.1	1.0	2.5	1.5
2011.1.1~2012.8.30	12.5	13.5	12.8
2011.10.1~2012.8.30	10.0	11.5	11.0
2012.1.1~2012.8.30	8.5	10.5	9.5
2011.1.1~2012.9.9	13.5	14.8	13.8
2012.1.1~2012.9.9	9.8	11.8	10.8
2011.10.1~2012.9.9	10.8	12.0	11.8

5. 지역요인 : 동일함.

6. 개별요인 비교치(토지가격 비준표와 동일)

  1) 도로접면

구분	소로한면	세로가
소로한면	1.00	0.93
세로가	1.07	1.00

2) 형상

구분	세장형	부정형
세장형	1.00	0.96
부정형	1.04	1.00

3) 지세

구분	평지	완경사
평지	1.00	0.97
완경사	1.03	1.00

4) 이용상황

구분	전	답	공업용
전	1.00	0.97	1.33
답	1.03	1.00	1.39
공업용	0.75	0.72	1.00

7. 기타요인 산정을 위한 자료

1) 평가선례

기호	소재지	지목	면적(㎡)	이용상황	용도지역	단가(원/㎡)	가격시점
①	D동 33	답	300	답	계획관리지역	65,000	2011.1.1
②	D동 51	장	500	공업용	계획관리지역	240,000	2011.1.1
③	D동 35	전	500	전	계획관리지역	75,000	2012.1.1
④	D동 52	장	1,000	공업용	계획관리지역	270,000	2012.1.1

2) 지가변동률은 상기에서 제시한 자료와 동일하고 대상토지와 평가선례와의 지역요인 및 개별요인은 동일함.

Question 04

다음의 물음에 답하시오. 10점

(1) 보상평가에서는 일반평가와 달리 개발이익을 배제하고 평가하는 것이 무엇보다 중요하다. 평가과정에서 개발이익을 배제하는 구체적인 방법에 대하여 약술하시오. 5점

(2) 기업가치평가에 있어 잉여현금흐름(FCF; Free Cash Flows) 할인모형을 적용하는 경우 EBITDA를 구하는 방법을 약술하시오. 5점

2013년 감정평가사 제24회

※ 공통유의사항
1. 각 문제는 해답 산정시 산식과 도출과정을 반드시 기재
2. 단가는 관련 규정에서 정하고 있는 사항을 제외하고 천원 미만은 절사, 기타 요인 보정치는 소수점 셋째 자리 이하 절사

Question 01

토지소유자인 甲법인은 골프장 개발업체인 乙법인과 다음과 같은 계약을 맺었다.

〈계약내용〉

- 乙법인은 甲법인의 토지를 임차하여 골프장(27홀)으로 개발하여 운영한다.
- 골프장 개발과 관련된 인허가비용은 甲법인 부담으로 하여 개발비용은 乙법인의 부담으로 한다.
- 乙법인은 골프장 준공일로부터 연간 토지임대료 1,000,000,000원을 甲법인에 매년 초 지급하며 연간 2%씩 임대료를 상승하여 지급한다.
- 골프장 운영과 관련된 제반 유지보수비용, 보험료, 제세공과 등은 운영자부담으로 한다.
- 계약기간은 준공일로부터 10년이고, 계약기간 만료일에 乙법인이 개발한 모든 골프장시설 등은 甲법인으로 귀속되며, 甲법인은 乙법인의 최초 개발비용의 30% 상당액을 乙법인에 지급한다.

乙법인의 골프장 개발계획은 순조롭게 진행되어 2013.1.1에 준공하였다. 다음 물음에 답하시오. 35점

(1) 감정평가사 丙 씨는 甲법인으로부터 2013.1.1자 甲법인 소유 토지에 대한 가치산정을 의뢰받았다. 주어진 자료를 활용하여 가치를 산정하고 평가방법에 대해 서술하시오. 20점

(2) 이러한 계약을 하는 甲법인과 乙법인은 합리적 의사결정을 하는 것인가에 대해 NPV법으로 검토하고 서술하시오. 15점

(자료 1) 토지목록(甲법인)

기호	소재지	지번	지목	면적(m^2)	용도지역
1	A군 B면 C리	200	전	1,000	계획관리
2	A군 B면 C리	200-1	전	2,600	계획관리
3	A군 B면 C리	200-2	전	1,550	계획관리
4	A군 B면 C리	200-3	답	2,350	계획관리
5	A군 B면 C리	200-5	전	1,300	계획관리
6	A군 B면 C리	200-6	전	1,600	계획관리
7	A군 B면 C리	201	전	1,750	계획관리
8	A군 B면 C리	202	답	3,700	계획관리
9	A군 B면 C리	산 100-1	임야	4,500	계획관리
10	A군 B면 C리	산 100-2	임야	1,500,000	계획관리
11	A군 B면 C리	산 100-3	전	900	계획관리
계				1,521,250	

※ 사업승인면적은 1,450,000㎡이며, 나머지는 산 100-2번지 일부로서 자연림 상태의 원형을 유지하고 있음.

(자료 2) 표준지공시지가

(2013.1.1)

일련번호	소재지	지번	면적(m^2)	지목	이용상황	용도지역	도로교통	형상지세	공시지가(원/m^2)
1	A군 D면 E리	14 (XX골프장)	201,000 (일단지)	임야	골프장	계획관리	소로한면	부정형 완경사	50,000
2	A군 B면 C리	190	4,627	전	전	계획관리	세로(가)	부정형 완경사	30,000
3	A군 B면 C리	210	1,096	답	답	계획관리	세로(불)	부정형 완경사	20,000
4	A군 B면 C리	산 110	32,000	임야	임야	계획관리	세로(불)	부정형 완경사	12,000

※ 상기 표준지공시지가는 2013.1.1 고시된 것으로 봄.

(자료 3) 요인비교

1. 본건 준공된 골프장과 일련번호 1 비교표준지는 제반여건이 유사하나 접근성 등에서 본건이 약 2% 우세함.
2. 소지상태로서의 본건은 일련번호 2~4와 비교시 지목별로 대체로 유사하나 본건 "전"은 표준지 대비 3%, 본건 "답"은 표준지 대비 2%, 본건 "임야"는 표준지 대비 1%씩 각각 우세함.

3. 주변 거래사례나 평가선례를 분석하여 보면 표준지 일련번호 1은 기타요인 보정이 필요 없으나 표준지 일련번호 2, 3은 10%, 표준지 일련번호 4는 20% 기타요인 보정이 필요함.

(자료 4) 제비용

1. 인허가 관련 비용 :

인허가비용	1,500,000,000원
제반부담금	2,500,000,000원
제세공과	500,000,000원
기타	3,000,000,000원
계	7,500,000,000원

2. 골프장 조성(개발) 공사비용 : 홀당 1,400,000,000원

(자료 5) 주변사례 및 시장동향

주변 유사 골프장의 사례를 보면 연간 9홀 기준으로 20억원의 영업이익이 발생하는 것으로 조사되었으며, 향후 매년 영업이익 증가율은 1% 정도일 것으로 추정된다. 그러나 시장의 수요·공급을 예측하여 보면 연간 9홀 기준으로 22억원이 한계점인 것으로 조사됨.

(자료 6) 기타

1. 클럽하우스 등 건물은 고려하지 아니함.
2. 인허가 및 개발에 관한 제비용은 준공일에 투입된 것으로 가정하며, 영업이익의 발생시점은 토지임대료를 지급하는 매년 초에 발생하는 것으로 가정함.
3. 준공 후 제반세금은 고려하지 아니하며 영업이익은 현금유입액으로 봄.
4. 본건 투자에 있어 타인자본은 고려하지 아니함.
5. 현금흐름(cash flow)에 적용된 할인율은 연 7%로 조사되었음.
6. 기말복귀액 산정시 영업이익과 골프장 가치에 적용할 환원이율은 연 8%로 조사되었음.
7. 본건 주변 표준지공시지가의 향후 10년 후 예상상승률은 10% 정도임.

(자료 7) 시간가치율

1. 현재가치율(7%)

1기초	2기초	3기초	4기초	5기초	6기초	7기초	8기초	9기초	10기초	10기말
1.000	0.9346	0.8734	0.8163	0.7629	0.7130	0.6663	0.6227	0.5820	0.5439	0.5083

2. 미래가치율(2%)

1.02^0	1.02^1	1.02^2	1.02^3	1.02^4	1.02^5	1.02^6	1.02^7	1.02^8	1.02^9	1.02^{10}
1.00	1.0200	1.0404	1.0612	1.0824	1.1041	1.1262	1.1487	1.1717	1.1951	1.2190

3. 미래가치율(1%)

1.01^0	1.01^1	1.01^2	1.01^3	1.01^4	1.01^5	1.01^6	1.01^7	1.01^8	1.01^9	1.01^{10}
1.00	1.0100	1.0201	1.0303	1.0406	1.0510	1.0615	1.0721	1.0829	1.0937	1.1046

공기업인 (주)H전력은 서울특별시 동대문구 Y동 45번지에 소재하는 토지, 건물(이하 "대상물건"이라 함)에 대하여 ① 매각하는 방안, ② 보상을 받는 방안, ③ 분양을 받는 방안을 감정평가사 甲에게 검토 요청하였다. 대상물건은 재개발정비구역 내 소재하고 있으며 관리처분까지 확정되어, 현재 공실상태이고, 종후자산에 대한 분양계약을 체결하면 바로 철거가 진행될 예정이며, 종후자산은 5년 후인 2018.4.30자로 입주예정이다.

재개발조합에서는 미계약자에게 2013.7.31 기준시점으로 「공익사업을 위한 토지 등의 취득 및 보상에 관한 법률」에 의거 평가한 후 2013.8.31자로 일시불로 지급하기로 되어 있다. 또한, 대상물건은 2013.4.30에 일시불로 80억원에 매입하겠다는 매수희망자가 있다. 다음 물음에 답하시오. 30점

(1) 2013.7.31 기준시점으로 보상평가액 15점
(2) 2018.4.30(입주시) 기준시점의 현금정산액을 포함한 종후자산 가치 5점
(3) (주)H전력이 제시한 3가지 방안을 2013.4.30 기준으로 비교 검토한 후 적절한 방안을 제시하고 그 이유를 설명하시오. 10점

(자료 1) 대상물건의 개요

1. 대상토지
   1) 소재지 : 서울특별시 동대문구 Y동 45번지
   2) 지목 및 면적 : 대, 820㎡
   3) 용도지역 : 일반상업지역, 도시계획도로 일부 저촉(20%)
   4) 토지의 특성 : 장방형, 완경사, 광대소각

2. 대상건물
   1) 구조 : 철근콘크리트조 평옥개지붕
   2) 건물면적 : 520㎡
   3) 층수 : 지하 1층/지상 3층
   4) 사용승인일 : 1980.9.7
   5) 용도 : 업무용
   6) 대상건물은 도시계획도로에 저촉되지 않음.

(자료 2) 현장조사자료

1. 건물
    1) 공부면적 : 520㎡
    2) 실측면적 : 650㎡

2. 제시 외 건물
    1) 수위실 : 벽돌조 슬래브지붕 단층 10㎡
        수위실은 전체 면적이 도시계획도로에 저촉됨.
    2) 창고 : 목조 기와지붕 단층 60㎡
    3) 제시 외 건물들은 1985.10.10 신축된 것으로 조사되었음.

3. 기타 지장물
    1) 벽돌조 담장 : 110㎡
    2) 바닥포장 : 아스콘 포장 530㎡
    3) 축대 : 철근콘크리트 54㎡
    4) 수목
        (1) 소나무 45년생 3주
        (2) 감나무 25년생 5주
        (3) 대추나무 15년생 5주

(자료 3) 재개발 관련 자료

1. 사업승인일 : 2012.4.5

2. 종전자산 평가액
    1) 토지 : 7,790,000,000원(820㎡ × 9,500,000원/㎡)
    2) 건물 : 166,400,000(520㎡ × 320,000원/㎡)
    3) 합계 : 7,956,400,000원
    4) 비례율 : 95%

3. 종후자산
    1) (주)H전력은 상가 1층 대지권 290㎡, 건물(전용면적) 720㎡을 분양 가능
    2) 종전자산보다 종후자산이 많은 경우에는 입주시 일시불로 차액을 지급하고, 적을 경우에는 입주시(2018.4.30) 일시불로 차액을 받을 수 있음.
    3) 상가의 조합원 분양가격은 건물면적(전용면적) 기준 1층 @8,000,000원/㎡, 2층 @3,000,000원/㎡, 3층 @1,800,000원/㎡, 지층 @1,300,000원/㎡임.

(자료 4) 공시지가 표준지와 지가변동률

1. 인근 표준지공시지가

기호	소재지	면적(m²)	지목	이용상황	용도지역	도로교통	형상 지세	공시지가(원/m²)	
								2012년	2013년
①	Y동 26-5	810	대	상업용	일반상업	광대소각	세장형 평지	6,000,000	6,500,000
②	Y동 32-1	302	대	업무용	일반상업	세로(가)	세장형 평지	4,700,000	4,900,000

※ 기호 ② 표준지는 도시계획도로에 30% 저촉됨.

2. 시점수정 관련 자료

1) 지가변동률(동대문구 상업지역)

2012.1.1~3.31	2012년 4월	2012년 누계	2013.1.1~3.31	2013년 3월
0.572%	0.180%	2.240%	0.512%	0.155%

※ 2013년 4월 이후 지가변동률은 미고시되었으므로 2013년 3월 지가변동률을 연장 적용하기로 함.

2) 동대문구 Y동 일대의 상가는 부동산 경기침체로 2013년 상반기 중 가격변동이 거의 없으므로 시점수정은 없음.

3) 2013.4.30~2018.4.30 사이 5년간 상가상승률은 연 2%로 가정함.

(자료 5) 가격자료

1. 평가선례 및 거래사례

1) 평가선례

(단위 : 원/m²)

기호	소재지	지목	면적(m²)	이용상황	용도지역	도로접면	기준시점 평가목적	평균단가
A	Y동 24-2	대	330	상업용	일반상업	광대소각	2013.3.5 보상	10,500,000
B	Y동 30-1	대	255	주거용	일반상업	세로(불)	2012.2.10 담보	7,500,000
C	Y동 24-5	대	420	상업용	일반상업	광대소각	2012.4.2 보상	9,500,000

※ 기호 A와 C는 면적의 40%가 도시계획도로에 저촉됨.

2) 거래사례

(단위 : 원/㎡)

기호	소재지	지목	면적(㎡)	이용상황	용도지역	도로접면	거래일자	토지기준 거래단가	비고
D	Y동 42-7	대	550	상업용	일반상업	광대소각	2013.3.27	12,000,000	토지단가에 건물가 포함
E	Y동 30-7	대	187	주상용	일반상업	세로(가)	2013.2.15	8,000,000	토지단가에 건물가 포함

※ 기호 E토지는 지상건물을 포함하여 거래하였으나 노후 건물로 철거예정이며 철거비와 폐자재판매비가 거의 유사함.

3) 상가거래사례

(단위 : 천원)

기호	소재지	면적(㎡)	이용상황	용도지역	도로접면	거래일자	거래금액	비고
F	Y동 22	건물(전용) 640 대지권 160	상업용	일반상업	광대소각	2013.1.30	7,040,000	○○단지 내 상가 1층
G	Y동 22	건물(전용) 530 대지권 132	상업용	일반상업	광대소각	2013.2.15	1,060,000	○○단지 내 상가 3층

※ ○○단지는 2012년 신축하여 입주한 아파트단지 내 상가로 대상물건이 소재한 정비구역의 재개발이 완료되면 제반 단지여건이 유사함.

4) 기타 가격자료
   (1) 동 지역은 재개발사업의 사업승인 후 지가가 상당한 폭으로 상승하였음.
   (2) 상가는 조합원 분양가보다 일반분양가가 약 45% 높게 결정되었으며, 70% 정도 분양되었음.

2. 대상건물 및 지장물 가격자료
   1) 대상건물
      (1) 재조달원가 : 보정단가 포함한 전체 면적기준 @950,000원/㎡
      (2) 내용연수 : 철근콘크리트조이므로 50년으로 함.
   2) 제시 외 건물
      (1) 재조달원가 : 수위실 @320,000원/㎡, 창고 @600,000원/㎡
      (2) 내용연수 : 수위실, 창고 모두 40년으로 함.

3) 지장물 가격자료

감가상각 후 적용단가임.

(1) 벽돌조 담장 : @40,000/㎡
(2) 아스콘 포장비용 : @90,000원/㎡
(3) 축대조성비용 : @120,000원/㎡
(4) 수목가격자료

수종	단위	취득비	이식비
소나무 45년생	1주	15,000,000원	4,200,000원
감나무 25년생	1주	500,000원	800,000원
대추나무 15년생	1주	200,000원	180,000원

※ 소나무는 고손율이 20%이고, 감나무와 대추나무는 고손율이 15%임.

(자료 6) 지역요인, 개별요인 비교자료

1. **지역요인비교** : 공시지가 비교표준지, 대상토지, 평가선례 및 거래사례는 동일지역임.

2. 개별요인비교

1) 토지 개별요인비교

대상토지	표준지 ①	표준지 ②	평가선례 A	평가선례 B	평가선례 C	거래사례 D	거래사례 E
100	100	75	103	74	102	105	79

2) 상가 개별요인비교

대상 종후상가	거래사례 F	거래사례 G
100	95	20

3) 공법상 제한사항

구분	일반	제한
일반	1.0	0.85
제한	1.18	1.0

(자료 7) 기타자료

일시불 현가화시 할인율은 연 6%(월 0.5%)를 적용함.

종전에 시행된 재개발사업으로 인하여 현재 공원으로 이용 중인 토지가 있다. 소유자는 그 사실을 뒤늦게 발견하고 지방자치단체에 보상을 요청하였다. 지방자치단체는 2013. 4.1을 계약체결일로 하여 보상을 실시하려고 감정평가를 요청하였다. 자료를 참고하여 다음 질문에 답하시오. 20점

(1) 대상토지 평가시 적용할 비교표준지의 선정사유를 설명하시오. 5점
(2) 대상토지의 평가시 고려하여야 하는 지목, 실제용도, 지형, 지세, 면적 등을 정리하시오. 5점
(3) 실무에서는 개별요인 비교치를 가로조건, 접근조건, 환경조건, 획지조건, 행정적 조건, 기타조건 등으로 구분하여 산정하고 있다. 자료가 주어지지 않는 조건은 대등한 것으로 보고, 표준지와 대상토지 간의 개별요인 비교치를 실무와 같이 산정하고 산정사유를 설명하시오. 5점
(4) 제시된 자료에 의해 보상감정평가액을 산정하시오. 5점

(자료 1) 종전사업의 개요

1. 사업의 종류 : 관악지구 재개발사업
2. 사업인정고시일 : 2001.1.1

(자료 2) 토지조서

기호	소재지	면적(㎡) 공부	면적(㎡) 편입	지목	비고
1	관악동 00	1,000	1,000	임야	

(자료 3) 종전사업에 편입될 당시의 이용상황

1. 의뢰된 토지는 종전의 공익사업에 편입되기 전에는 지목이 임야이고, 1970년경부터 무허가건물부지로 이용되던 10,000㎡의 토지의 일부였으나, 종전의 공익사업으로 9,000㎡는 아파트부지와 도로로 이용 중이고 1,000㎡는 공원으로 이용 중이며, 의뢰된 토지는 공원으로 이용 중인 부분임.

2. 의뢰된 토지는 현재 중로에 접하는 장방형의 토지이나, 이는 종전의 공익사업의 시행으로 새로운 도로가 개설되었기 때문이며, 분할되기 이전의 토지는 완만한 경사를 이루고 있는 부정형으로 세로에 접하는 토지였음.

현재의 토지 　　　　　　　　종전 공익사업에
　　　　　　　　　　　　　편입 당시의 토지

3. 종전의 공익사업이 시행되기 이전에는 일반주거지역이었으나, 종전의 공익사업으로 인하여 대상토지만 자연녹지지역으로 용도지역이 변경되었음.

4. 대상토지 주변은 당시 미개발지대로서 남측 근거리의 불량주택지대를 포함하여 재개발사업을 시행하였음.

(자료 4) 인근의 공시지가 표준지 현황

1. 대상토지 인근지역에 소재하며 표준적인 이용상황의 표준지는 다음과 같음.

일련번호	소재지	면적 (㎡)	지목	이용상황	용도지역	도로교통	형상지세	공시지가(원/㎡) 2001년	공시지가(원/㎡) 2013년
1	관악동 201	1,000	대	단독	일반주거	소로한면	장방형평지	600,000	1,000,000
2	관악동 202	1,000	대	단독	자연녹지	소로한면	장방형평지	200,000	300,000
3	관악동 산1	10,000	임야	자연림	일반주거	세로(가)	부정형완경사	120,000	200,000
4	관악동 산2	10,000	임야	자연림	자연녹지	세로(가)	부정형완경사	20,000	30,000

2. 표준지 일련번호 1은 2000년경 구획정리사업(환지방식)으로 개발된 주거지대 내에 소재하며, 당시 감보율이 40%였던 것으로 조사되었음.

(자료 5) 시점수정자료

1. 2001.1.1에서 2013.4.1까지의 지가변동률은 60%임.
2. 2013.1.1에서 2013.4.1까지의 지가변동률은 0%임.
3. 2000년 12월에서 2013년 3월까지의 생산자물가지수 변동률은 40%임.
4. 2012년 12월에서 2013년 3월까지의 생산자물가지수 변동률은 1%임.

(자료 6) 각종 격차율

1. 9,000~10,000㎡의 대지는 1,000㎡ 대지의 85% 수준임.
2. 부정형의 토지는 장방형 토지의 95% 수준임.
3. 대지인 경우 평지는 완경사지의 110% 수준임.
4. 중로에 접하는 토지는 세로에 접하는 토지의 120% 수준임.
5. 소로에 접하는 토지는 세로에 접하는 토지의 105% 수준임.

(자료 7) 기타

인근의 평가선례, 매매사례 등과 비교시 비교표준지의 공시지가는 인근 수준과 같은 수준으로 판단됨.

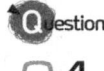

감정평가사 홍길동 씨는 법원으로부터 시장가치 및 예상낙찰가 산정을 의뢰받았다. 주어진 자료를 참고하여 시장가치 및 예상낙찰가를 구하고, 산출방법에 대해 약술하시오.
15점

(자료 1) 평가대상 부동산 개황

1. 소재지 : A시 B구 C동 100-1번지 외

2. 토지 : 100-1번지, 200㎡, 대, 준주거지역, 정방형, 평지
   100-2번지, 200㎡, 대, 준주거지역, 정방형, 평지
   100-3번지, 200㎡, 대, 준주거지역, 정방형, 평지

3. 건물 : 평가대상토지(100-1, 2, 3번지) 및 평가대상 외 토지(100번지 : 타인소유) 4필지 일단의 토지 지상 철근콘크리트조 슬래브지붕 1~4층 각 480㎡(지하층 없음) 근린생활시설(신축연도 2003.9.7)

4. 기준시점 : 2013.9.7

(자료 2) 주위환경 및 시장상황

1. 본건이 속한 A시 B구 C동은 전면 도로변으로 4~6층 근린생활시설이 혼재하며, 후면은 근린생활시설 및 단독, 다가구 등 주상복합지대로 형성되어 있음.

2. 본건 주위는 최근 2년간 가격변동추이는 보합정도이며, 향후 전망도 보합정도이나 용적률이 낮은 오래된 상업용 건물(1970년대 신축)의 경우 개별 또는 합필하여 철거 후 재건축이 진행 중인 필지도 일부 혼재함.

3. 토지소유자와 건물소유자가 다른 경우 건물소유자는 토지의 시장가치에 적정지료를 지불하고 정상적으로 사용·수익할 수 있는 것으로 조사되었으며, 주변의 토지 거래량이나 거래가격도 적정한 것으로 조사됨.

(자료 3) 지적도

(자료 4) 표준지공시지가

(2013.1.1)

기호	소재지	면적(m²)	지목	용도지역	이용상황	도로교통	형상지세	공시지가 (원/m²)
1	C동 99-1	200	대	준주거	상업용	중로한면	정방형 평지	5,200,000
2	C동 101-1	250	대	준주거	주상용	소로한면	가장형 평지	3,000,000
3	C동 103	400	대	준주거	상업용	중로한면	세장형 완경사	4,000,000

(자료 5) 개별요인 비교치

1. 접면도로

구분	중로각지	중로한면	소로각지	소로한면
비교치	1.05	1.00	0.90	0.85

2. 형상

구분	가로장방형	정방형	세로장방형	부정형
비교치	1.05	1.00	0.95	0.85

3. 지세

구분	평지	저지	완경사	급경사	고지
비교치	1.05	1.00	0.95	0.90	0.85

(자료 6) 신축단가 등

1. 철근콘크리트조 슬래브지붕(부대설비 포함) @1,400,000원/㎡(2013.1.1)(2013년 이후 건축비 변동은 없는 것으로 함)

2. 물리적 내용연수 : 철근콘크리트조 슬래브 50년

3. 잔존가치는 없는 것으로 봄.

(자료 7) 기타

A시 B구 근린생활시설의 최근 낙찰가율은 75% 정도임.

2014년 감정평가사 제25회

※ 공통유의사항
1. 각 문제는 해답 산정시 산식과 도출과정을 반드시 기재
2. 단가는 관련 규정에서 정하고 있는 사항을 제외하고 천원 미만은 절사, 그 밖의 요인 보정치는 소수점 셋째 자리 이하 절사

K감정평가법인 소속 감정평가사 甲은 서울특별시 A구청장으로부터 B12구역 주택재개발 정비사업구역 내에 소재한 공유지의 처분을 위한 감정평가를 의뢰받고 현장조사 및 가격조사를 완료하였는바, 주어진 자료를 기준으로 감정평가액을 구하시오. 30점

(자료 1) 감정평가 의뢰내역(요약)

1. 의뢰인 : 서울특별시 A구청장
2. 의뢰일자 : 2014.9.1
3. 제출기한 : 의뢰일로부터 14일 내
4. 의뢰목록

일련번호	소재지	지번	지목	면적(㎡)	용도지역
1	서울특별시 A구 B동	121	대	106.0	2종일주
2	〃	121-2	대	48.0	〃
3	〃	121-3	대	151.0	〃
4	〃	123-5	대	72.0	〃
5	〃	121-7	대	108.0	〃

(자료 2) 기본적 조사사항

1. 현장조사 및 가격조사 완료일자 : 2014.9.3~9.5

2. 조사내용
    1) 본건 토지는 사업시행인가일 현재 기존 주택지대 내에 소재하는 일단의 "공용주차장"으로 사용되었던 것으로 조사되었음.
    2) 현장조사일 현재 B12구역 주택재개발 정비사업이 착공된 상태로, 본건의 현황이 변경된 상태로서 주택재개발사업에 편입되어 일단의 사업부지로 이용 중임.
    3) 본건 "공용주차장"은 1985.6.21자로 도시계획시설(주차장) 실시계획인가 고시되었음.

4) B12구역 주택재개발 정비사업 현황(요약)
   (1) 소재지 : 서울특별시 A구 B동 178번지 일대
   (2) 사업구역면적 : 65,826㎡
   (3) 택지면적 : 42,786㎡
   (4) 사업시행인가고시일 : 2011.3.20
   (5) 착공일자 : 2013.10.28
   (6) 조합제시 사업비(개량비) 분석 내역(2014년 8월 말 현재)

항목	금액(원)	비고
토목공사비 등	15,682,000,000	-
공통비용	8,560,000,000	토지 및 건물에 공통으로 할당되는 금액으로, 토지비율은 48%임.
합계	24,242,000,000	-

(자료 3) 공시지가 표준지, 매매사례 및 평가선례 등

1. 인근 공시지가 표준지 내역

기호	소재지	면적(㎡)	지목	이용상황	용도지역	도로교통	형상지세	공시기준일	공시지가(원/㎡)	비고
①	B동 125-1	89.0	대	단독주택	2종일주	세로(가)	사다리평지	2011.1.1	2,300,000	B12구역 내(본건 남서측 인근)
								2012.1.1	2,380,000	
								2013.1.1	2,460,000	
								2014.1.1	-	
②	B동 132	102.0 (일단지)	대	주거나지	2종일주	광대소각	부정형평지	2011.1.1	-	B12구역
								2012.1.1	-	
								2013.1.1	-	
								2014.1.1	3,220,000	
③	B동 457	153.0	대	단독주택	2종일주	세로(가)	세장형평지	2011.1.1	2,180,000	본건 북측 인근
								2012.1.1	2,250,000	
								2013.1.1	2,320,000	
								2014.1.1	2,400,000	

2. 매매사례

기호	소재지	거래일자	지목	면적(㎡) 토지	면적(㎡) 건물	용도지역	거래가액/원
(가)	B동 78-2	2013.8.25	대	92.0	99.5	2종 일주	400,000,000
(나)	B동 249	2014.5.20	대	103.0	156.2	2종 일주	683,000,000

1) 기호 (가) : 매매 당시 블록조 단층주택이 소재하였으나, 매매 후 기존 건물은 철거(철거비와 폐자재 매각금액 동일)되고 현장조사일 현재 다세대주택이 신축되어 있음.
2) 기호 (나) : 3층 규모의 주상용 건물(철근콘크리트조) 신축 후 바로 매매된 것으로, 매매시점 당시 건물재조달원가는 @1,000,000원/㎡으로 조사됨.

3. 평가선례

기호	소재지	목적	기준시점	지목	면적(㎡)	용도지역	평가액(원/㎡)
㉠	B동 526외	택지비	2013.9.1	대	32,685.24	2종일주	5,700,000
㉡	B동 144외	택지비	2012.10.29	대	11,790.57	2종일주	5,160,000

(자료 4) 지가변동률(서울특별시 A구 주거지역)

기간	변동률(%)
2011.1.1~2011.3.20	0.096
2011.3.20~2014.9.5	3.487
2012.10.29~2014.9.5	1.926
2013.8.25~2014.9.5	0.999
2013.9.1~2014.9.5	0.221
2014.5.20~2014.9.5	0.022
2014.1.1~2014.9.5	0.057

(자료 5) 요인비교자료

1. **지역요인** : 본건, 공시지가 표준지, 매매사례 및 평가선례는 인근지역에 소재하여 지역요인은 대등함.

2. **개별요인**

(공시지가 표준지 : 1.00)

공시지가 표준지	본건	매매사례		평가선례	
		(가)	(나)	㉠	㉡
①	1.25	1.15	1.35	1.50	1.35
②	1.00	0.90	1.06	1.18	1.07
③	0.85	0.75	0.87	0.97	0.86

서울특별시 A구가 도시계획시설 도로개설사업으로 소유자 甲의 토지를 협의취득하였으나 이후 해당 토지가 B공사가 시행하는 H택지개발사업에 편입되어 환매권이 발생하였다. 그러나 사업시행자가 원소유자 甲에게 환매권이 발생한 사실을 통지나 공고를 하지 아니하여 결국 환매권이 상실되었다. 이에 원소유자 甲은 환매권 발생 토지의무 해태로 인한 손해배상소송을 제기하였다. 원소유자 甲의 환매권 상실로 인한 손해액을 다음 물음에 따라 구하시오. 30점

(1) 환매권 상실 당시의 토지평가에 적용할 비교표준지 기호 및 적용 공시지가(연도)와 그 선정이유 5점
(2) 환매권 상실 당시의 토지평가금액 5점
(3) 환매권을 행사하였을 경우 반환하여야 할 환매금액 15점
(4) 환매권 상실로 인한 손해액 5점

(자료 1) 개요

1. 지급한 보상금액은 토지 56,700,000원, 지장물 5,400,000원이며, 환매 토지의 소유권 이전일은 2001.9.20임.

2. H택지개발사업의 사업인정고시 의제일은 2007.10.27임.

(자료 2) 토지의 개황

1. 소재지 및 면적 : 서울특별시 A구 B동 119번지, 315㎡

2. 도로개설사업 편입 당시 : 전, 부정형, 완경사, 맹지

3. 가격조사 완료일 : 2014.9.20

4. 환매대상토지는 2004년 5월 중에 용도지역이 자연녹지지역에서 제2종일반주거지역으로 변경되었음.

(자료 3) 표준지공시지가

1. 인근 표준지공시지가의 특성항목

기호	소재지	지목	면적(㎡)	이용상황	용도지역	도로교통	형상지세
1	A구 B동 16	전	865	전	자연녹지	맹지	부정형 완경사
2	A구 B동 255-1	대	540	단독주택	자연녹지	세로(가)	부정형 평지
3	A구 B동 306	전	306	전	자연녹지	세로(가)	부정형 완경사
4	A구 B동 381-5	전	413	주거나지	2종일주	세로(불)	부정형 완경사
5	A구 B동 651	대	248	단독주택(다가구)	2종일주	세로(가)	가장형 평지
6	A구 C동 381-5	전	243	단독주택	2종일주	세로(가)	사다리 평지

1) 기호 2, 4, 5 표준지공시지가는 도로개설사업에 따른 가격변동이 있는 것으로 조사되었음.
2) 기호 3, 5 표준지공시지가는 2004년 신규표준지임.
3) 기호 6 표준지공시지가는 환매대상토지와 용도지역, 지목 및 이용상황의 변경과정이 유사함.

2. 인근 표준지공시지가의 연도별 공시가격

(단위 : 원/㎡)

기호	2001년	2002년	2007년	2008년	2011년	2012년
1	100,000	106,000	137,000	129,000	145,000	158,000
2	200,000	210,000	283,000	270,000	300,000	330,000
3	–	–	170,000	165,000	185,000	202,000
4	270,000	284,000	380,000	370,000	410,000	450,000
5	–	–	530,000	510,000	570,000	620,000
6	360,000	380,000	500,000	490,000	550,000	600,000

(자료 4) 지가변동률(서울특별시 A구)

기간	변동률(%)	
	주거지역	녹지지역
2001.1.1~2001.9.20	0.100	0.200
2001.1.1~2007.10.27	0.300	0.400
2001.1.1~2011.9.20	3.500	4.500
2007.1.1~2007.10.27	-0.001	-0.002
2007.1.1~2011.9.20	5.000	7.000
2011.1.1~2011.9.20	0.060	0.090

(자료 5) 지역요인 및 개별요인비교

1. 본건 토지와 표준지공시지가 기호 1~기호 6은 인근지역에 위치하므로 지역요인은 대등함.

2. 개별요인 비교치

구분	표준지 1	표준지 2	표준지 3	표준지 4	표준지 5	표준지 6
개별요인 비교치	1.010	1.020	1.030	1.040	1.050	1.060

(자료 6) 그 밖의 요인보정치

본건 평가에 적용할 그 밖의 요인보정치는 표준지공시지가 기호 1~기호 6 공히 1.30 으로 산정되었음.

(자료 7) 기타

1. 환매대상토지는 환매권 상실 당시 H택지개발지구에 편입되어 조성공사 중인 바, 지적확인이 곤란한 상태이며, 인근의 표준적인 이용상황은 주거용(다가구주택)임.

2. 상기 B공사는 「공공기관의 운영에 관한 법률」 제5조 제3항 제1호의 공공기관임.

3. 상기 H택지개발사업은 「공익사업을 위한 토지 등의 취득 및 보상에 관한 법률」 제4조 제5호에 규정된 공익사업임.

A획지 소유자는 B획지 소유자의 토지 및 전자공장 1동을 인수하여 자신의 토지와 합병한 후, 재가동하고자 한다. 이에 감정평가사 甲에게 토지와 건물의 적정매입 금액산정을 의뢰하였다. 주어진 자료에 의거 B획지에 소재한 토지와 공장의 가격을 다음 물음에 의거하여 산정하시오. 20점

(1) A와 B토지의 합병으로 인한 증분가치를 구하고, B토지의 적정매입가격을 기여도비율에 의한 차액배분법의 논리로 산정하시오. (합병에 따른 제반비용은 고려치 아니하기로 함) 10점

(2) B토지 지상의 공장에 대한 적정한 가격을 원가법에 의한 적산가격으로 산정하되, 재조달원가는 소유자 제시자료에 의한 직접법에 따라, 감가수정은 설비의 특성을 고려한 정률법에 의하시오. 10점

(자료 1) 토지의 상황

각 획지의 형태는 다음의 그림과 같다. 각각의 토지가치를 파악한 결과 A는 9,000,000,000원, B는 4,000,000,000원으로 판단된다. 이때 A와 B를 합병하면 토지의 가치는 그림의 C획지와 유사해 질 것으로 판단되며, C의 가치는 18,000,000,000원으로 조사된다.

획지	면적(m²)	단가(원/m²)	가격(원)
A	15,000	600,000	9,000,000,000
B	5,000	800,000	4,000,000,000
C	20,000	900,000	18,000,000,000

(자료 2) 공장설비에 관한 상황

1. B획지에는 완공된 지 1년이 경과한 공장설비가 소재한다. 이 공장은 전체가 정밀전자부품제조를 위한 특수한 '클린룸' 설비로 구성된 공장이다.

2. 재조달원가는 소유자 제시자료에 의거 직접법으로 산정하되, 이의 정산은 기획재정부 계약예규 "예정가격작성기준"에 의거 검토할 예정이며, 부가가치세 및 손해보험료는 고려치 아니하기로 한다.

3. 예정가격작성기준의 적용은 평가대상 설비의 특성상 공사원가계산을 적용하기로 하였고, 참고로 일반관리비율은 5%, 이윤율은 15%를 초과할 수 없도록 되어 있는 전문 및 기타 공사규정을 적용하여 이것만을 조정하기로 하였다. 한편, 재료비, 노무비, 경비 등은 세부내역을 토대로 검토한 결과 적정한 수준으로 판명되었다.

4. 본 공장은 정밀설비로 구성되어 내용연수는 20년으로 조사되며, 지난 1년간 사용상 특이사항 없이 잔존내용연수는 19년으로 하였고, 잔가율은 10%로 조사된다. 또한 감가수정은 정밀공장의 고유특성상 정률법을 적용하기로 하였다.

5. 지난 1년간 유사 공장(설비)신축에 관한 물가상승률(가격보정지수)은 극히 미미하여 적용치 아니하기로 하였다.

(자료 3) B획지 소유자 제시 공장의 신축 공사원가계산서(요약)

1. 재료비 : 20억원
2. 노무비 : 10억원
3. 경비 : 10억원
4. 일반관리비 : 4억원
5. 이윤 : 4억원
6. 합계 : 48억원

Question 04

다음 물음에 답하시오. 20점

1) A국에서 과거 약 20년간 상업용 부동산(A, B, C)과 주식(D)의 연간 평균수익률 추이를 조사한 후, 다음의 표와 같이 정리하였다.

(단위 : %)

구분 (자료기호)	작성 기초자료의 성격	기하평균 수익률	산술평균 수익률	표준 편차	시계열 상관계수
CREF(A)	매년의 감정평가액 집계	10.8	10.9	2.6	0.43
REITs(B)	리츠의 수익률 집계	14.2	15.7	15.4	0.11
C&S(C)	실거래가격의 통계처리	8.5	8.6	3.0	0.17
S&P 500(D)	주요주식의 거래가격	12.3	13.5	16.7	-0.10

이 자료의 해석과 관련하여, (1) 기하평균수익률과 산술평균수익률이 상이할 때 무엇을 채택하는 것이 합리적인지, (2) 상기 자료 B와 자료 D는 표준편차가 유사하고, 시계열 상관계수도 낮은 경향을 보이는 반면 자료 A는 표준편차가 가장 낮고, 시계열 상관계수가 가장 높은 특징을 보이는 이유를 기초자료의 성격과 관련하여 약술하시오. 10점

2) 완전소유권의 시장가치는 임대권가치와 임차권가치의 합이라 할 때, 연간 시장임대료(순임대료)는 12,000,000원, 연간 계약임대료(순임대료)는 9,000,000원, 계약기간 10년, 계약기간 만료시 본건 부동산의 완전 소유권 시장가치는 120,000,000원이고 계약기간 중 시장가치의 변동은 없는 것으로 예상되는 경우 다음 물음에 답하시오. 10점

   (1) 임대권(賃貸權) 수익률이 9.00%라고 할 경우 본건의 내재된 임차권(賃借權) 수익률은 얼마인가? 5점
   (2) 어떤 경우에 「완전소유권 시장가치 = 임대권가치 + 임차권가치」의 등식이 성립하지 않는가? 5점

2015년 감정평가사 제26회

> ※ **공통유의사항**
> 1. 각 문제는 해답 산정시 산식과 도출과정을 반드시 기재
> 2. 단가는 관련 규정에서 정하고 있는 사항을 제외하고 천원 미만은 절사, 그 밖의 요인 보정치는 소수점 셋째 자리 이하 절사

Question 01 한국○○공사는 보유 중인 부동산을 매각하기 위해 김공정 감정평가사에게 일반거래(시가참고) 목적의 감정평가를 의뢰하였다. 관련법규 및 이론을 참작하고 제시된 자료를 활용하여 다음의 물음에 답하시오. 40점

(1) 본 감정평가에 적용할 층별 효용지수를 산정하시오. 10점
(2) 시산가액 조정을 통해 감정평가액을 구하시오. 30점

(자료 1) 기본적 사항

1. 감정평가 의뢰내역

기호	소재지 지번	층	호수	전용면적(㎡)	공용면적(㎡)	전체면적(㎡)
1	서울시 A구 B동 ○○번지	1층	101	1,350	1,650	3,000
2		2층	201	1,215	1,485	2,700
3		3층	301	1,215	1,485	2,700
4		4층	401	1,100	1,600	2,700
5		5층	501	1,215	1,485	2,700
6		6층	601	900	1,100	2,000
7		지 1층	B101	2,250	2,750	5,000

2. 기준시점 : 2015.8.20
3. 기준가치 : 시장가치
4. 평가목적 : 일반거래(시가참고)

(자료 2) 지역분석자료

1. 본건이 위치하고 있는 지역은 새롭게 조성된 상업 및 업무지대로 토지 및 업무시설(집합건물)의 평가사례 및 거래사례가 풍부함.

2. 기준시점 현재 해당 지역의 업무시설가격은 2013년 1분기 대비 소폭 상승하였으나 해당 기간 동안 업무시설가격은 상승과 하락을 반복하였음.

3. 사무실 또는 상가는 층별 각기 다른 가격격차를 보이고 있는데, 고객의 이용에 따른 편의성, 접근성, 수익성 등에 따른 것으로 판단됨. 한편, 지하철역과의 거리에 따른 가격격차도 확인할 수 있었음. 그리고 지하철역과의 거리에 따른 가격격차는 업무용 토지가격에서도 확인할 수 있었음.

4. 상기의 지역분석은 탐문조사, 평가사례 및 거래사례 등을 이용하여 분석한 것으로 보다 상세한 해당 지역의 가치형성요인을 분석하기 위해 기준시점으로부터 6개월 이내 자료를 이용하여 계량분석을 실시함.

(자료 3) 가치형성요인의 계량분석

1. 헤도닉가격모형을 이용하여 해당 지역의 가치형성요인을 분석함.

2. 토지만의 거래사례를 이용하여 업무용 토지가격을 종속변수로 한 모형을 추정한 결과 모형의 설명력은 0.875(수정된 R제곱)이고, F-value는 629.430으로 나타남. 다음은 분석내용임.
    1) 설명변수로 채택된 업무용 토지의 면적은 5% 유의수준에서 5,000㎡~16,500㎡ 면적의 토지는 5,000㎡ 미만 면적의 토지에 대해 다른 조건이 일정할 때 가격측면에서 약 10% 우세한 것으로 나타났으며 이는 통계적으로 유의함.
    2) 설명변수로 채택된 본건과 지하철역과의 거리는 5% 유의수준에서 유의했는데, 지하철역과의 거리가 0.5km~1km인 토지는 0.5km 미만의 토지에 대해 다른 조건이 일정할 때 가격측면에서 3% 열세한 것으로 나타났으나 1km 초과 토지는 통계적으로 유의하지 않음.

3. 집합건물인 업무시설(사무실)이 거래사례를 이용하여 업무시설가격을 종속한 변수로 한 모형을 추정한 결과 모형의 설명력은 0.825(수정된 R제곱)이고, F-value는 523.257로 나타남. 다음은 분석내용임.
    1) 설명변수로 채택된 층의 경우 본 계량모형상의 1층 가격은 약 3,500,000원/㎡ 정도임. 한편, 다른 조건이 모두 동일한 경우 지하 1층은 1% 유의수준에서 880,000원/㎡ 정도가 1층에 비해 가격이 낮게 나타남. 한편, 2층부터 6층까지는 5% 유의수준에서 2층은 410,000원/㎡, 3층은 295,000원/㎡, 4층은 385,000원/㎡, 5층은 350,000원/㎡, 6층 이상은 400,000원/㎡ 정도가 1층에 비해 가격이 낮게 나타났으며 이는 통계적으로 유의함.

2) 설명변수로 채택된 지하철역까지의 거리변수는 5% 유의수준에서 유의했고 지하철역에서 멀어질수록 업무시설가격은 하락(-)함.
3) 설명변수로 채택된 전용률의 경우 전체 면적이 통제된 상태에서 전용면적의 증가는 업무시설가격에 긍정적인(+) 효과를 미쳤고 1% 유의수준에서 유의한 것으로 나타남. 구체적으로 전용률 45% 미만의 업무시설은 전용률 45% 이상의 업무시설에 비해 가격측면에서 약 3% 열세한 것으로 나타남. 한편, 전용면적이 통제된 상태에서 공용면적의 증가는 통계적으로 유의하지 않음.
4) 설명변수로 채택된 업무시설의 전체 면적은 1% 유의수준에서 4,000㎡~8,000㎡ 면적의 업무시설은 4,000㎡ 미만 면적의 업무시설에 비해 다른 조건이 일정할 때 가격측면에서 약 5% 열세한 것으로 나타났으며 통계적으로 유의함.

(자료 4) 개별요인 분석자료

1. 대상 부동산은 건물 전체가 의뢰된 건으로 총 7개의 집합건물로 구성되어 있고, 적법한 절차를 걸쳐 완공된 상태임.

2. 토지

구분	내용
지목 및 면적	대/3,637㎡
위치 및 주위환경	서울시 A구 B동 소재 H백화점 북측 인근에 소재하며 인근은 상업 및 업무지대임.
도로 및 교통환경	본건 남측으로 지하철 K역(본건과의 거리 : 0.62km)이 위치해 있고 동측 및 남측 인근에 일반버스정류장이 소재하는 등 교통사항은 양호함.
지형, 지세 및 이용상황	남측 및 서측은 인접도로와 등고평탄한 정방형 토지로 기준시점 현재 업무시설부지로 이용 중임.
토지이용계획사항	도시지역, 준주거지역, 제1종 지구단위계획구역, 대로2류(폭 30M~35M)(접함), 중로2류(폭 15M~20M)(접함)

3. 건물

구분	내용
구조 및 용도	철골철근콘크리트조 슬래브지붕, 업무시설
건축면적 및 연면적	2,228㎡ / 20,800㎡
층수 등	지상 6층(지상 1층~지상 6층 : 업무시설) 지하 3층(지하 1층 : 업무시설, 지하 2, 3층 : 주차장, 기계실, 전기실 등)
사용승인일	2013년 7월 20일
주차 및 부대설비	140대(주차), 엘리베이터 4대 에스컬레이터 2대, 소화설비, 냉난방설비 등

(자료 5) 집합건물 거래사례(소재지 : 서울시 A구 B동)

기호	지번	층	호수	전용면적(㎡)	전체면적(㎡)	거래가격(원)	용도	거래시점
A	625	3	301	1,350	3,000	8,500,000,000	사무소	2015.1.10
B	670	4	401	1,125	2,500	6,780,000,000	사무소	2015.2.10
C	710	5	501	1,080	2,700	6,350,000,000	연구소	2015.3.10
D	720	지1	B101	2,080	5,200	11,000,000,000	사무소	2015.4.10

1. 지하철역까지의 거리
    - 기호 A : 0.55km, 기호 B : 0.63km, 기호 C : 0.60km, 기호 D : 1.80km

2. 용도지역
    - 기호 A : 일반상업, 기호 B : 준주거, 기호 C : 준주거, 기호 D : 준주거

3. 가치형성요인의 경우 상기 자료 외에는 대상과 사례가 동일함.

(자료 6) 층별 효용지수 참고자료

1. 계량분석 외 본건에 인접한 유사 건물의 평가사례 및 실무기준해설서상의 층별 효용지수 관련 자료는 다음과 같음.

층	평가사례 1 (2013.3.27)	평가사례 2 (2014.9.15)	평가사례 3 (2015.7.20)	실무기준해설서 A형	실무기준해설서 B형
지상 5층 이상	85	87	90	42	51
지상 4층	92	87	90	45	51
지상 3층	83	87	90	50	51
지상 2층	85	87	90	60	51
지상 1층	100	100	100	100	100
지하 1층	–	–	–	44	44

(자료 7) 공시지가 표준지

1. 공시기준일 : 2015년 1월 1일

2. 인근지역 내 공시지가 표준지 내역(소재지 : 서울시 A구 B동)

기호	지번	지목	면적(㎡)	이용상황	용도지역	도로교통	형상지세	공시지가(원/㎡)	지하철역과의 거리
가	630	대	5,179.2	업무용	일반상업	중로각지	세장형 평지	3,000,000	0.5km

기호	지번	지목	면적(㎡)	이용상황	용도지역	도로교통	형상지세	거래단가(원/㎡)	
나	681	대	3,329.2	업무용	준주거	광대소각	정방형 평지	3,250,000	1.5km
다	702	대	9,038.0	업무용	준주거	중로각지	정방형 평지	2,800,000	0.7km

(자료 8) 토지거래사례

(소재지 : 서울시 A구 B동, 거래시점 : 2015년 7월 10일)

기호	지번	지목	면적(㎡)	이용상황	용도지역	도로교통	형상지세	거래단가(원/㎡)
1	698	대	3,500	업무용	준주거	광대한면	사다리형 평지	5,800,000

※ 지하철역과의 거리 : 0.3km

(자료 9) 재조달원가 자료(기준시점 기준)

기호	용도	구조	급수	단가(원/㎡)	내용 연수
1	사무실	철골철근콘크리트조 슬래브지붕(6층 이하)	1급	1,540,000	55(50-60)
2	사무실	철근콘크리트조 슬래브지붕(6층 이하)	1급	1,400,000	55(50-60)

(자료 10) 수익 관련 자료

1. 임대사례[소재지 : 서울시 A구 B동, 임대면적 : 3,000㎡(전체)]

기호	지번	층	호수	전용률	보증금(원/㎡)	월임대료(원/㎡)	월관리비(원/㎡)	지하철역과의 거리
1	699	1	101	45%	100,000	10,000	6,000	0.63km

2. 임대사례는 기준시점 현재 해당 업무지대의 평균적인 사례임.
3. 공실 및 대손충당금 : 가능조소득의 10%
4. 영업경비 : 연간관리비의 80%
5. 보증금, 월임대료, 월관리비는 전체면적 기준임.
6. 종합환원이율 : 연 4.0%, 보증금 운용이율 : 연 3.0%
7. 가치형성요인의 경우 상기 자료 외에는 대상과 사례가 동일함.

(자료 11) 기타자료

1. 도로접면 격차율

구분	광대한면	중로한면	소로한면	세로(가)	세로(불)
격차율	1.00	0.90	0.88	0.85	0.70

※ 도로접면이 각지인 경우는 한면에 접하는 경우에 비해 1% 우세함.

2. 형상 격차율

구분	정방형	가장형	세장형	사다리형	부정형
격차율	1.00	0.99	0.99	0.98	0.90

3. 시점수정자료

   1) 지가변동률(단위 : %)

기간	용도지역	
	주거지역	상업지역
2015.1.1~2015.7.31(누계)	0.435	0.420
2015.7.1~2015.7.31(당월)	0.020	0.010

※ 2015년 8월 이후 지가변동률은 미고시 상태이며, 2015년 7월 지가변동률과 동일하게 변동하는 것으로 추정함.

   2) 오피스 자본수익률(단위 : %)

기간	2015년 1분기	2015년 2분기
자본수익률	0.35	0.30

※ 2015년 2분기 이후 오피스 자본수익률은 미고시 상태이며, 2015년 2분기 오피스 자본수익률과 동일하게 변동하는 것으로 추정함.

4. 거래사례 및 임대사례는 모두 정상적인 사례로 판단되며, 토지거래사례는 그 밖의 요인보정치 산정에 활용함.

5. 건물의 감가수정은 정액법을 적용하며, 가치형성요인과 관련된 보정치는 계량분석 내용을 준용하여 적용 가능함.

6. 유의수준이란 가설검증시 제1종 오류를 범할 확률의 허용한계, 즉, 오차 가능성을 말함.

 감정평가사 김공정은 택지개발사업과 관련하여 보상목적의 감정평가를 의뢰받았다. 관련법규 및 이론을 참작하고 제시된 자료를 활용하여 다음의 물음에 답하시오. 30점

(1) 자료와 같은 내용의 구분지상권이 설정된 토지가 공익사업에 편입되어 해당 송전선을 철거하는 경우 보상목적의 구분지상권 감정평가방법에 대해 구체적으로 기술하되 각 방법의 장점과 단점도 포함하여 기술하시오. 10점

(2) 주어진 자료를 활용하여 대상물건의 보상액을 구하되, 적용가능한 방법을 모두 활용한 후 시산가액의 조정을 통해 구하시오. 20점

(자료 1) 공익사업에 관한 사항

1. 사업명 : ○○지구 택지개발사업(공익사업근거법 : 택지개발촉진법)
2. 사업지구면적 : 180,000㎡
3. 사업시행자 : G지방공사
4. 사업추진일정
   1) 택지개발지구지정·고시일 : 2011.9.9
   2) 보상계획공고일 : 2012.2.20
   3) 실시계획승인·고시일 : 2013.4.4

(자료 2) 감정평가의 기본적 사항

1. 대상물건 : 경기도 A시 B읍 C리 1번지의 구분지상권
2. 감정평가목적 : 보상
3. 기준시점 : 2015.9.2

(자료 3) 구분지상권에 관한 사항

1. 구분지상권자 : H전력공사
2. 구분지상권의 목적 : 154kV 가공 송전선로 건설
   ※ 가공 송전선로 : 송전철탑을 통해 공중으로 설치한 송전선로
3. 구분지상권의 범위 : 경기도 A시 B읍 C리 1번지 토지 상공 15m에서 30m까지의 공중공간(선하지면적 : 300㎡)
   ※ 선하지면적은 구분지상권 설정면적을 말함.
4. 구분지상권의 존속기간 : 해당 송전선로 존속시까지
5. 구분지상권 설정일 : 2010.3.3

6. 당시 보상액(구분지상권 설정대가) : 32,000,000원
7. 특약사항 : 존속기간 동안 구분지상권 설정대가의 증감은 없음.
8. 기타사항 : 송전선로가 필지의 중앙을 통과함.

(자료 4) 토지에 관한 사항

1. 소재지 : 경기도 A시 B읍 C리 1번지
2. 면적 : 300㎡, 지목 : 전, 실제 이용상황 : 전
3. 접면도로 : 폭 6m의 도로와 접함.
4. 토지이용계획의 변동사항
   1) 2010.1.1~2013.4.3 : 자연녹지지역
   2) 2013.4.4~2015.9.2 : 일반주거지역(택지개발사업으로 인해 변경)

(자료 5) 주변지역 현황

1. 구분지상권이 설정된 토지(경기도 A시 B읍 C리 1번지 토지) 주변은 송전선 건설 당시 농지지대에서 주택지대로 전환되는 중이었고(단독주택이 지속적으로 건설되고 있었음), 당시 인근지역에 속한 토지로서 ○○ 택지개발지구 인근의 지구 밖 토지 대부분은 기준시점 현재 단독주택부지로 이용하고 있음.
2. 조사결과 기준시점 현재 ○○ 택지개발지구와 접한 지구 밖 토지의 표준적 이용은 2층의 단독주택부지이며, 주택의 표준적인 각 층의 층고는 3.5m임.

(자료 6) 표준지공시지가 자료

기호	소재지 지번	면적(㎡)	지목	이용상황	도로교통	형상지세
가	B읍 C리 100	360	답	과수원	세로(불)	세장형 완경사
나	B읍 C리 250	280	대	주거나지	세로(가)	세장형 평지
다	B읍 D리 500	350	전	과수원	세로(가)	가장형 평지

※ 표준지 '가'~'다'는 모두 동일수급권 내에 소재함.

기호	용도지역	공시기준일	공시지가(원/㎡)	비고
가	자연녹지	2011.1.1	300,000	○○지구 택지개발사업지구 내의 토지로 도시계획시설 도로에 40% 저촉함.
		2013.1.1	380,000	
	일반주거	2015.1.1	480,000	

기호	용도지역	공시기준일	공시지가	비고
나	자연녹지	2011.1.1	340,000	○○지구 택지개발사업지구 내의 토지로 가공 송전선으로 인해 구분지상권이 설정되어 있음.
	자연녹지	2013.1.1	420,000	
	일반주거	2015.1.1	500,000	
다	자연녹지	2011.1.1	300,000	○○지구 택지개발사업지구 밖의 토지로 가공 송전선으로 인해 구분지상권이 설정되어 있음.
	자연녹지	2013.1.1	360,000	
	자연녹지	2015.1.1	500,000	

※ 도시계획시설 도로에 저촉하는 표준지의 경우 해당 부분에 대해 20%의 감가율을 적용하여 공시하였음.

(자료 7) 시점수정자료 : 경기도 A시 지가변동률

기간	지가변동률(단위 : %)	
	주거지역	녹지지역
2010.1.1~2010.12.31(누계)	1.103	2.758
2011.1.1~2011.12.31(누계)	2.154	3.085
2012.1.1~2012.12.31(누계)	2.060	2.072
2013.1.1~2013.12.31(누계)	2.058	2.085
2014.1.1~2014.12.31(누계)	2.064	3.082
2015.1.1~2015.7.31(누계)	-0.130	-0.120
2015.7.1~2015.7.31(당월)	0.060	0.072

※ 2015년 8월 이후 지가변동률은 미고시 상태이며 2015년 7월 지가변동률과 동일하게 변동하는 것으로 추정함.

(자료 8) 보상사례자료

1. 보상물건 : 경기도 A시 B읍 D리 500번지[(자료 6)의 기호 '다' 토지임]의 구분지상권 (구분지상권 설정일 : 2010.3.3)
2. 보상사유 : 도시개발사업(사업인정고시일 : 2013.5.1, 사업지구면적 : 100,000㎡)에 편입되어 154kV 가공 송전선로 철거
3. 보상액 : 37,400,000원
4. 보상액 감정평가시 기준시점 : 2015.7.31
5. 구분지상권의 범위 : 경기도 A시 B읍 D리 500번지 토지 상공 16m에서 30m까지의 공중공간(선하지면적 : 280㎡)
6. 구분지상권의 존속기간 : 해당 송전선로 존속시까지
7. 특약사항 : 존속기간 동안 구분지상권 설정대가의 증감은 없음.
8. 기타사항 : 송전선로가 필지의 중앙을 통과함.

(자료 9) 구분지상권의 가치형성요인 비교자료 등

1. 조사결과 가공 송전선로를 위한 구분지상권의 가치는 해당 부지의 지역요인 및 개별요인, 송전선로로 인한 입체이용저해율 및 추가보정률(쾌적성 저해요인, 시장성 저해요인, 기타 저해요인), 선하지면적에 영향을 받음.
2. 조사결과 (자료 8)의 보상사례와 대상물건은 (자료 10) 및 (자료 11)의 내용과 같이 비교치가 산정됨.
3. 조사결과 구분지상권의 가치는 지가변동률과 동일하게 변동함.

(자료 10) 지가형성요인 비교자료

1. **지역요인 비교치** : 표준지와 비교한 B읍 C리 1번지의 비교치

표준지 '가'	표준지 '나'	표준지 '다'
1.00	1.00	1.10

※ 비교치는 표준지공시지가의 공시기준일이 상이해도 동일하게 적용함.

2. **개별요인 비교치** : 표준지와 비교한 B읍 C리 1번지의 비교치

표준지 '가'	표준지 '나'	표준지 '다'
1.10	0.90	1.00

※ 비교치는 표준지공시지가의 공시기준일이 상이해도 동일하게 적용함.

3. **그 밖의 요인보정치**

    토지의 감정평가에 적용할 그 밖의 요인보정치는 공시기준일에 상관없이 표준지 '가'~'다' 모두 1.30으로 적용함.

(자료 11) 보정률 산정자료

1. **건조물의 이격거리**

    건조물은 가공전선의 전압 35kV 이하는 3m, 35kV를 초과하는 경우에는 초과하는 10kV 또는 그 단수마다 15cm를 가산한 수치씩 이격하여야 함.

2. **주택지대의 층별 효용지수**

    1층 : 100, 2층 : 100

3. 입체이용률 배분표

구분	건물이용률(α)	지하이용률(β)	그 밖의 이용률(γ)	γ 의 상하배분비율
주택지대·택지후보지지대	0.7	0.15	0.15	3:1
농지지대	0.8	0.1	0.1	4:1

4. 추가보정률 산정기준표

구분	추가보정률 적용범위		상·중·하 구분기준
	주택지대·택지후보지지대	농지지대	
쾌적성 저해요인	상 : 10.0% 중 : 7.5% 하 : 5.0%	상 : 5.0% 중 : 4.0% 하 : 3.0%	송전선로의 높이를 기준으로 구분 적용 • 10m 이하 : 전압에 관계없이 '상' • 10m 초과 20m 이하 : 154kV 이하는 '중', 154kV 초과는 '상' • 20m 초과 : 754kV 이상은 '상', 345kV 이상은 '중', 154kV 이하는 '하'
시장성 저해요인	상 : 10.0% 중 : 7.0% 하 : 4.0%	상 : 7.0% 중 : 5.0% 하 : 3.0%	선하지면적비율 또는 송전선로의 통과위치를 기준으로 구분 적용 • 선하지면적비율이 40%를 초과하거나 송전선로가 필지의 중앙을 통과하는 경우 : '상' • 선하지면적비율이 20%를 초과하거나 송전선로가 필지의 측면을 통과하는 경우 : '중' • 선하지면적비율이 20%를 이하이거나 송전선로가 필지의 모서리를 통과하는 경우 : '하'
기타 저해요인	상 : 10.0% 중 : 6.0% 하 : 3.0%	상 : 8.0% 중 : 5.0% 하 : 3.0%	송전선로의 존속기간을 기준으로 구분 적용 • 존속기간이 30년을 초과하는 경우 : '상' • 존속기간이 10년을 초과하는 경우 : '중' • 존속기간이 10년 이하인 경우 : '하'

추가보정률 산정기준 : 각 해당 항목을 가산하여 산정

(자료 12) 기타 자료

일시금 운용이율(또는 환원율) : 연 5.0%

Question 03 감정평가사 김공정 씨는 ○○ 택지개발사업지구로 지정고시된 지역의 보상에 대하여 중앙토지수용위원회로부터 이의재결 평가를 의뢰받았다. 관련법규를 참작하고 제시된 자료를 활용하여 다음의 물음에 답하시오. 20점

(1) 토지의 보상액을 감정평가하시오. 10점
(2-1) 관련법규에 의거 농업손실보상대상 여부를 검토하시오. 5점
(2-2) 보상대상자별로 농업손실보상액을 산정하시오. 5점

(자료 1) 사업의 개요

사업의 종류 및 명칭	사업시행자	사업의 위치 및 면적
○○ 택지개발사업지구	한국 △△ 공사	K도 P시 A동 및 Y동 일원 245,050㎡

1. 사업추진일정

택지개발사업 주민 등의 의견청취공고일	2013.6.19
택지개발지구지정·고시일	2014.1.2
보상계획공고일	2015.2.5
재결일	2015.8.25
현장조사 완료일	2015.9.19
이의재결일	2015.10.5

(자료 2) 의뢰물건의 내용

1. 토지조서

기호	소재지 지번	지목	공부면적(㎡)	편입면적(㎡)	비고(소유자)
1	P시 A동 10	임	1,200	1,200	이대한

2. 물건조서

기호	소재지 지번	물건의 유형	물건의 종류	구조 및 규격	수량	단위
1-1	P시 A동 10	농업손실 보상	당근	-	1	식

(자료 3) 현장조사내용

1. (자료 2)의 기호 (1) 토지는 토지소유자 이대한 씨가 산지전용허가를 받지 아니하고 형질변경하여 경작해오다 건강악화로 김민국과 임대차계약서를 작성하고, 2013년 2월부터 김민국 씨가 당근을 재배하고 있음.
2. 이대한 씨와 김민국 씨는 모두 해당 지역에 거주하는 「농지법」에서 정하는 농민으로, 농업보상에 대한 협의가 성립되지 아니한 상태임.
3. (자료 2)의 기호 (1) 토지는 차량통행이 불가능한 노폭 약 2미터의 비포장도로에 접해 있고, 남서하향의 약 15도의 경사지에 위치한 부정형의 토지임. 한편, 용도지역은 계획관리지역임.

(자료 4) 표준지공시지가

기호	소재지	면적(㎡)	지목	이용상황	용도지역	도로교통	형상지세	공시지가(원/㎡)		
								2013.1.1	2014.1.1	2015.1.1
가	P시 A동 101	1,000	전	전	계획관리	세로(불)	세장형 평지	68,000	74,000	77,000
나	P시 Y동 15	1,000	임	자연림	계획관리	맹지	부정형 완경사	21,000	23,000	24,000
다	P시 A동 산 11	12,000	임	자연림	생산관리	맹지	부정형 급경사	15,000	17,000	18,000

(자료 5) 시점수정자료

지가변동률(P시 계획관리지역, %)

구분	변동률
2013.1.1~2013.12.31(누계)	4.213
2014.1.1~2014.12.31(누계)	2.765
2015.1.1~2015.7.31(누계)	1.175
2015.7.1~2015.7.31(당월)	0.167

※ 2015년 8월 이후 지가변동률은 미고시 상태이며 2015년 7월 지가변동률과 동일하게 변동하는 것으로 추정함.

(자료 6) 표준지공시지가 평균변동률(%)

구분	2013년~2014년	2014년~2015년	2013년~2015년
K도	1.54	1.69	3.26
P시	3.51	4.23	7.89

(자료 7) 지역요인 및 개별요인 비교자료

1. K도 P시 A동 및 Y동은 인근지역임.

2. 도로접면격차율

광대세각	광대한면	소로한면	세로가	세로(불)	맹지
1.00	0.95	0.86	0.81	0.75	0.72

3. 형상격차율

정방형	장방형	사다리형	부정형
1.00	0.99	0.98	0.95

4. 지세격차율

평지	완경사
1.00	0.97

(자료 8) 농업보상자료

1. 통계청 농가경제조사 통계자료(도별 연간 농가평균 단위경작면적당 농작물 총수입)

(단위 : 원, ㎡)

행정구역	농작물 총수입(원)	경지면적(㎡)	농작물총수입/경지면적(원/㎡)	2년분 농업손실보상액(원/㎡)
K도	18,855,086	11,086.12	1,701	3,402

2. 실제소득인정기준에서 정하는 기관(농협)에서 발급받은 거래실적자료

출하주	출하처	품목	중량(kg)	평균판매단가(원/kg)	판매금액(원)	발급기관	비고
김민국	L마트 외 4개소	당근	6,521	1,050	6,847,050	농협	연평균

※ 김민국 씨는 P시 A동 10번지 토지에서만 당근을 경작함.

3. 농축산물소득자료집 중 작목별 평균소득

(기준 연1기작/1,000㎡)

	수량(kg)	단가(원)	금액(원)	비고
조수입	4,148	832	3,481,088	-
생산비	-	-	1,595,346	종자비, 비료비 등
소득	-	-	1,885,742	소득률 54.2%

(자료 9) 기타자료

1. (자료 4)의 기호 (가)~(다)는 사업지구 내의 토지로서, 기호 (가)~(다)의 평균변동률은 사업지구 내 표준지 전체의 평균변동률과 동일함.

2. 그 밖의 요인보정 : 대상토지의 인근지역 등의 정상적인 거래사례와 보상사례를 참작한 결과 농경지는 40% 상향보정, 임야는 80% 상향보정, 대지는 20%의 상향보정을 요함.

감정평가사 김공정 씨는 다음 물건에 대하여 ○○지방법원으로부터 경매목적의 감정평가를 의뢰받았다. 기준시점을 2015.9.19로 하여 관련법규 및 이론을 참작하고 주어진 자료를 활용하여 감정평가하시오. 10점

(자료 1) 법원감정평가 명령서 내용요약 및 평가대상

1. 기호(1) : S시 S구 S동 1210번지, 대, 200㎡, 제2종일반주거지역
2. 기호(가) : S시 S구 S동 1210번지 지상 철근콘크리트조 및 벽돌조 슬래브지붕 2층 주택(사용승인일 : 2009.12.5, 완공일 : 2008.5.5)
    1층 : 철근콘크리트조 단독주택 100㎡
    2층 : 벽돌조 단독주택 12㎡(2012.2.3 증축)
3. 현장조사사항 : 기호(1) 토지 지상에는 (자료 2) 현황도와 같이 법원의 제시목록 외 기호 ㉠, ㉡이 소재함. 제시목록뿐만 아니라 등기사항전부증명서 및 대장에도 등재되어 있지 아니하여 소유권에 대한 재확인이 필요함.
4. 유의사항 : 제시 외 건물이 있는 경우에는 반드시 그 가액을 평가하고, 제시 외 건물이 경매대상에서 제외되어 그 대지가 소유권의 행사를 제한받는 경우에는 그 제한을 반영하여 평가함.

(자료 2) 현황도

(자료 3) 건물평가자료

구분	구조	이용상황	재조달원가(원/㎡)	면적(㎡)	적용단가(원/㎡)
기호(가) 기존	철근콘크리트조 슬래브지붕	주택(방 1, 거실, 주방, 화장실 1)	750,000		
기호(가) 증축	벽돌조 슬래브지붕	방 1	600,000		
제시 외 건물 기호 ㉠	경량철골조 판넬지붕	보일러실	–	4	100,000
제시 외 건물 기호 ㉡	벽돌조 슬래브지붕	주택(방 1, 주방 1, 화장실 1)	600,000	48	

※ 철근콘크리트조 내용연수 50년, 벽돌조 내용연수 45년, 잔가율 0%
※ 제시 외 건물 기호 ㉠은 신축연도가 불명확하여 관찰감가를 병용하여 적용단가를 산정하였으며, 면적은 실측면적임.
※ 제시 외 건물 기호 ㉡은 잔존내용연수가 20년으로 추정됨.

(자료 4) 기타자료

제시 외 건물이 토지에 미치는 영향을 고려하지 아니하고 공시지가 기준으로 평가한 금액은 6,530,000원/㎡임. 제시 외 건물이 토지에 미치는 영향이 있다고 판단될 경우에는 아래 사항을 감안하여 평가하기 바람.

구분	전체 토지에 미치는 영향
제시 외 건물 기호 ㉠	1%
제시 외 건물 기호 ㉡	12%

2016년 감정평가사 제27회

※ **공통유의사항**
1. 각 문제는 해답 산정시 산식과 도출과정을 반드시 기재
2. 단가는 관련 규정에서 정하고 있는 사항을 제외하고 천원 미만은 절사, 그 밖의 요인 보정치는 소수점 셋째 자리 이하 절사

감정평가사 甲은 부동산투자자 乙로부터 대상 부동산 투자에 관한 정보의 제공을 의뢰 받고, 관련 자료를 수집·분석하여 乙에게 제공하려고 한다. 제시된 자료를 참조하여 다음 물음에 답하시오. 40점

(1) 2016년 7월 1일 기준 대상 부동산의 시장가치를 구하되, 비교방식, 수익방식, 건물을 원가법으로 하는 공시지가기준법에 의한 가격을 각각 제시하시오. 25점

(2) 乙이 대상 부동산을 2016년 7월 1일 매입하고 3년간 보유한 후 매각한다고 했을 때, 순현재가치(NPV)를 구하고, 乙의 투자계획에 대하여 전문가로서 제시할 의견을 기술하시오. 15점

(자료 1) 대상 부동산 현황

1. 토지현황
   1) 소재지 : S시 T구 W동 500번지, 501번지
   2) 용도지역 : 일반상업지역
   3) 토지특성(2필 일단의 토지로서, 부정형의 평지이며, 소로한면에 접함)
      - 500번지 : 대, 350㎡, 세로장방형, 평지, 소로한면
      - 501번지 : 대, 450㎡, 사다리형, 평지, 소로한면

2. 건물현황
   1) 구조 : 철근콘크리트조 슬래브지붕
   2) 사용승인일자 : 2005년 5월 1일
   3) 세부현황 : 500번지, 501번지 양 지상에 위치함.

층별	구조	면적(㎡)	용도	비고
지하 1층	철근콘크리트조	260	주차장, 기계실	-
지상 1층	철근콘크리트조	520	사무실	P은행 임차
지상 2층	철근콘크리트조	520	사무실	P은행 임차
지상 3층	철근콘크리트조	520	사무실	R회사 임차
지상 4층	철근콘크리트조	520	사무실	R회사 임차
지상 5층	철근콘크리트조	400	사무실	공실
계		2,740		-

3. 기타현황 : 현재 대상 부동산의 소유자는 丙과 丁이 공동소유(각각 50%)를 하고 있으며, 소유자 丙의 명의로 C은행에 근저당권 5억원이 설정되어 있음.

(자료 2) 표준지공시지가 현황(공시기준일 : 2016.1.1)

기호	소재지 (지번)	면적(㎡)	지목	이용 상황	용도 지역	주위 환경	도로 교통	형상 지세	공시지가 (원/㎡)
1	V동 130	(일단지) 535	대	주상용	일반 상업	후면 상가지대	소로 한면	사다리형 평지	2,700,000
2	V동 150	800	대	상업용	일반 상업	노선 상가지대	소로 한면	가장형 평지	3,400,000
3	W동 485	420	대	상업기타 주차건물	일반 상업	후면 상가지대	세로 (가)	사다리형 평지	2,100,000
4	W동 520	450	대	상업용	일반 상업	노선 상가지대	소로 한면	사다리형 평지	3,000,000

(자료 3) 평가선례(공시지가기준법 적용시 그 밖의 요인에 적용함)

구분	사례 #1	사례 #2	사례 #3
소재지(지번)	V동 143	W동 504	W동 522
토지현황	대, 450㎡, 소로한면, 부정형, 평지, 일반상업지역	대, 780㎡, 소로한면, 사다리형, 평지, 일반상업지역	대, 350㎡, 세로(가) 가장형, 평지, 일반상업지역
건물현황	철근콘크리트조 슬래브지붕, 상업용, 지하 1층~지상 5층, 연면적 3,300㎡	철근콘크리트조 슬래브지붕, 상업용, 지하 2층~지상 8층, 연면적 5,200㎡	없음(상업나지)
토지단가	3,600,000원/㎡	3,400,000원/㎡	3,500,000원/㎡
기타사항	기준시점 2016.4.1. 일반거래목적의 정상적인 평가선례	기준시점 2016.1.1. 일반거래목적의 정상적인 평가선례	기준시점 2016.5.1. 담보목적의 정상적인 평가선례

(자료 4) 거래사례(거래사례비교법에 적용함)

구분	사례 #1	사례 #2	사례 #3
소재지(지번)	V동 135번지	W동 489번지	W동 515번지
토지현황	대, 900㎡, 소로한면, 부정형, 평지, 일반상업지역	대, 550㎡, 세로가, 사다리형, 평지, 일반상업지역	대, 750㎡, 소로한면, 가장형, 평지, 일반상업지역
건물현황	철근콘크리트조 슬래브지붕, 상업용, 지하 1층~지상 5층, 연면적 3,200㎡, 2006.5.1 사용승인	없음(상업나지)	철근콘크리트조 슬래브지붕, 상업용, 지상 2층, 연면적 800㎡, 1985.1.1 사용승인
거래가격	5,600,000,000원	1,600,000,000원	2,850,000,000원
기타사항	노선상가지대 2016.1.1 거래 정상거래사례 (토지건물가격비중 6:4)	후면상가지대 2016.4.1 거래 정상적인 거래사례	노선상가지대 2016.5.1 거래 철거 전제의 정상거래, 매수자의 철거비 부담 (30,000,000원)

(자료 5) 표준건축비 등

인근지역 상업용 건축물(철근콘크리트조 5층 이하)의 표준건축비(부대설비 포함, 지상·지하 건축물에 동일하게 적용)는 770,000원/㎡이며, 건물의 잔존가치는 10%임.

(자료 6) 대상 부동산의 임대내역

구분	면적(㎡)	임차인	임대기간	임대료
지상 1층	520	P은행	2011.7.1~2016.6.30	2015년 7월 1일부터 연간가능총소득(PGI) 120,000원/㎡ 적용
지상 2층	520	P은행	2011.7.1~2016.6.30	2015년 7월 1일부터 연간가능총소득(PGI) 95,000원/㎡ 적용
지상 3층	520	R회사	2014.7.1~2019.6.30	2015년 7월 1일부터 연간가능총소득(PGI) 80,000원/㎡ 적용
지상 4층	520	R회사	2014.7.1~2019.6.30	2015년 7월 1일부터 연간가능총소득(PGI) 80,000원/㎡ 적용
지상 5층	400	공실	-	최근 1개월간 공실
계	2,480		-	

※ R회사는 회사 사정상 2016.6.30에 이전할 계획이며, 현재 소유자도 중도계약해지에 동의하였고, 새로운 임차인을 시장임대료로 즉시 구할 수 있음.

(자료 7) 최근 임대사례

1. 사례물건 : V동 138번지 소재 5층
    1) 토지현황 : 일반상업지역, 대, 950㎡, 소로한면, 사다리형, 평지
    2) 건물현황 : 철근콘크리트조, 지하 1층~지상 5층, 연면적 3,200㎡, 상업용

2. 임대상황
    1) 1~2층 임대사례 : G은행 2016.7.1부터 5년 계약
        연간가능총소득(PGI) 1층 160,000원/㎡, 2층 120,000원/㎡
    2) 3~5층 임대사례 : H회사 2016.7.1부터 5년 계약
        연간가능총소득(PGI) 3~4층 100,000원/㎡, 5층 90,000원/㎡

(자료 8) 시점수정 등 관련 자료(T구)

1. 지가변동률

구분	일반상업지역
2016.1.1~2016.5.31(누계)	1.687
2016.4.1~2016.5.31(누계)	0.654
2016.5.1~2016.5.31(당월)	0.323

※ 2016년 6월부터 지가변동률 미고시, 2016년 6월 지가변동률은 직전월 자료를 적용하고, 변동률의 계산은 백분율을 기준으로 소수점 넷째 자리에서 반올림함.

2. 임대동향조사 중 소형부동산의 자본수익률

구분	T구
2016.1.1~2016.5.31(누계)	2.113
2016.4.1~2016.5.31(누계)	0.895
2016.5.1~2016.5.31(당월)	0.356

3. 건축비지수 : 2015년 1월 1일 이후 보합세임.

(자료 9) 지역요인, 개별요인 등 품등비교자료

1. **지역요인자료** : V동과 W동은 S시 T구에 속하며, 간선도로(소로한면)를 두고 맞은편에 위치하고 있음. 최근 V동 남측에 종합유통센터가 개장함에 따라 V동 상권으로 유동인구가 증가하여 V동이 W동에 비해 지역요인이 3% 우세를 보이고 있음.

2. 개별요인자료

1) 도로접면격차율

구분	광대세각	광대한면	소로한면	세로(가)	세로(불)	맹지
광대세각	1.00	0.95	0.86	0.81	0.75	0.72
광대한면	1.05	1.00	0.91	0.86	0.78	0.75
소로한면	1.16	1.10	1.00	0.91	0.86	0.75
세로(가)	1.24	1.18	1.07	1.00	0.92	0.89
세로(불)	1.34	1.28	1.16	1.07	1.00	0.96
맹지	1.39	1.32	1.20	1.16	1.04	1.00

2) 형상격차율

구분	정방형	장방형	사다리형	부정형
정방형	1.00	0.99	0.98	0.95
장방형	1.01	1.00	0.99	0.96
사다리형	1.02	1.01	1.00	0.97
부정형	1.05	1.04	1.03	1.00

※ 가로장방형은 장방형을 적용

3) 환경조건 격차율
- 대상 부동산은 표준지 기호 1보다 5% 우세하며, 표준지 기호 3보다 15% 우세함.
- 대상 부동산은 평가선례 #1보다 10% 열세하며, 거래사례 #2보다 15% 우세함.

3. 임대사례(V동 138번지)와 대상 부동산의 품등격차율(지역요인과 개별요인 포함) : 임대사례가 대상 부동산보다 총 10% 우세함.

4. 거래사례 #1(V동 135번지)의 건축물과 대상 부동산의 건축물은 동일한 등급수준으로 신축되었음.

(자료 10) 수익환원법 적용자료 및 의뢰인 乙의 부동산 투자계획

1. 환원율 및 할인율

1) 현재시점 환원율 : 시장추출법에 의한 산정

구분	사례 #1	사례 #2	사례 #3
매매가격(원)	3,500,000,000	2,200,000,000	2,400,000,000
순수익(원)	140,000,000	88,000,000	200,000,000
기타	최근사례, 정상거래	최근사례, 정상거래	최근사례, 사정개입

2) 재매도가치 산정을 위한 환원율 : 현재 환원율에 장기위험프리미엄 등을 고려하여 0.5% 가산함.
3) 할인현금흐름분석법에 사용할 할인율 : 투자자의 요구수익률

2. 수익환원법 적용
   1) 대상 부동산의 시장가치 산정을 위한 수익환원법은 1년차 순영업소득(NOI)을 직접 환원하는 직접환원법을 적용함.
   2) 수익환원법에 적용되는 수익과 비용은 연간단위로 산정하고 연말에 인식하는 것을 가정하며, 연간가능총소득(PGI)에는 관리비 등 제반 내역이 합리적으로 포함되어 있다고 전제함.
   3) 대상 부동산의 수익환원법 적용시, 연간가능총소득(PGI)은 최근 임대사례에서 산출하고, 공실손실상당액, 운영경비 등은 대상 부동산을 기준으로 산정함.
   4) 연간가능총소득(PGI)은 매년 5% 상승하고, 공실률은 매년 5%로 예상되며, 운영경비는 각 층별 면적기준으로 25,000원/㎡이 소요되며, 운영경비는 매년 4% 상승을 적용함.

3. 乙의 투자계획
   1) 투자금액 : 4,200,000,000원
   2) 요구수익률 : 6%
   3) 투자기간 : 3년간 보유한 후 매각
   4) 보유기간말 매각시 매각비용 : 매각금액의 3%

4. 순현재가치(NPV)의 산정방법 : 순현재가치(NPV)는 乙이 투자계획대로 대상 부동산을 3년간 보유한 후 매각하는 것을 가정하여 산정하며, 수익환원법 적용자료와 같이 연간단위로 수익과 비용을 연말에 인식함.

감정평가사 甲은 임대에 제공되고 있는 상업용 부동산(집합건물)을 시장가치로 매수할 것을 제안받은 잠재적 매수인 乙로부터 상담을 의뢰받았는 바, 제시된 자료를 참조하여 다음 물음에 답하시오. 30점

(1) 의뢰인 乙이 제안을 받아들일 경우, 乙의 투자수익률(거래비용은 고려하지 않음)과 乙의 요구수익률을 충족시키는 매매가격을 구하시오. 10점

(2) 본건 부동산의 완전소유권에 기초한 수익률을 산출하여 직접환원법에 의한 수익가치를 구하시오. 10점

(3) 「완전소유권의 가치 = 임대권의 가치 + 임차권의 가치」라는 등식이 성립하고, 의뢰인 乙의 요구수익률을 충족시키는 매매가격이 적정한 임대권의 가치라 가정한다. 이 경우, 내재된 임차권 수익률을 구하고, 임차권 수익률이 임대권 수익률보다 큰 이유를 설명하시오. 10점

(자료 1) 기본적 사항

1. 의뢰일(기준시점) : 2016년 7월 1일

2. 대상 부동산 내역

소재지 지번	층·호수	면적(㎡)	임대료(원)		임대차 계약기간
			보증금	지불임대료/월	
S시 S구 S동 1000번지	지상 2층 201호	100.0	100,000,000	1,500,000	2015.7.1 ~2020.6.30

※ 계약내용이나 조건은 전형적인 시장 관행에 따른 것임.

(자료 2) 의뢰인 면담내용 요약

1. 무위험률에 1.20% 가산한 수익률을 요구하며, 이러한 조건은 과거 상업용 부동산(집합건물) 투자수익률과 무위험률의 격차(spread) 추세 및 인근지역의 전형적인 임대용 부동산투자자의 요구조건과도 부합함.

2. 본건에 투자할 경우, 임대차계약이 만료되는 시점에 재매도 예정임.

(자료 3) 시장조사자료

1. **시장임대료**(의뢰일 현재) : 보증금 @1,100,000원/㎡ 및 지불임대료 @16,500원/㎡ 수준이고, 관리비는 별도로 임차인이 지불함.

2. **매매사례**

기호	소재지지번	층·호수	면적(㎡)	계약일	매매금액(원)	비고
1	S시 S구 S동 986번지	지상 2층 201호	30.0	2016.6.24	363,000,000	경사지에 위치한바, 주도로기준 1층
2	S시 S구 S동 1021번지	지상 2층 205호	210.0	2016.6.19	1,000,000,000	-
3	S시 S구 S동 1004번지	지상 2층 207호	92.0	2016.6.20	540,000,000	-

※ 상기 매매사례 모두 최근의 것으로 별도의 시점수정은 불필요함.

3. **개별요인**

본건	매매사례 #1	매매사례 #2	매매사례 #3
1.00	0.50	0.85	1.03

4. 본건 부동산의 인근지역 내 상업용 부동산(집합건물)의 공급 증가로 본건 임대차 계약 만료시에 5.00%의 시장가치의 하락이 예상됨.

(자료 4) 시장금리 등 자료

1. 국고채(3년) : 1.390%/연(최근 3개월 평균)

2. 회사채(장외 3년, AA- 등급) : 1.943%/연(최근 3개월 평균)

3. 보증금 운용이율 : 2.00%/연

Question 03

감정평가사 甲은 국산 사출기 20대를 보유하고, 플라스틱 제품을 생산하여, 수출 중인 사업체(K사) 전체에 대한 적정한 시장가치의 산정을 의뢰받았다. 토지, 건물 및 구축물, 영업권 등의 무형자산에 대한 가치까지 산정한 후, 최종적으로 사업체의 주 생산설비인 국산 사출기 20대에 대하여 관련 규칙 및 기준에 의거하여 평가하고자 한다. 제시된 자료를 참조하여 평가방법을 결정하고, 다음 물음에 답하시오. 20점

(1) '감정평가에 관한 규칙' 별지서식인 "감정평가액의 산출근거 및 결정의견"을 최대한 활용하여 제1라인의 적정가격을 제시하시오. 10점

(2) '감정평가에 관한 규칙' 별지서식인 "감정평가액의 산출근거 및 결정의견"을 최대한 활용하여 제2라인의 적정가격을 제시하시오. 10점

(자료 1) 기본사항

1. 의뢰인 및 사업체명 : 주식회사 K

2. 기준시점 : 2016년 7월 1일

3. 생산라인구성 : 제1라인과 제2라인으로 구성되어 있으며, 각 생산라인에 10대씩 설치되어 있으나, 제1라인의 사출기는 생산효율이 높지 아니하고 전용불가능한 과잉유휴설비로 전체를 철거하여 매각할 예정임.

(자료 2) 기계에 관한 사항

1. 제1라인 : 2006년 7월 1일 10대 설치가동, 유지보수상태 보통 이하

2. 제2라인 : 2011년 7월 1일 10대 설치가동, 유지보수상태 양호

(자료 3) 라인별 취득가격 및 유지보수비 등

1. 라인별 취득가격

구분	제1라인 단위당 취득가격(원)	제2라인 단위당 취득가격(원)
본체	50,000,000	80,000,000
부대설비	20,000,000	30,000,000
설치비	5,000,000	5,000,000
시험운전비	5,000,000	5,000,000
부가가치세	8,000,000	12,000,000

2. 제1라인의 경우, 설치 이후 현재까지 단위당 유지보수 등을 위한 수익적 지출에 20,000,000원, 자본적 지출에 20,000,000원이 각각 소요됨.

3. 제2라인의 경우, 설치 이후 현재까지 단위당 유지보수 등을 위한 수익적 지출에 10,000,000원, 자본적 지출에 10,000,000원이 각각 소요됨.

(자료 4) 내용연수 및 잔가율 등

1. 국내생산의 사출기는 물리적 내용연수가 12년, 경제적 내용연수는 10년 정도인 것으로 조사됨.

2. 본 기계의 잔가율은 통상 10%로 조사되고, 감가수정은 관련 법령에서 제시한 원칙적 방법에 따를 예정임.

3. 물가변동에 따른 기계가격 보정지수 : 취득가격에만 적용
   1) 제1라인은 기준시점까지 10% 상승
   2) 제2라인은 기준시점까지 변동사항이 없음.

(자료 5) 기타자료

1. 제1라인의 유사사양 사출기는 생산효율의 저감으로, 해체 및 포장된 상태에서 동남아 등지에 기계를 수출하는 업자에게 매각가능하며, 단위당 매각가능가격은 잔존가치와 유사한 것으로 조사됨.

2. 제1라인의 해체 및 철거와 조립 및 포장, 운반 등에 소요되는 단위당 관련 비용은 아래와 같이 조사됨.
   1) 해체비 : 1,000,000원
   2) 철거비 : 1,000,000원
   3) 운반비 등 : 1,000,000원
   4) 설치비 : 5,000,000원

감정평가사 甲은 S시장으로부터 '도시계획시설도로 개설사업'에 일부 편입되는 소규모 봉제공장에 대하여 '영업의 휴업손실'에 대한 보상평가를 의뢰받았다. 한편, 이 공장은 관계법령에 의하면, 일부 편입에 따른 잔여시설 보수 후 재사용이 가능한 경우에 해당되는 바, 제시된 자료를 참조하여 영업장소를 이전하는 경우와 비교하여 보상평가액을 산정하시오. 10점

(자료 1) 공통사항

1. 사업인정고시 의제일 : 2015년 7월 1일

2. 본 공장의 가동일 : 2010년 7월 1일(적법한 허가취득)

3. 가격시점 : 2016년 7월 1일

4. 사업시행자 : S시장

5. 휴업기간 및 잔여시설 보수기간 : 4개월

(자료 2) 조사내용

1. 연간 영업이익 : 60,000,000원

2. 영업장소 이전 후 발생하는 영업이익 감소액 : 연간 영업이익의 10%

3. 월간 고정적 비용항목 : 2,000,000원

4. 전체 이전비 및 감손상당액 : 4,000,000원

5. 개업비 등의 부대비용 : 1,000,000원

6. 해당 시설의 보수비 : 18,000,000원

7. 영업규모 축소에 따른 고정자산 등의 매각손실액 : 5,000,000원

2017년 감정평가사 제28회

※ 공통유의사항
1. 각 문제는 해답 산정시 산식과 도출과정을 반드시 기재
2. 단가는 관련 규정에서 정하고 있는 사항을 제외하고 천원 미만은 절사, 그 밖의 요인 보정치는 소수점 셋째 자리 이하 절사

Question 01

감정평가사 김○○은 W시 N구청장으로부터 도시계획시설(도로)사업과 관련하여 토지의 보상평가를 의뢰받았다. 관련법규 및 이론을 참작하고 제시된 자료를 활용하여 다음 물음에 답하시오. 40점

(1) 미지급용지의 개념 및 평가기준을 기술하고, 대상토지의 감정평가액을 구하시오. 15점
(2) 사실상 사도의 개념 및 평가기준을 기술하고, 대상토지의 감정평가액을 구하시오. 15점
(3) 예정공도의 개념 및 평가기준에 대해 기술하고, 대상토지의 감정평가액을 구하시오. 10점

〈공통자료〉

1. 사업의 개요
   1) 사업시행지 : W시 N구 M동 100-4번지 일원
   2) 사업의 종류 : 도시계획시설(도로)사업(소로2-60호선) 개설공사
   3) 사업시행자 : W시 N구청장
   4) 사업의 착수예정일 및 준공예정일 : 인가일 ~ 2018.3.31

2. 사업추진일정

구분	일정
• 도시계획시설(도로) 결정일	2010.8.21
• 도시계획시설(도로)사업 실시계획인가고시일	2016.12.15
• 보상계획 공고일	2017.3.31
• 현장조사 완료일	2017.6.1

※ 보상의뢰서상 가격시점 요구일 : 2017.7.1

3. 대상토지의 개요(가격시점 현재)

기호	소재지	편입면적(m²)	지목	현실 이용현황	용도지역	비고(소유자)
1	W시 N구 M동 100-4번지	381	전	도로	준주거지역	홍길동

4. 표준지공시지가 자료

기호	소재지	면적(m²)	지목	이용상황	용도지역	도로교통	형상지세	공시지가(원/m²) 2016.1.1	공시지가(원/m²) 2017.1.1
A	W시 N구 M동 105번지	400	대	주거나지	2종일주	세로(불)	가장형 평지	770,000	860,000
B	W시 N구 M동 103번지	420	대	다세대	준주거	세로(가)	정방형 평지	1,050,000	1,160,000
C	W시 N구 M동 101번지	450	대	주상용	준주거	소로한면	사다리 평지	1,100,000	1,210,000

5. 시점수정자료(W시 N구 주거지역)

구분	지가변동률(%)	비고
2016.1.1~2016.12.31	3.257	2016년 12월 누계
2017.1.1~2017.5.31	1.426	2017년 5월 누계
2017.5.1~2017.5.31	0.431	2017년 5월 변동률

※ 2017년 6월 이후의 지가변동률은 현재 미고시인 상태로 직전 월인 2017년 5월 지가변동률을 연장 적용하기로 함.

6. 개별요인 품등비교자료

1) 형상

구분	정방형	가장형	세장형	사다리	부정형	자루형
정방형	1.00	1.02	1.00	0.99	0.94	0.89
가장형	0.98	1.00	0.98	0.97	0.92	0.87
세장형	1.00	1.02	1.00	0.99	0.94	0.89
사다리	1.01	1.03	1.01	1.00	0.95	0.90
부정형	1.06	1.09	1.06	1.05	1.00	0.94
자루형	1.12	1.15	1.12	1.11	1.06	1.00

※ 부정형 : 삼각형 포함
※ 자루형 : 역삼각형 포함

2) 도로접면

구분	중로한면	소로한면	세로(가)	세로(불)	맹지
중로한면	1.00	0.92	0.82	0.78	0.70
소로한면	1.09	1.00	0.89	0.85	0.79
세로(가)	1.22	1.12	1.00	0.95	0.88
세로(불)	1.28	1.18	1.05	1.00	0.93
맹지	1.43	1.27	1.13	1.07	1.00

7. 그 밖의 요인보정치 산정을 위한 자료
   1) 보상평가사례

기호	소재지	면적(㎡)	지목	이용상황	용도지역	도로교통	형상지세	단가(원/㎡)	가격시점
ㄱ	W시 N구 M동 200번지	300	대	주거나지	일반상업	소로한면	부정형평지	2,500,000	2017.1.1
ㄴ	W시 N구 M동 250번지	350	대	다세대	준주거	세로(가)	세장형평지	1,500,000	2017.1.1
ㄷ	W시 N구 M동 300번지	380	대	주상용	준주거	소로한면	사다리평지	1,800,000	2017.1.1

   2) 거래사례(토지만의 정상거래사례임)

기호	소재지	면적(㎡)	지목	이용상황	용도지역	도로교통	형상지세	단가(원/㎡)	가격시점
ㄹ	W시 N구 M동 400번지	400	대	주상나지	2종일주	중로한면	부정형평지	1,600,000	2017.1.1
ㅁ	W시 N구 M동 420번지	380	대	상업나지	준주거	중로한면	세장형평지	2,200,000	2017.1.1
ㅂ	W시 N구 M동 500번지	350	대	주거나지	2종일주	세로(가)	사다리평지	1,000,000	2017.1.1

8. 현장조사 내용
   1) 대상토지 주변은 도심지 내 기준 주택지를 중심으로 형성된 소규모 점포주택과 단독주택 및 다세대주택 등이 혼재하는 지역으로 조사되었음.
   2) 비교표준지, 보상평가사례 및 거래사례는 인근지역에 소재하며, 해당 도시계획시설(도로)사업에 따른 개발이익이 포함되어 있지 않은 것으로 조사되었음.

9. 대상토지 주변 지적현황(축척 없음)

10. 〈공통자료〉 외에는 아래 각 물음에 자료를 활용하여 기술하되, 물음 (1), 물음 (2), 물음 (3)은 각각 독립적인 사실관계임을 전제함.

〈물음 (1) 관련 자료〉

1. 사업시행자인 N구청장은 대상토지가 미지급용지임을 보상평가의뢰서에 명기하였음.
2. 본건 토지는 종전 공익사업의 시행으로 M동 100번지에서 분필된 토지로 현재 도로로 이용 중인 사다리형 토지이나, 종전 편입 당시에는 부정형, 맹지인 토지였음.
3. 본건 토지는 종전 공익사업 시행 이전에는 제2종일반주거지역이었으나, 종전의 공익사업으로 인하여 준주거지역으로 변경되었음.
4. 본건 토지의 지목은 종전의 공익사업에 편입되기 전에도 "전"이었으나, 당시 주변 토지의 표준적 이용상황 등을 고려할 때 종전 편입 당시의 이용상황은 주거나지였음을 사업시행자로부터 확인하였음.
5. 개별요인 비교시 도로접면과 형상을 제외한 토지 특성은 모두 동일한 것으로 봄.
6. 비교표준지, 보상 평가사례 및 거래사례에는 종전 공익사업에 따른 가치변동이 포함되어 있지 아니함.

<물음 (2) 관련 자료>

1. 사업시행자인 N구청장은 대상토지가 사실상 사도임을 보상평가의뢰서에 명기하였음.
2. 인접한 M동 100-2번지 소유권자는 대상토지와 동일한 홍길동이고, 1992년 8월부터 홍길동은 M동 100-2번지의 건축허가를 위하여 대상토지를 도로로 개설한 것으로 확인이 되었는바, 대상토지는 M동 100-2번지의 효용증진에 기여하고 있음.
3. 대상토지평가시 기준이 되는 인근 토지 및 인근 토지의 토지특성은 주어진 자료를 활용하여 판단할 것
4. 개별요인 비교시 도로접면과 형상을 제외한 토지의 특성은 모두 동일한 것으로 봄.

<물음 (3) 관련 자료>

1. 사업시행자인 N구청장은 대상토지가 예정공도임을 보상평가의뢰서에 명기하였음.
2. 인접한 M동 100-2번지 소유권자는 대상토지와 동일한 홍길동이며, 해당 도시계획시설사업 시행절차 등이 없는 상태에서 M동 100-2번지의 건축허가를 위하여 2012년 8월부터 도로로 개설한 후, 사실상 불특정 다수인의 통행에 이용 중임을 사업시행자로부터 확인하였음.
3. 인근지역의 표준적인 이용상황은 주어진 자료를 활용하여 판단할 것
4. 개별요인 비교시 도로접면과 형상을 제외한 토지의 특성은 모두 동일한 것으로 보며, 해당 도로의 개설로 인한 개발이익은 30%임.
5. 주변토지 이용상황

구분	소재지	지목	이용상황	용도지역	비고
가	W시 N구 M동 104-1, 104-14번지	대	단독주택	2종일주	-
나	W시 N구 M동 104-2, 104-3번지	도	도로	2종일주	-
다	W시 N구 M동 109, 109-1번지	대	단독주택	준주거지역	-
라	W시 N구 M동 110, 110-1번지	대	단독주택	준주거지역	-
마	W시 N구 M동 102번지	대	단독주택	준주거지역	-
바	W시 N구 M동 100-2번지	대	다세대	준주거지역	-
사	W시 N구 M동 100, 100-8번지	대	다세대	준주거지역	-
아	W시 N구 M동 100-1번지	전	도로	준주거지역	-
자	W시 N구 M동 100-6, 100-9번지	전	주상나지	준주거지역	-
차	W시 N구 M동 100-7번지	대	주상용	준주거지역	-
카	W시 N구 M동 99번지	대	주상용	준주거지역	-

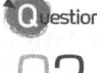 감정평가사 김OO은 산업단지 내의 염색공장으로 사용되었던 오염토지에 대하여 시가 참고 목적의 감정평가를 의뢰받았다. 관련법규 및 이론을 참작하고 제시된 자료를 활용하여 다음 물음에 답하시오. 30점

(1) 오염 전의 토지가액을 구하시오. 10점
(2) 오염 후의 토지가액을 구하시오. 15점
(3) 오염된 토지의 스티그마(Stigma) 감정평가방법을 기술하시오. 5점

(자료 1) 대상토지의 개요

기호	소재지	지목	면적(㎡)	용도지역	도로교통	형상지세
1	서울특별시 A구 가동 99	공장용지	9,999	준공업지역	중로한면	사다리 평지

(자료 2) 기본적 사항

1. 감정평가 목적 : 시가참고

2. 기준시점 : 2017.7.1

3. 현장조사 : 2017.3.1~2017.7.1

4. 대상토지는 2005년부터 산업단지 내에 공업용으로 사용되었고, 토양오염이 발견되어 최근 오염조사 및 정화전문업체가 시료채취를 하여 오염 여부를 조사하였음. 대상토지는 2010.7.1부터 오염이 시작된 것으로 보이며, 현 상황에서 오염정화에 필요한 기간은 2017.7.1부터 3년이 소요될 것으로 예상됨. 대상토지가 속한 인근지역은 최근 주택 건축이 늘어나고 있으며, 대상토지 역시 Y주택건설(주)이 주택부지로 분양하기 위하여 2015.7.1에 29,997,000,000원에 매입하였음(종전 건물의 철거비용 150,000,000원은 종전 소유자가 부담). Y주택건설(주)은 대상토지를 주택부지로 분양하기 위하여 기초공사를 하던 중 2016.7.1에 토양이 오염된 것을 발견하였고 관련 조사가 진행 중임.

(자료 3) 기본적 사항

구분	오염요인	조사된 오염물질(단위 : mg/kg)
대상토지 일부	공장운영에 따른 배관 부식과 오염물질 누출로 추정됨	트리클로로에틸렌(TCE) : 75 테트라클로로에틸렌(PCE) : 50 톨루엔 : 110 페놀 : 50 카드뮴 : 110 납 : 1,300 6가크롬 : 80 비소 : 400 수은 : 60

- 감정평가사 김OO은 오염조사 및 정화전문업체 조사보고서를 검토한 결과, 대상토지 일부가 「토양환경보전법 시행규칙」 제1조의5 관련 [별표 3] 토양오염우려기준을 상당히 초과하였다고 판단함.
- 향후 오염제거 및 정화공사가 필요하며 이는 합리적이라고 판단함.
- 토양오염의 규모는 2,000㎥로 조사됨.

(자료 4) 거래사례자료

구분	사례 1	사례 2	사례 3
소재지	서울특별시 A구 가동 97	서울특별시 B구 나동 100	서울특별시 C구 다동 101
지목	공장용지	공장용지	공장용지
면적(㎡)	9,000	8,000	7,500
이용상황	공업용	공업용	공업용
도로교통	중로한면	중로한면	중로한면
형상지세	사다리 평지	사다리 평지	사다리 평지
거래시점	2016.9.23	2016.9.14	2016.11.6
거래금액(원)	15,500,000,000 (@1,722,000원/㎡)	12,500,000,000 (@1,562,000원/㎡)	35,000,000,000 (@4,666,000원/㎡)
용도지역	준공업지역	준공업지역	준공업지역
오염 여부	오염(TCE, PCE 등, 1,000㎥ 정화필요)	오염(TCE, PCE 등, 500㎥ 정화필요)	토양오염 없음.

※ 사례 3은 정상적인 거래라고 판단함.

(자료 5) 시점수정자료(지가변동률)

구분	A구 공업지역	B구 공업지역	C구 공업지역
2016년 9월	−0.041%	0.021%	1.081%
2016년 10월	−0.042%	1.085%	0.752%
2016년 11월	−0.040%	0.024%	0.020%
2016년 12월	−0.044%	0.083%	1.080%
2017년 1월	1.025%	−1.022%	1.500%
2017년 2월	1.124%	0.099%	1.670%
2017년 3월	2.013%	0.077%	1.080%
2017년 4월	−1.012%	−0.044%	1.020%
2017년 5월	0.051%	0.022%	0.750%

※ 2017년 6월 이후의 지가변동률은 현재 미고시인 상태로 직전 월인 2017년 5월 지가변동률을 연장적용하기로 함.

(자료 6) 기타 참고자료

1. 오염 전의 토지가액은 비교방식을 적용하고, 거래단가를 기준으로 산정함.

2. 비교요인표

구분	본건	거래사례 1	거래사례 2	거래사례 3
지역요인비교	100	100	98	115
개별요인비교	100	95	85	135

※ 요인비교에서 본건과 사례의 가치형성요인 사항에는 오염에 대한 비교요인은 고려되지 않았음.

3. 토양오염 조사비용자료 : 토양오염의 규모는 2,000㎥로 조사되었고, 관련 토양오염 조사비용으로 토양이 오염된 규모를 기준으로 1,000,000원/㎥을 2017.7.1에 지급함.

4. 정화비용자료 : 정화방법은 생물학적 처리, 화학적 처리 및 열처리를 복합적으로 적용할 예정이며, 정화기간은 3년이 소요될 것으로 추정되고 연간 정화비용은 600,000원/㎥이 소요되며 매년 연말에 지급함.

5. 정화공사기간 중 토지이용제약에 따른 임대료손실 자료 : 임대료 조사사항은 향후 4년간 시장임대료를 기준으로 보증금 3,000,000,000원, 연간 임대료는 600,000,000원이며, 정화공사기간 중 임대료 손실이 예상되고, 임대와 관련된 지출비용은 미미함.

6. 스티그마 자료(오염 전 토지가액을 기준으로 한 가치감소분)

감가율	오염 전	오염된 상태	정화공사 중	정화공사 후
오염조사 전문업체 보고서 기준	0%	-30%	-10%	-5%
시장조사 자료	0%	-20%	-15%	-10%

※ 정화공사 기간은 3년이며, 스티그마 존속기간은 공사완료 후 1년까지 예상됨.
※ 본건 스티그마 금액을 산정하는 경우에는 현재 '오염된 상태'의 보고서 및 시장조사 자료의 감가율을 기준으로 각각 산정한 후 평균금액을 적용

7. 이율 자료

1) 보증금은 기간 초 지급, 임대료기간 말 지급, 보증금 운용이율은 연 2% 적용함.
2) 시장이자율(할인율) 연 6%, 화폐의 시간가치 고려함.
3) 연복리표(이자율 6% 기준)

기간	일시불 내가계수	연금 내가계수	연금 현가계수
3년	1.191016	3.183600	2.673012
4년	1.262477	4.374616	3.465106

8. 기타

1) 토양오염 이외의 악취 등 가치감소요인은 없는 것으로 봄.
2) Y주택건설(주) 대표 장OO은 대상토지의 오염으로 인하여 30,000,000원의 정신적 손실이 발생함.
3) 종전 소유자(매도인)의 책임사항은 논외로 함.
4) 토지단가는 천원 미만 절사, 물음 (1), 물음 (2)의 토지가액 및 비용산정 등 금액은 백만원 미만 절사함.

감정평가사 김○○은 A법원으로부터 소송 참고용 토지임대료 평가를 의뢰받고, 관련법률 등을 검토한 결과 적산법을 적용하여 토지의 임대료를 평가하기로 하였다. 관련법규 및 이론을 참작하고 제시된 자료를 활용하여 다음 물음에 답하시오. 20점

(1) 본건 토지의 기초가액을 구하시오. 10점
(2) 기대이율 결정이유를 기술하고 본건 토지의 임대료를 구하시오. 10점

(자료 1) 법원 감정신청 내용

1. 감정목적물 : A시 B구 C동 60-1 대 200㎡

2. 감정사항 : 2013.7.1부터 1년간 임대료 및 2017.7.1부터 1년간 임대료를 각각 감정평가할 것

3. 기준시점 : 2013.7.1 및 2017.7.1

(자료 2) 기본적 사항

1. 대상물건

소재지	지목	면적(㎡)	이용상황	용도지역
A시 B구 C동 60-1	대	200	단독주택	2종 일주

2. 대상물건의 지목, 면적, 이용상황, 용도지역 내역은 2010.1.1~2017.7.1 현재까지 동일함.

(자료 3) 토지 개황

1. 인근은 단독주택, 다세대 및 다가구 주택, 근린생활시설 등이 혼재되어 있음.
2. 본건은 인근 토지 대비 등고평탄한 세장형 토지임.
3. 본건은 북측으로 약 6m의 포장도로에, 동측으로 약 6m의 포장도로에 접해 있음.
4. **토지이용계획사항 등** : 도시지역, 제2종일반주거지역
5. 상기 1.~4.의 내용은 2010.1.1~2017.1.1 현재까지 동일함.

(자료 4) 표준지 자료

1. 인근지역 내 표준지 내역(소재지 A시 B구 C동, 공시지가는 매년 1월 1일 기준)

기호	지번	지목	면적(㎡)	이용상황	용도지역	도로교통	형상지세	주위환경	공시지가(원/㎡)				
									2013년	2014년	2015년	2016년	2017년
가	10-1	대	170	단독주택	2종일주	세로(가)	세장형평지	기존주택지대	2,830,000	2,950,000	3,150,000	3,270,000	3,430,000
나	50-1	대	180	단독주택	2종일주	세로(가)	세장형평지	주택 및 상가지대			2,440,000	2,560,000	2,920,000
다	85-1	대	160	주상용	2종일주	소로각지	사다리평지	주택 및 상가지대	3,000,000	3,230,000	3,350,000	3,540,000	3,700,000
라	100	대	210	단독주택	2종일주	소로각지	세장형평지	주택 및 상가지대	2,650,000	2,730,000			

2. 상기 1.에서 공시지가가 표시되지 않은 연도는 해당 토지가 표준지로 선정되지 않은 연도임.

(자료 5) 시점수정자료[지가변동률(A시 B구 주거지역, %)]

구분	변동률
2013.1.1~2013.6.30(누계)	2.000
2013.7.1~2013.7.31(당월)	0.350
2017.1.1~2017.5.31(누계)	1.500
2017.5.1~2017.5.31(당월)	0.200

※ 2017년 6월 이후의 지가변동률은 현재 미고시인 상태로 직전 월인 2017년 5월 지가변동률을 연장적용하기로 함.

(자료 6) 인근지역 내 토지거래사례(소재지 A시 B구 C동)

기호	지번	지목	면적(m²)	이용상황	용도지역	도로교통	형상지세	주위환경	토지단가(원/m²)	거래시점
1	20-1	대	157	주상용	2종일주	중로각지	가장형평지	주택 및 상가지대	4,500,000	2013.7.1
2	30-1	대	250	단독주택	2종일주	세로(가)	세장형평지	주택 및 상가지대	4,000,000	2013.7.1
3	70-1	대	189	단독주택	2종일주	소로한면	세장형평지	기존주택지대	5,100,000	2017.6.20
4	80-1	대	210	단독주택	2종일주	소로각지	세장형평지	주택 및 상가지대	5,400,000	2017.6.10

(자료 7) 개별요인 비교자료

1. 도로접면격차율

구분	광대한면	중로한면	소로한면	세로(가)	세로(불)
격차율	1.00	0.90	0.88	0.85	0.70

※ 도로접면이 각지인 경우는 한면에 접하는 경우에 비해 1% 우세함.

2. 형상격차율

구분	정방형	가장형	세장형	사다리	부정형
격차율	1.00	0.99	0.99	0.98	0.90

(자료 8) 기대이율 관련 자료

1. 참고용 기대이율 적용기준율표 I(2016년 이후 기준)

대분류	소분류		실제이용상황	
			표준적 이용	임시적 이용
I	주거용	아파트	1.5%~3.5%	0.5%~2.5%
		연립·다세대	1.5%~5.0%	0.5%~3.0%
		다가구	수도권 및 광역시 2.0%~6.0%	1.0%~3.0%
		단독주택	1.0%~4.0%	0.5%~2.0%

2. 참고용 기대이율 적용기준율표 II(2016년 이전 기준)

토지용도		실제이용상황		
		최유효이용	임시적 이용	나지
주거용지	아파트, 연립주택, 다세대주택	4~7%	2~4%	1~2%
	다중주택, 다가구주택	3~6%	2~3%	1~2%
	일반단독주택	3~5%	1~3%	1~2%

3. 참고용 CD금리 기준 기대이율표(모든 연도에 적용가능)

대분류	소분류		실제이용상황	
			표준적 이용	임시적 이용
I	주거용	아파트	CD금리+ -1.5%~0.5%	CD금리+ -2.5%~-0.5%
		연립·다세대	CD금리+ -1.5%~2.0%	CD금리+ -2.5%~0.0%
		다가구	수도권 및 광역시	CD금리+ -1.0%~3.0%	CD금리+ -2.0%~0.0%
		단독주택	CD금리+ -2.0%~1.0%	CD금리+ -2.5%~-1.0%

4. 각종 금리변동상황

구분	국고채수익률(%)	CD유통수익률(%)
2013.7.1	3.10	3.00
2014.7.1	2.70	2.60
2015.7.1	2.30	2.20
2016.7.1	2.10	2.10
2017.7.1	2.00	2.00

5. 기대이율은 국고채수익률 및 CD유통수익률과 밀접한 관계가 있는 것으로 조사됨.

6. 상기 1.~3.에서 제시하는 기대이율범위에서 각각의 중간값 중 하나를 기대이율로 선정하되, 선정된 기대이율은 2%를 초과해야 함.

(자료 9) 기타자료

1. 토지임대료와 관련된 필요제경비는 미미하여 고려하지 않음.
2. 표준지공시지가를 기준으로 토지를 평가하는 경우 그 밖의 요인보정이 필요한 것으로 판단됨.
3. 토지거래사례는 그 밖의 요인보정치 산정에만 활용할 것
4. 토지거래사례는 모두 정상적인 사례로 판단됨.
5. A시는 수도권에 위치해 있음.

 감정평가사 김OO은 다음 물건에 대하여 A기업으로부터 일반거래 시가참고용 감정평가를 의뢰받았다. 기준시점을 2017.7.1로 하여 관련법규 및 이론을 참작하고 제시된 자료를 활용하여 감정평가하시오. 10점

(자료 1) 대상물건 개요

소재지	A시 B구 C동 100외 2필지			
건물명, 층, 호수	"D타운" 제10동 제17층 제1706호			
용도	아파트	사용승인일		2010.10.10
면적	전유면적(㎡)	공용면적(㎡)	분양면적(㎡)	대지권면적(㎡)
	85	25	110	28.5

(자료 2) 현장조사내용

1. 본건 인근은 아파트, 다세대 및 다가구주택, 상가, 공장 등이 혼재하는 지역임.
2. 본건까지 차량출입 가능하고 인근에 노선버스정류장이 위치해 있음.
3. 본건은 현재 방 3개, 주방, 거실, 화장실 2개, 발코니로 구성되어 있으며, 위생 및 급·배수설비, 난방설비, 승강기설비, 소화전설비 등이 되어 있음.
4. 본건은 발코니가 합법적으로 확장되어 있으며 확장면적은 10㎡임.
5. 본건의 관리상태를 상, 중, 하로 나타낼 경우 '하'에 해당함.
6. 대상물건이 위치한 동일 아파트단지 내의 거래사례를 분석한 결과, 거래시점, 발코니 확장 정도, 관리상태, 층·향·동에 따라 가격 차이가 존재함.

(자료 3) 인근 아파트 거래사례(정상적인 거래로 판단됨)

기호	소재지, 지번, 명칭	동	층	호수	전유면적 (m²)	거래금액(원)	거래시점	관리상태
1	A시 B구 C동 100 외 2필지 D타운	제10동	4	406	85	338,750,000	2016.6.10	하
2		제10동	18	1803	85	335,000,000	2016.12.10	하
3		제10동	16	1605	85	350,000,000	2017.3.25	중
4		제15동	8	802	85	338,000,000	2017.7.1	상
5		제15동	8	801	85	345,000,000	2017.7.1	중

(자료 4) A시 월별 아파트 매매가격지수

2016년						2017년						
7월	8월	9월	10월	11월	12월	1월	2월	3월	4월	5월	6월	7월
103.4	103.6	103.8	104	104.4	104.4	104.4	104.4	104.5	104.6	104.7	105.0	105.1

(자료 5) 기타자료

1. 거래사례 중 기호 5는 발코니가 합법적으로 10m² 확장된 것으로 조사되었고 나머지는 확장되지 않은 것으로 조사됨.

2. 본건과 거래사례는 방배치 등 기타 구조 측면에서 모두 동일함.

3. 관리상태에 따른 가격격차 정도는 다음과 같음(D타운 전체 적용가능).

하	중	상
100	101	102

4. 층에 따른 가격격차 정도는 다음과 같음(D타운 전체 적용가능).

1층~3층	4층~10층	11층~20층
100	105	108

5. 본건 아파트의 1호~3호는 남동향이며, 4호~6호는 남향임.

2018년 감정평가사 제29회

※ **공통유의사항**
1. 각 문제는 해답 산정시 산식과 도출과정을 반드시 기재
2. 단가는 관련 규정에서 정하고 있는 사항을 제외하고 천원 미만은 절사, 그 밖의 요인 보정치는 소수점 셋째 자리 이하 절사

감정평가사 甲은 철도건설사업과 관련하여 지하공간 사용에 따른 보상목적의 감정평가를 의뢰받았다. 관련법규 및 감정평가이론을 참작하고 제시된 자료를 활용하여 다음의 물음에 답하시오. 40점

(1) 감정평가사 甲은 대상토지의 지역요인을 분석하여 인근지역, 동일수급권, 유사지역의 범위를 판정하려고 한다. 인근지역의 개념과 판정기준에 대해 설명하고, 제시된 자료를 활용하여 표준지 기호 1과 기호 2, 보상선례 토지에 대해 각각 대상토지와 인근지역의 여부를 판정하시오. 10점

(2) 지하공간 사용에 대한 보상금을 산정하기 위한 대상토지의 적정가격을 감정평가 하시오. 15점

(3) 대상토지의 지하공간 사용에 대한 보상금을 산정하시오. 10점

(4) 관련법규상 지하공간 사용에 대한 보상금을 감정평가하는 기준의 문제점에 대해 설명하시오. 5점

(자료 1) 공익사업에 관한 사항

1. 사업명 : ○○~○○간 철도건설사업
2. 사업시행자 : ○○공단
3. 사업추진일정
   1) 기본계획의 수립·고시일 : 2017.2.2
   2) 보상계획 공고일 : 2017.8.8
   3) 실시계획승인·고시일 : 2018.6.6
4. 권원확보방법 : 구분지상권 설정

(자료 2) 감정평가의 기본적 사항

1. 대상물건 : 경기도 B시 C동 산1번지의 지하터널 사용부분
2. 구분지상권 설정(예정)면적 : 1,200㎡

3. 감정평가목적 : 협의보상

4. 가격시점(기준시점) : 2018.6.1

(자료 3) 대상토지에 관한 사항

1. 소재지 : 경기도 B시 C동 산1번지
2. 면적 : 12,000㎡, 지목 : 임야, 실제 이용상황 : 자연림
3. 토지이용계획 : 자연녹지지역, 도시·군계획시설 공원 저촉(100%)
4. 등기사항증명서의 확인사항 : 구분지상권이 설정됨.
   1) 구분지상권자 : ○○전력공사
   2) 목적 : 154kV 가공 송전선로 건설
   3) 범위 : 동측 토지 상공 30m에서 60m까지의 공중공간
   4) 구분지상권 설정면적 : 1,800㎡, 존속기간 : 해당 송전선로 존속시까지
   5) 구분지상권 설정일 : 2010.9.9

(자료 4) 지하공간 사용에 관한 사항

1. 지하시설물의 유형 : 지하터널
2. 지하시설물의 크기 : 높이 3m, 너비 8m
3. 토피 : 대상토지가 완경사로서 위치마다 토피가 다르며, 최소 15m~최대 22m임
   (사업시행자에게 질의한 결과 평균 토피는 18m임).
4. 지하시설물 사용기간 : 지하터널 존속시까지

(자료 5) 표준지공시지가 자료

기호	소재지	면적 (㎡)	지목	이용 상황	용도 지역	도로 접면	형상 지세	공시지가(원/㎡) 2017년	공시지가(원/㎡) 2018년
1	경기도 B시 C동 산11	10,000	임야	자연림	자연녹지	맹지	부정형 완경사	62,000	66,000
2	경기도 E시 F동 산20	12,500	임야	자연림	자연녹지	세로 (불)	세장형 완경사	58,000	60,000

※ 표준지 기호 1은 도시·군계획시설 공원에 100% 저촉함.
※ 표준지 기호 2는 도시자연공원구역에 100% 저촉함.
※ 도시·군계획시설 공원 또는 도시자연공원구역에 저촉하는 표준지의 경우 해당 부분에 대해 공시지가의 감정평가시 40%의 감가율을 적용함.
※ 표준지 기호 1과 표준지 기호 2에는 154kV 가공 송전선로 건설로 인한 구분지상권이 설정되어 있음.

(자료 6) 지가변동률 자료

1. 경기도 B시

구분		지가변동률(단위 : %)		
		2017년 (누계)	2018년 (1월~4월 누계)	2018년 4월 (당월)
용도지역별	자연녹지	2.010	0.890	-0.005
이용상황별	임야	2.110	0.990	-0.003

※ 2018년 5월 이후 지가변동률은 미고시 상태임.

2. 경기도 E시

구분		지가변동률(단위 : %)		
		2017년 (누계)	2018년 (1월~4월 누계)	2018년 4월 (당월)
용도지역별	자연녹지	2.120	1.008	0.002
이용상황별	임야	2.450	0.990	-0.002

※ 2018년 5월 이후 지가변동률은 미고시 상태임.

(자료 7) 보상선례 자료

1. 소재지 : 경기도 E시 F동 산50번지
2. 공익사업의 종류 : 송전선로 건설사업(철탑부지)
3. 권원확보방법 : 소유권 취득
4. 보상액 : 80,000원/㎡
5. 가격시점(기준시점) : 2018.5.1
6. 면적 : 15,000㎡, 지목 : 임야, 실제 이용상황 : 자연림
7. 토지이용계획 : 자연녹지지역, 도시자연공원구역(100%)
8. 도시자연공원구역에 저촉하는 토지는 보상목적의 감정평가시 40%의 감가율을 적용함.

(자료 8) 토지의 지역요인에 관한 자료

1. 경기도 B시 C동과 E시 F동은 서로 지리적으로 접하고 있음.

2. 대상토지, 표준지 기호 1과 기호 2, 보상선례 토지는 서로 대체·경쟁관계가 성립하고 가격(가치)형성에 서로 영향을 미치고 있음.

3. 대상토지, 표준지 기호 1과 기호 2, 보상선례 토지는 모두 완경사의 국도주변 야산지대에 속하고, 소나무와 활잡목이 혼재한 자연림지대로서 가격(가치)형성요인 중 지역요인이 같거나 유사하며 가격(가치)수준이 동일함.

4. 대상토지와 표준지 기호 1이 속한 B시 C동과 표준지 기호 2와 보상선례 토지가 속한 E시 F동 사이에는 중앙분리대가 있는 왕복 4차선의 국도가 개설되어 있음.

(자료 9) 토지의 위치도

(자료 10) 토지의 개별요인에 관한 자료

각 토지의 개별요인에 관한 자료는 다음의 표와 같으며, 세항목별 격차율은 감정평가사가 판단할 사항임.

구분	대상토지	표준지 기호 1	표준지 기호 2	보상선례 토지
면적	12,000㎡	10,000㎡	12,500㎡	15,000㎡
취락과의 거리	500m	750m	750m	750m
도로의 상태	폭 3m	맹지	폭 3m	맹지
방위	동향	남향	동향	동향
경사도	14°	10°	10°	14°
형상	세장형	부정형	세장형	부정형
용도지역	자연녹지지역	자연녹지지역	자연녹지지역	자연녹지지역
도시·군계획시설	공원(100%)	공원(100%)	없음	없음
도시자연공원구역	없음	없음	저촉(100%)	저촉(100%)
구분지상권(설정면적)	설정(1,800㎡)	설정(1,500㎡)	설정(2,500㎡)	없음

(자료 11) 구분지상권의 감가율

154kV 가공 송전선으로 인한 구분지상권이 설정된 임야(임지)는 주변의 시장조사 결과 필지별로 선하지의 면적비율에 따라 다음과 같이 토지가 감가되는 것으로 조사됨.

구분	선하지 면적비율		
	10% 미만	10%~20% 미만	20%~30% 미만
토지감가율	15%	20%	25%

(자료 12) 입체이용률 배분표

구분	저층시가지	주택지	농지·임지
건물 등 이용률(α)	0.75	0.70	0.80
지하부분 이용률(β)	0.10	0.15	0.10
그 밖의 이용률(γ)	0.15	0.15	0.10
(γ)의 상하배분비율	1:1~3:1	1:1~3:1	1:1~4:1

※ 이용저해심도가 높은 터널 토피 20m 이하의 경우에는 (γ)의 상하배분비율을 최고치를 적용함.

(자료 13) 심도별 지하이용저해율 표

한계심도 체감률(%) 토피심도(m)	30m		20m	
	p	$\beta \times p$ $0.15 \times p$	p	$\beta \times p$ $0.10 \times p$
0~5 미만	1.000	0.150	1.000	0.100
5~10 미만	0.833	0.125	0.750	0.075
10~15 미만	0.667	0.100	0.500	0.050
15~20 미만	0.500	0.075	0.250	0.025
20~25 미만	0.333	0.050	—	—

※ p는 심도별 지하이용효율

(자료 14) 한계심도에 관한 사항

1. 한계심도는 주택지는 30m, 농지 및 임지는 20m임.
2. 한계심도를 초과하는 경우 보상율은 1.0% 이하임.

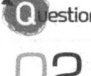 감정평가사 甲은 ○○공사로부터 소유건축물의 일부(1층 101호)에 대해 2018.7.1 기준시점의 임대료 감정평가를 의뢰받았다. 관련법규와 감정평가이론을 참작하고, 제시된 자료를 활용하여 다음의 물음에 답하시오. 30점

(1) 적산법에 의한 임대료를 산정하시오. 20점
(2) 임대사례비교법에 의한 임대료를 산정하고, 적산법에 의한 임대료와 시산가액조정을 통해 임대료를 결정하시오. 10점

(자료 1) 대상물건의 토지 내역

1. 소재지 : A광역시 S구 S동 118번지
2. 용도지역 : 근린상업지역
3. 대상토지 현황 : 대, 350㎡, 광대한면, 부정형, 평지
4. 주위환경 : 대로변을 따라 5층~10층 규모의 금융회사, 사무실 등 상업용 또는 업무용 건물이 밀집하여 위치함. 후면은 소로를 따라 저층규모의 주상용 건물, 일부 단독주택 등이 혼재하고 있음.

(자료 2) 대상물건의 건물 내역

1. 건물 현황 : 건축면적 250㎡, 연면적 1,740㎡
2. 건물구조 등 : 철근콘크리트조 슬래브지붕 지하 1층, 지상 6층
3. 사용승인일 : 2000.5.8
4. 층별 현황(집합건축물대장)

(단위 : ㎡)

층별	용도	바닥면적	전유면적	공유면적	비고
지하 1층	업무시설	300	220	80	
1층	업무시설, 소매점	250	188	62	3개 호실
2층	업무시설	250	188	62	
3층	업무시설	240	180	60	
4층	업무시설	240	180	60	
5층	업무시설	240	180	60	
6층	업무시설	220	165	55	

5. 1층 호별 현황(집합건축물대장)

(단위 : ㎡)

1층	101호	102호	103호
전유면적	60	55	73

(자료 3) 표준지공시지가 현황(공시기준일 : 2018.1.1)

기호	소재지	지목	면적(㎡)	이용상황	용도지역	도로교통	형상지세	공시지가(원/㎡)	비고
1	S구 S동 9	대	588.0	상업용	근린상업	광대한면	세장형평지	4,300,000	계획도로 20% 저촉
2	S구 S동 40	대	388.0	주상용	근린상업	중로한면	사다리평지	3,600,000	
3	S구 S동 261	대	550.0	업무용	3종일주	광대소각	가장형평지	4,000,000	

(자료 4) 평가사례

기호	소재지	지목	면적(㎡)	이용상황	용도지역	도로교통	형상지세	토지단가(원/㎡)	기준시점	평가목적
a	S구 S동 249	대	530.0	상업용	근린상업	광대한면	부정형평지	6,400,000	2018.5.1	담보
b	S구 S동 253	대	492.0	상업용	근린상업	광대한면	사다리평지	7,000,000	2017.1.1	일반거래
c	S구 S동 261	대	550.0	업무용	3종일주	광대소각	가장형평지	6,500,000	2018.1.1	일반거래

※ 사례는 토지의 그 밖의 요인 산정시 적용하되, 사례 중 담보목적의 평가는 안전성, 환가성 등이 고려된 단가임.
※ 그 밖의 요인 보정방법은 표준지 기준 산정방식(비율법)을 적용함.

(자료 5) 임대사례

소재지	임대면적(㎡)	임대보증금(원)	월임대료(원)	임대계약일자
S구 S동 185-28 1층 102호	70	30,000,000	2,750,000 (부가세 10% 포함)	2017.2.2

※ 보증금 운용이율은 연 4%로 조사되어 이를 적용함.
※ 부가가치세(부가세)는 임차인이 환급받을 수 있음.

(자료 6) 시점수정 자료

1. 지가변동률(A광역시 S구)

기간	지가변동률(%)		비고
	상업지역	주거지역	
2017.1.1~2017.12.31	1.112	1.238	
2018.1.1~2018.5.31	1.396	1.574	2018.5까지 누계
2018.5.1~2018.5.31	0.227	0.235	2018.5 당월

※ 2018.6 이후 지가변동률은 기준시점 현재 고시되지 않아 2018.5 지가변동률을 연장 추정하여 적용하되, 소수점 넷째 자리에서 반올림하여 셋째 자리까지 표시함.

2. 자본수익률(A광역시)

기간	상업용 부동산 자본수익률(%)	비고
2017.1.1~2017.12.31	2.930	2017년(365일) 누계
2018.1.1~2018.3.31	0.731	2018년 1분기

※ 자본수익률은 2018년도 2분기 자료가 기준시점 현재 고시되지 않아 2018년도 1분기(90일) 자본수익률을 연장 추정하여 적용하되, 소수점 넷째 자리에서 반올림하여 셋째 자리까지 표시함.

(자료 7) 가치형성요인 비교자료

1. 접근의 편리성 : 대상물건의 토지는 표준지 기호 1) 대비 3%, 표준지 기호 2) 대비 25%, 표준지 기호 3) 대비 5% 각각 우세함.

2. 격차율 자료

   1) 토지이용상황

구분	주거용	상업업무용	주상복합용
주거용	1.00	1.30	1.11
상업업무용	0.77	1.00	0.85
주상복합용	0.90	1.17	1.00

2) 형상

구분	정방형	가장형	세장형	사다리형	부정형	자루형
정방형	1.00	1.05	0.99	0.98	0.95	0.90
가장형	0.95	1.00	0.94	0.93	0.90	0.86
세장형	1.01	1.06	1.00	0.99	0.96	0.91
사다리형	1.02	1.07	1.01	1.00	0.97	0.92
부정형	1.05	1.11	1.04	1.03	1.00	0.95
자루형	1.11	1.17	1.10	1.09	1.06	1.00

3) 도시·군계획시설

구분	일반	도로	공원
일반	1.00	0.85	0.60
도로	1.18	1.00	0.71
공원	1.67	1.42	1.00

3. 임대사례 개별요인 비교자료 : 대상물건의 건물 중 1층 101호는 임대사례 대비 외부요인 25% 열세, 건물요인 10% 열세, 호별요인 9% 열세, 기타요인은 동일함.

4. 대상물건, 표준지, 평가사례, 임대사례 등은 모두 지역요인이 같거나 유사하고, 상기 제시자료 외의 개별요인은 모두 대등한 것으로 판단됨.

(자료 8) 재조달원가 자료

1. 투자자 乙은 대상물건의 인근 토지에 신축을 통한 투자를 계획하고 있음.
2. 건축구조 등 : 철근콘크리트조 슬래브지붕 지하 1층, 지상 7층 상업용 건물
3. 건물면적 : 지하 1층 300㎡, 지상 1층 180㎡, 지상 2층~7층 각각 250㎡
4. 건축기간 : 1년(건축설계 및 허가 2개월, 공사기간 10개월)
5. 공사비 등 투자계획
   1) 기준시점일(2018.7.1) 현재 도급계약금액은 20억원임.
   2) 기준시점에 5억원을 지급하고, 건물준공시점에 건물을 담보로 은행에서 잔액을 대출받아 지급함. 대출조건은 대출기간 10년, 대출이자율 연 4%, 매년 원리금 균등분할상환임.

3) 乙은 건물준공시 5년간 임대예정이고, 5년 임대기간이 종료되는 시점에 임차인에게 해당 건물을 처분하면서 대출잔금을 일시상환하려고 함.
4) 시장이자율은 연 5%임.

6. 대상물건 중 건물의 재조달원가는 상기 조건을 고려한 건축비의 현가를 산정하여 적용하고, 내용연수는 50년, 감가수정은 정액법을 적용함.

7. 자본환원표
1) 이자율 연 4%

기간(년)	일시불 내가계수	연금 내가계수	감채기금 계수	일시불 현가계수	연금 현가계수	저당상수
1	1.040000	1.000000	1.000000	0.961538	0.961538	1.040000
5	1.216653	5.416323	0.184627	0.821927	4.451822	0.224627
10	1.480244	12.006107	0.083291	0.675564	8.110896	0.123291

2) 이자율 연 5%

기간(년)	일시불 내가계수	연금 내가계수	감채기금 계수	일시불 현가계수	연금 현가계수	저당상수
1	1.050000	1.000000	1.000000	0.952381	0.952381	1.050000
5	1.276282	5.525631	0.180975	0.783526	4.329477	0.230975
10	1.628895	12.577893	0.079505	0.613913	7.721735	0.129505

(자료 9) 효용지수자료

1. 층별 효용지수

층별	지하 1층	1층	2층	3층	4층	5층 이상
	45	100	52	46	44	42

※ 대상물건의 전유면적기준 층별 효용적수의 합계는 69,166임.

2. 호별 효용지수

호별	101호	102호	103호
	100	95	90

※ 대상물건의 전유면적기준 1층 호별 효용적수의 합계는 17,795임.

(자료 10) 기타 사항

1. 대상물건은 최유효이용으로 판단됨.

2. 임대사례의 임대료는 신규계약된 정상임대료로 판단되며, 감정평가 대상인 1층 101호의 임대료도 연간 실질임대료로 산정함.

3. 1층 101호의 기초가액은 층별·호별 효용비율에 의한 배분방법을 적용하여 산정함.

4. 적산법에 적용되는 기대이율은 5%, 필요제경비는 순임대료(기대수익)의 7%임.

5. 요인비교치는 소수점 셋째 자리에서 반올림하여 둘째 자리까지 표시함.

6. 효용비율은 소수점 넷째 자리에서 반올림하여 셋째 자리까지 표시함.

베트남 북동해역에서 석유시추용으로 운용되던 플랜트(선박)인 '스타호'는 경제성 저하 및 노후화로 '비운영 폐선'으로의 매각을 추진 중이며, 현재 싱가포르 외항에 정박 중이다. 소유자인 코리아석유공사는 2018.6.30 기준의 유리한 매각방식을 결정하기 위한 자문을 감정평가사 甲에게 구하였다. 관련법규 및 감정평가이론을 참작하고 제시된 자료를 활용하여 다음의 물음에 답하시오. 20점

(1) 해체처분가격의 성격을 약술하고, 전체를 해체처분가격으로 평가할 경우, 산출 가능한 시산가액을 매각처 별로 산정하시오. 10점

(2) 재사용이 가능한 기관 및 저장품은 분리하여 매각할 경우의 전체 시산가액을 산정한 후, 물음 (1)과 비교하여 가장 유리한 매각방식을 결정하시오. 10점

(자료 1) '스타호'의 개요

1. 종류 : 부선
2. 선질 : 강
3. 조선자 : 울산조선(주)
4. 진수일 : 1990.6.30

5. 길이 : 75미터
6. 너비 : 60미터
7. 깊이 : 8미터
8. 총톤수 : 10,000톤
9. 재화중량(dead weight) : 13,000톤
10. 경하중량(light weight) : 15,000톤
11. 기관 : 디젤엔진(2,000hp) 2대 탑재되어 있고, 중량은 총 100톤으로 조사됨.
12. 저장품 : 선박에 탑재된 수리용 신품의 부속장비로 중량은 총 900톤으로 조사됨.

(자료 2) 가격조사사항

1. 통상 선박의 해체처분은 정상운영 장비가 포함된 경하중량을 기준으로 거래되는 관행이며, 대형선박 또는 플랜트의 해체 조선소는 파키스탄 및 한국에 소재함.

2. 기준시점 현재 현지 인도조건의 scrap(고철) 매입단가는 파키스탄의 경우 톤당 260,000원 수준이고, 한국의 경우 톤당 240,000원 수준인 것으로 조사됨.

3. 한편, 싱가포르 소재 대형선박 및 플랜트 관련 에이전트는 톤당 200,000원 수준에서 즉시 매입의사를 밝히고 있음.

4. 본건은 자력항행이 불가능한 부선으로 현지 인도조건에 따른 운송비(보험료 포함)는 파키스탄의 경우 9억원, 한국의 경우 6억원이 소요되는 것으로 조사되고, 싱가포르 현지 매각의 경우 매수자가 모든 부대비용을 부담하는 조건임.

5. 재사용 가능 부분의 분리매각의 경우, 원매자 탐색 및 분리작업 기간에 4개월이 소요되고, 이에 따른 매월 정박료 및 대기비용으로 월간 2억원의 부담이 예상되나, 분리에 따른 작업 직접비용은 매수자 부담이며, 잔여 scrap(고철)은 싱가포르 현지에서 매각 예정임.

(자료 3) 재조달원가

1. 기준시점에서 기관의 재조달원가는 마력(hp)당 300,000원인 것으로 조사됨.
2. 저장품은 미사용품으로 취득가격은 50억원이며, 이를 재조달원가로 할 수 있음.
3. 선체 및 의장품은 노후화로 본래 용도로의 재사용은 불가능할 것으로 판단함.

(자료 4) 내용연수 및 잔존가치율 등

1. 기관의 내용연수는 20년이고, 잔존가치율은 10%이나, 매년 정기적 유지보수로 경제적 측면의 잔존내용연수가 5년 정도 남아있는 것으로 조사되며, 정률법에 의한 감가수정을 함.
2. 저장품의 내용연수는 10년이고, 잔존가치율은 20%이며, 미사용 신품이지만 원매자가 제한되어 있어 잔존가치 정도에서 거래가 가능함.

(자료 5) 정률법에 의한 잔존가치율 표

구분 경과연수 \ 내용연수	잔존가치율(10%)	
	15년	20년
1	14/0.858	19/0.891
2	13/0.736	18/0.794
3	12/0.631	17/0.708
4	11/0.541	16/0.631
5	10/0.464	15/0.562
6	9/0.398	14/0.501
7	8/0.341	13/0.447
8	7/0.293	12/0.398
9	6/0.251	11/0.355
10	5/0.215	10/0.316
11	4/0.185	9/0.282
12	3/0.158	8/0.251
13	2/0.136	7/0.224
14	1/0.117	6/0.200
15	0.100	5/0.178
16		4/0.158
17		3/0.141
18		2/0.126
19		1/0.112
20		0.100

투자자 甲은 1동의 건물 전체를 주거용으로 임대 중인 '단지형 연립주택'에 대하여 아래의 (자료 1)과 (자료 2)를 참고하여, (자료 3)과 같이 대상 부동산의 가치를 산정하였다. 관련법규 및 감정평가이론을 참작하고, 제시된 자료를 활용하여 다음의 물음에 답하시오. 10점

(1) (자료 3)과 같은 甲의 가치산정과정과 결과에 대하여 '조소득승수(gross income multiplier)'를 활용하여 점검하되, 최종 조소득승수는 매매 사례 (a)와 (b)를 평균하여 산정하시오. 5점

(2) 甲의 가치산정 논리에 대하여, 물음 (1)의 결과에 기초한 평가 검토의견을 작성하시오. 5점

(자료 1) 대상 부동산의 개요

1. 총 20개호인 각호의 구조는 2개의 룸으로 구획되어 있고 모두 동일함.
2. 보증금 없이 각호당 월 50만원에 전체를 공실없이 임대 중임.

(자료 2) 인근의 부동산 매매사례 등

1. 매매사례(a) : 총 20개호인 각호의 구조는 3개의 룸으로 구획되어 있고 모두 동일하며, 보증금 없이 각호당 월 70만원에 전체를 공실없이 임대 중이며, 최근 12억원에 거래되었음.
2. 매매사례(b) : 총 20개호인 각호의 구조는 4개의 룸으로 구획되어 있고 모두 동일하며, 보증금 없이 각호당 월 90만원에 전체를 공실없이 임대 중이며, 최근 16억원에 거래되었음.

(자료 3) 甲의 가치산정과정 및 결과

1. 매매사례(a) : 12억원 전체 룸의 수 60개
2. 매매사례(b) : 16억원 전체 룸의 수 80개
3. 룸당 평균단가 : (12억원 + 16억원) / (60룸 + 80룸) = 2,000만원
4. 대상 부동산의 시산가치 : 2,000만원 × (2룸 × 20개호) = 8억원

2019년 감정평가사 제30회

※ **공통유의사항**
1. 각 문제는 해답 산정시 산식과 도출과정을 반드시 기재
2. 단가는 관련 규정에서 정하고 있는 사항을 제외하고 천원 미만은 절사, 그 밖의 요인 보정치는 소수점 셋째 자리 이하 절사

감정평가사 甲은 식료품 제조업을 영위하는 (주)A로부터 일반거래(시가참고) 목적의 감정평가를 의뢰받았다. 관련법규 및 이론을 참작하고 제시된 자료를 활용하여 다음의 물음에 답하시오(단, 기준시점은 2020.1.1임). 40점

(1) (주)A의 기업가치를 평가하시오. 25점
(2) (주)A의 특허권의 유효 잔존수명을 산출하고, 특허권 가치를 평가하시오. 10점
(3) (주)A의 영업권 가치를 평가하시오. 5점

(자료 1) 대상 기업 및 특허권 개요

1. 대상 기업 현황

상호	(주)A
대표자	이○○
설립일자	2012.6.17
사업자번호	514-87-*****
주요제품	과자류

※ 대상 기업은 식료품 제조업을 영위함.

2. 특허권 개요

명칭	나선형 ** 코팅 장치
등록번호	10-13*****
출원일	2013.5.26
특허권자	(주)A
존속기간 만료일	2033.5.26

(자료 2) 주요가정

1. 추정기간이란 할인현금수지분석법 적용에 있어 현금흐름을 직접 추정하는 기간으로 대상 기업의 특성 및 시장상황 등을 고려하여 5년(1기~5기)으로 가정함.
2. 추정기간이 지난 6기부터는 성장율 0%를 적용하며, 5기의 현금흐름이 지속되는 것으로 가정함.
3. 대상 기업의 결산일은 매년 말일이며, 현금흐름은 편의상 기말에 발생하는 것으로 가정함.
4. 대상 기업의 현금흐름 추정시 비영업용 자산에 의한 수익, 비용은 제외된 것으로 가정함.

(자료 3) 재무상태표 및 손익계산서 일부 발췌(2019.12.31 현재)

1. 재무상태표(일부 발췌)

계정과목	금액(원)
자산	
Ⅰ. 유동자산	
1. 당좌자산	
(1) 단기금융상품	700,000,000
(2) 그 외	500,000,000
2. 재고자산 등	600,000,000
Ⅱ. 비유동자산	
1. 투자자산	
(1) 장기투자자산	300,000,000
2. 유형자산	
(1) 토지	2,500,000,000
(2) 건물	1,000,000,000
(3) 기계	800,000,000
부채	
Ⅰ. 유동부채	1,100,000,000
Ⅱ. 비유동부채	
1. 장기차입금	2,500,000,000

※ 대상 기업의 무형자산은 영업권과 특허권만 존재함.
※ 대상 기업의 비영업용 항목은 단기금융상품, 장기투자자산임.

2. 손익계산서(일부 발췌)

(단위 : 원/주)

구분	2017년	2018년	2019년
매출액	2,000,000,000	2,100,000,000	2,205,000,000
매출원가	1,000,000,000	1,050,000,000	1,102,500,000
매출총이익	1,000,000,000	1,050,000,000	1,102,500,000
판매비와 관리비	200,000,000	210,000,000	220,500,000
영업이익	800,000,000	840,000,000	882,000,000

(자료 4) 재무제표 관련 추가 자료

1. 추정기간 동안 매출액은 다음에서 산출한 증가율과 동일한 비율로 증가할 것으로 판단됨.
   1) 매출액 증가율 결정 방법 : 대상 기업의 과거 매출액 평균 증가율(2017년~2019년)과 동종 및 유사업종 매출액 평균 증가율의 산술 평균으로 결정함.
   2) 동종 및 유사업종 매출액 증가율

항목	단위	2017년	2018년	2019년
매출액 증가율	%	4.92	4.82	5.24

2. 매출원가는 과거와 동일한 매출원가율을 적용함.
3. 판매비와 관리비는 향후에도 과거와 동일하게 매출액의 일정 비율만큼 발생할 것으로 봄.
4. 감가상각비는 2019년에는 110,000,000원이며 추정기간 동안 매년 5,000,000원씩 증가됨.
5. 향후 예상되는 자본적 지출액은 매출액의 3%가 소요될 것임.
6. 순운전자본 증감
   1) 대상 기업의 경우 추정 매출액 증감액에 운전자본 소요율을 곱하여 산출함.
      (추정매출액$_t$ – 추정매출액$_{t-1}$) × 운전자본 소요율
   2) 운전자본 소요율은 한국은행 공시 재무정보를 이용한 회전율 등을 고려하여 대상 회사의 자료 등을 기준으로 산출하며, 추정기간 동안 동일하게 적용함.

   $$운전자본\ 소요율 = \frac{1}{매출채권회전율} + \frac{1}{재고자산회전율} - \frac{1}{매입채무회전율}$$

구분	매출채권회전율	재고자산회전율	매입채무회전율
회	8	10	20

7. 법인세 산정시 세율은 22%를 적용함.

(자료 5) 자기자본비용 관련

1. 본 기업의 자본구조는 자기자본비율 40%, 타인자본비율 60%임.
2. 자기자본의 기회비용은 자본자산가격평가모델(CAPM법 : Capital Asset Pricing Model)에 의함.
3. 무위험자산의 수익률(Rf)은 평균 5년 만기 국고채 수익률 등을 고려하여 3.5%, 시장의 기대수익률(E(Rm))은 12%로 가정함.
4. β계수는 최근 3년 유사업종에 속한 기업들의 β계수의 산술평균으로 함.

(식료품 제조업)

기준연도	기업베타(β)
2017년	0.9654
2018년	0.9885
2019년	0.9763

(자료 6) 타인자본비용 관련

대상 기업의 재정상태 및 금융상환 가능성 등을 종합적으로 고려하여 대상 기업의 차입이자율을 7%로 결정함.

(자료 7) 특허권 평가 자료

1. 특허권의 유효 잔존수명은 경제적 수명 잔존기간과 법적 잔존기간을 비교하여 결정하며, 산출된 유효 잔존수명은 연단위로 절사함.
2. 특허권의 경제적 수명 잔존기간은 아래의 자료로 산출함.
   1) 경제적 수명기간 산출방법 : 특허인용수명 × (1 + 영향요인 평점 합계/20)
   2) 특허인용수명

IPC	기술명	Q1	Q2(중앙값)	Q3
A23G	과자 등	5	9	13

※ 대상 특허의 특성 및 시장상황 등을 종합적으로 고려하여 대상 특허의 경제적 수명기간 산출에 적용할 특허인용수명은 중앙값으로 결정함.

3) 기술수명 영향요인 평가표

구분	세부요인	평점				
		-2	-1	0	1	2
기술요인	대체기술 출현가능성				✓	
	기술적 우월성				✓	
	유사·경쟁기술의 존재(수)			✓		
	모방 난이도				✓	
	권리 강도			✓		
시장요인	시장 집중도(주도기업 존재)				✓	
	시장경쟁의 변화			✓		
	시장경쟁강도			✓		
	예상 시장점유율				✓	
	신제품 출현빈도				✓	

3. 특허권은 물음 (1)에서의 "기업의 영업가치"에 해당 특허권의 기술기여도를 곱하는 방식으로 평가함.

(자료 8) 기술기여도 산출 관련 자료

1. **결정방법** : 기술기여도는 산업 특성을 반영하는 산업기술요소와 개별기술의 특성을 평가하는 개별기술강도의 곱으로 결정함.

2. 산업기술요소

표준산업분류코드		최대무형자산가치비율(%)	기술자산비율(%)	산업기술요소(%)
C10	식료품 제조업	67.5	76.0	51.3
C28	전기장비제조업	90.4	75.3	68.1

※ 산업기술요소(%) = 최대무형자산가치비율(%) × 기술자산비율(%)

3. 개별기술강도

   1) 기술성

구분	평가지표	평점				
		1	2	3	4	5
기술성	혁신성				✓	
	파급성				✓	
	활용성			✓		
	전망성			✓		
	차별성(독창성)				✓	
	대체성				✓	
	모방용이성			✓		
	진부화가능성(기술수명)			✓		
	권리범위				✓	
	권리 안정성				✓	

   2) 사업성

구분	평가지표	평점				
		1	2	3	4	5
사업성	수요성				✓	
	시장진입성				✓	
	생산용이성			✓		
	시장점유율 영향			✓		
	경제적 수명				✓	
	매출 성장성			✓		
	파생적 매출			✓		
	상용화 요구시간			✓		
	상용화 소요자본			✓		
	영업 이익성				✓	

   3) 개별기술강도

   개별기술강도(%) = (기술성 점수 합산 + 사업성 점수 합산)/100

(자료 9) 영업권 평가 자료

1. 영업권은 물음 (1)에서의 "기업의 영업가치(영업관련 기업가치)"에서 영업투하자본을 차감하는 방법으로 평가하되, 물음 (2)에서 평가된 특허권도 차감함.
2. 제시된 재무상태표를 기준으로 영업투하자본을 산출함.

(자료 10) 기타

1. 기업가치는 "기업의 영업가치"와 비영업용자산으로 구성됨.
2. 연도별 매출액과 "기업의 영업가치", 특허권 평가액, 영업권 평가액은 십만단위에서 반올림함.
3. 매출액 증가율을 제외한 모든 율은 백분율로 소수점 이하 셋째 자리에서 반올림하여 백분율로 소수점 이하 둘째 자리까지 표시함.

  A감정평가법인에 근무 중인 감정평가사 甲은 B도 C시장으로부터 보상목적의 감정평가를 의뢰받아 사전조사 및 현장조사를 마쳤는바, 관련법규 및 이론을 참작하고 제시된 자료를 활용하여 감정평가액을 산출 및 결정하시오. 30점

(자료 1) 감정평가 의뢰 내역(요약)

1. 의뢰인 : B도 C시장
2. 의뢰일자 : 2019.5.10
3. 가격시점 : 2019.6.29
4. 공익사업의 명칭 : ○○○공원 조성사업
5. 의뢰목록(일부 발췌)

일련번호	소재지	지번	지목(실제)	면적(㎡)	용도지역	비고
1	B도 C시 D동	148	전(전)	1,235.0	자연녹지	공원 100%

(자료 2) 사업개요

1. 사업계획의 개요
    1) 사업명칭 : ○○○공원 조성사업
    2) 사업시행자 : B도 C시장
    3) 위치 : B도 C시 D동 100번지 일원
    4) 사업면적 : 1,028,520㎡(1단계 462,800㎡, 2단계 565,720㎡ 중 1단계 사업)
    5) 사업기간: 2018.10.01~2020.12.31

2. 사업추진 주요 경과
    1) 2018.1.10 : ○○○공원 조성계획 결정(변경) 공람공고
    2) 2018.5.30 : ○○○공원 조성계획 결정(변경) 및 지형도면 고시
    3) 2018.10.1 : 보상계획 열람 공고
    4) 2018.12.10 : 공익사업 준비를 위한 토지 출입 허가 공고
    5) 2019.5.10 : 감정평가 의뢰

(자료 3) 공시지가 표준지, 매매사례 및 평가사례

1. 사업구역 및 인근의 공시지가 표준지 내역

기호	소재지	면적(㎡)	지목	이용상황	용도지역	도로교통	형상지세	공시기준일	공시지가(원/㎡)	비고
①	D동 121	1,452.0	전	전	자연녹지	맹지	부정형 완경사	2018.1.1	156,000	사업구역 내 (공원 100%)
								2019.1.1	160,000	
②	D동 214-1	2,564.0	과수원	과수원	자연녹지	세로(불)	부정형 완경사	2018.1.1	166,000	사업구역 내 (공원 100%)
								2019.1.1	171,000	
③	D동 산72-4	4,028.0	임야	자연림	자연녹지	맹지	부정형 완경사	2018.1.1	28,000	사업구역 내 (공원 100%)
								2019.1.1	29,000	
④	D동 457	1,321.0	잡종지	전기타	자연녹지	세로(불)	부정형 완경사	2018.1.1	260,000	사업구역 외
								2019.1.1	290,000	

※ 본 사업구역 내에 소재하는 공시지가 표준지는 모두 3개로, 표준지 기호 ①과 ③은 1단계 사업지 내에 그리고 기호 ②는 2단계 사업지 내에 각각 소재함.
※ 2018.1.1~2019.1.1 기간 중 B도 C시의 표준지공시지가 평균변동률은 7.216%임.

2. 매매사례

기호	소재지	거래일자	지목	용도지역	면적(㎡)	이용상황	거래가액 (원/㎡)	비고
가	D동 137	2018.9.1	전	자연녹지	1,208.0	전	280,000	*
나	D동 648	2018.1.6	전	자연녹지	1,532.0	전기타	360,000	**

* 기호 가 : 사업구역 내(공원 100%) 토지로, 본건 토지보다 제반 개별요인 우세함.
** 기호 나 : 사업구역 외 토지로, 인근의 매매가격 수준 및 평가사례 등에 비추어 정상적인 매매로서 당해 사업으로 인한 영향을 받지 아니한 것으로 판단됨.

3. 평가사례

기호	소재지	기준시점	평가목적 (사업명칭)	지목	면적(㎡)	용도지역	평가액 (원/㎡)	비고
ㄱ	A동 1207	2019.2.1	보상 (△△테마공원 주차장조성사업)	전	2,004.0	자연녹지	320,000	*
ㄴ	E동 36	2018.4.8	보상 (중로 3-××호 개설공사)	전	1,082.0	자연녹지	380,000	**

* 기호 ㄱ : 전체 65필지 중 협의체결률은 약 45%로서, 가격조사일 현재 나머지 필지는 수용재결 절차에 있는 것으로 조사됨.
** 기호 ㄴ : 본 사업구역이 소재하는 D동과 인근의 E동을 남북으로 연결하는 도로 사업임.

(자료 4) 지가변동률 등

기간	변동률(%)		비고
	평균	녹지	
2018.1.1~2019.6.29	4.108	4.202	C시
2019.1.1~2019.6.29	1.403	1.470	C시
2018.10.1~2019.6.29	2.567	2.718	C시
2018.10.1~2019.6.29	2.479	2.692	B도
2018.1.6~2019.6.29	3.549	3.892	C시
2018.4.8~2019.6.29	3.002	3.112	C시
2018.9.1~2019.6.29	2.651	2.847	C시
2019.2.1~2019.6.29	1.082	1.236	C시

※ 생산자물가상승률은 인근지역의 적정한 지가변동을 반영하고 있지 아니하다고 판단하여 검토 생략

(자료 5) 요인비교 자료

1. **지역요인** : 본건 및 공시지가 표준지, 매매사례 및 평가사례는 모두 인근지역에 소재하여 지역요인 대등함.
2. **개별요인**

(공시지가 표준지 : 1.00)

공시지가표준지	본건(연번 1)	매매사례		평가사례	
		가	나	ㄱ	ㄴ
①	1.00	1.04	1.08	1.00	1.12
②	0.95	0.98	0.95	0.95	0.95
③	4.00	4.10	4.05	4.00	4.00
④	0.90	0.92	0.97	0.90	1.00

※ 상기 개별요인 비교 자료는 도시계획시설 공원 저촉에 따른 제한을 반영하지 않은 수치이며 인근지역에 대한 매매사례 기타 평가사례 등에 대한 조사 결과, 도시계획시설 공원에 저촉된 것에 비해 저촉되지 아니한 상태로의 가치 상승률은 20%(임야) ~ 80%(대) 수준을 나타내고 있는바, 필요 시 공원 저촉 여부에 따른 추가 요인비교를 행함.

Question 03

감정평가사 甲은 부동산개발업자 乙로부터 개발계획의 타당성 검토를 의뢰받았다. 관련법규 및 이론을 참작하고 제시된 자료를 활용하여 개발계획의 타당성을 분석하시오. 20점

(자료 1) 개발계획

1. 부동산개발업자 乙은 K구 M동에 소재하는 노후된 상업용 부동산을 매수한 후 기존 건물을 철거하고 업무용 건물을 신축하여 일정기간 임대한 후 처분할 계획임.
2. 매수 대상 부동산은 적정한 가격으로 매수 가능한 상태이며, 매수 대상토지와 건물 중 기준시점 현재 건물의 잔존가치는 150,000,000원으로 판단됨.
3. 업무용 건물의 신축공사기간은 기준시점으로부터 1년이고, 1년 후 준공과 동시에 임대를 개시하며, 임대개시 5년 후 처분할 계획임.
4. 기준시점 : 2019.8.1

(자료 2) 매수 대상 부동산

1. 소재지 : K구 M동 300번지
2. 토지 : 대, 530㎡, 상업용, 소로한면, 가장형, 평지
3. 건물 : 위 지상 벽돌조 슬라브지붕 지상 2층, 상업용, 건축연면적 630㎡
4. 용도지역 : 준주거지역

(자료 3) 표준지공시지가(공시기준일 : 2019.1.1)

기호	소재지	면적(㎡)	지목	이용상황	용도지역	도로접면	형상지세	공시지가(원/㎡)
1	K구 M동 293	400	대	상업용	준주거지역	세로가	가장형평지	1,760,000
2	K구 M동 307	520	대	상업용	준주거지역	소로한면	가장형평지	1,870,000

(자료 4) 거래사례 자료

1. 소재지 : K구 M동 315번지
2. 토지 : 대, 490㎡, 상업나지, 소로한면, 가장형, 평지
3. 건물 : 없음(토지만의 거래사례임)
4. 용도지역 : 준주거지역
5. 거래금액 : 1,150,000,000원
6. 거래시점 : 2019.5.1
7. 기타사항 : 대상지역의 거래관행은 거래시점에 매매대금을 모두 일시에 지급하는 것이나, 본건 거래사례의 경우 매매대금의 70%를 거래시점에 지급하고 나머지 30%는 1년 후에 지급하는 조건인 것으로 확인되었으며, 그 외의 거래내역은 정상적임.

(자료 5) 시점수정, 지역요인, 개별요인, 그 밖의 요인 자료

1. 시점수정치(지가변동률)
   1) 2019.1.1~2019.8.1 : 1.01752
   2) 2019.5.1~2019.8.1 : 1.00697
2. 지역요인 비교치 : 대상 부동산, 표준지, 거래사례 모두 인근지역 내에 소재하여 지역요인은 동일함.
3. 개별요인 비교치 : 개별요인 비교항목을 검토한 결과 대상토지는 표준지 기호 1 대비 5% 우세하고, 표준지 기호 2 대비 1% 열세하며, 거래사례 대비 2% 우세한 것으로 격차율이 산정되었음.
4. 그 밖의 요인 보정치 : 1.25를 적용함.

(자료 6) 건물 신축 관련 자료

1. 구조 및 용도 등 : 철근콘크리트조 슬라브지붕, 지하 2층·지상 7층, 업무용
2. 면적 : 건축면적 300㎡, 건축연면적 2,700㎡
3. 신축공사기간 : 기준시점에 착공하여 1년 후 준공
4. 건축공사비 : 900,000원/㎡(건축공사비에는 기존 건물의 철거비 및 기타 제반 부대비용 등이 포함되어 있으며, 착공시점에 30%, 준공시점에 70%를 지급함)

(자료 7) 임대수익 관련 자료

1. 임대가능면적 : 건축연면적의 70%임.
2. 순영업소득 : 연간 순영업소득은 145,000원/㎡이며, 보유기간 동안 변동 없이 유지될 것으로 판단됨.

(자료 8) 대출조건 및 기타 자료

1. 대출조건 : 대출비율 60%, 이자율 7%, 만기 20년임(매월 원리금 균등상환).
2. 자기자본수익률 : 10%
3. 할인율 : 8%
4. 임대개시 5년 후 처분할 계획이며, 부동산가치는 임대개시(준공) 이후 매년 2% 상승할 것으로 판단됨.
5. 수익환원은 직접환원법에 의함.
6. 환원율 계산시 소수점 이하 다섯째 자리에서 반올림하여 소수점 이하 넷째 자리까지 표시함.
7. 각 단계의 가격산정시 천원 미만은 절사함.

1년 전 임대차계약이 체결되어 있는 오피스텔에 대하여 동 임대차계약을 인수하는 조건으로 매매가 이루어졌다. 매매가는 시장의 전형적인 수익률 5.0%를 기준으로 산출되는 임대권의 가치를 기준으로 결정되었다. 임대차계약 내용은, 계약기간 5년으로 연간 순임대료(순영업소득)는 2,200만원이고 계약기간 중 임대차조건의 변경이 없다는 내용으로 이루어졌다. 매매 계약일 현재 동 오피스텔의 시장 순임대료(순영업소득)는 연간 3,000만원이고, 임대차계약 만료시 재매도 가치는 65,000만원으로 예상되고 있다. 제시된 자료를 활용하여 다음의 물음에 답하시오. 10점

(1) 이 매매사례를 평가에 채택할 경우 사정보정률(백분율로 표시하되, 소수점 이하에서 반올림)을 산출하시오. 5점
(2) 시장가치가 동일할 경우, 계약임대료(순영업소득)에 기한 환원율과 시장임대료(순영업소득)에 기한 환원율과의 차이를 산출하고 이 차이가 의미하는 바가 무엇인지 약술하시오. 5점

2020년 감정평가사 제31회

※ 공통유의사항
1. 각 문제는 해답 산정시 산식과 도출과정을 반드시 기재
2. 단가는 개별 문제에서 제시하는 바에 따름
3. 그 밖의 요인 보정치는 소수점 셋째 자리 이하 절사

Question 01 주식회사A는 주식회사B를 인수합병하는 프로젝트에서 주식회사B의 영업권 가치를 파악하기 위해 감정평가사甲에게 감정평가를 의뢰하였다. 관련 법규 및 이론을 참작하고 제시된 자료를 활용하여 다음의 물음에 답하시오(단, 기준시점은 2020.9.19임). 40점

(1) 주식회사B 소유 부동산의 공정가치를 3방식을 적용하여 감정평가하고, 시산가액 조정을 통해 결정하시오. 30점

(2) 「감정평가에 관한 규칙」, 「감정평가 실무기준」에 의거하여 영업권 가치를 감정평가하시오. 10점

(자료 1) 공통사항

1. 단가는 유효숫자 셋째 자리까지 표시하되, 넷째 자리 이하는 절사함.
2. 시산가액과 총액은 백만원 단위까지 표시하되, 십만원 단위 이하는 절사함.

(자료 2) 주식회사B 소유 부동산 현황

1. 평가대상(집합건물) 물건

소재지		S시 K구 J동 100-1번지(S시 K구 ○○로 5)			
층	호수	용도	전유면적(㎡)	공용면적(㎡)	계약면적(㎡)
지하1층	B101	근린생활시설	1,200	630	1,830
지상1층	101	근린생활시설	950	500	1,450
지상2층	201	업무시설	1,200	630	1,830
지상3층	301	업무시설	1,200	630	1,830
지상4층	401	업무시설	1,200	630	1,830
지상5층	501	업무시설	1,000	520	1,520

2. 대상토지 현황

위치 및 주위환경	본 건은 S시 K구 J동 소재 S시청 동측 인근에 위치하고 S시 도심지역에 속하며, 본 건 주위는 각종 업무용 빌딩, 근린생활 시설, 공공청사 등이 소재하는 업무지대임.
교통상황	본 건까지 차량 진출입 가능하고, 인근에 시내버스 정류장이 소재하며, 지하철 1호선 "○○역", 2호선 "○○역"이 소재하여 제반 교통상황은 양호함.
지목 / 면적	대 / 1,800㎡
형상, 지세 및 이용상황	인접지와 등고 평탄한 가장형 토지로서, 업무용 건부지로 이용 중임.
접면도로	서측으로 폭 약 40m, 남측으로 폭 약 10m 포장도로에 각각 접함.
토지이용계획 및 공법상 제한사항	일반상업지역

3. 대상건물 현황

건물명	B빌딩
주용도	업무시설, 근린생활시설
건축규모	지하2층 / 지상5층
연면적	10,290㎡
호수 / 사용승인일	6개호 / 2000.12.31
구조 및 지붕	철골철근콘크리트조 슬래브지붕
마감재	외벽 : 화강석 및 복합판넬 마감 등 내벽 : 몰탈 위 페인팅, 타일붙임 및 내부 인테리어 마감 등 창호 : 강화 유리창 마감 등
층별 용도(임대현황 등)	지하2층(1,695㎡) : 주차장, 기계실 지하1층(1,695㎡) : 근린생활시설(임대 : 음식점), 주차장 지상1층(1,150㎡) : 근린생활시설(임대 : 카페) 지상2층(1,500㎡) : 업무시설(임대 : W법무법인) 지상3층(1,500㎡) : 업무시설(자가사용 : 주식회사B) 지상4층(1,500㎡) : 업무시설(자가사용 : 주식회사B) 지상5층(1,250㎡) : 업무시설(자가사용 : 주식회사B)

(자료 3) 비교방식 참고자료

1. 인근지역 집합건물 거래사례(소재지 : S시 K구 J동)

기호	지번	층	호수	용도	전유면적 (㎡)	거래가격 (천원)	거래시점	용도지역	사용 승인일
1	50	3	301	업무시설	1,000	5,000,000	2020.2.15	준주거	2005.10.31
2	70	1	101	근린생활시설	750	9,750,000	2020.3.20	일반상업	2000.9.15
3	90	2	205	근린생활시설	100	900,000	2019.8.20	일반상업	2003.6.10
4	95	6	601	업무시설	1,050	6,825,000	2020.1.20	일반상업	2002.10.20

※ 상기 거래사례는 정상적인 거래임.

2. 지역별 자본수익률

(1) 집합상가(S시 도심지역)

(단위 : %)

구분	1분기	2분기	3분기	4분기
2019년	0.42	0.75	0.92	0.78
2020년	0.35	0.32	-	-

(2) 오피스(S시 도심지역)

(단위 : %)

구분	1분기	2분기	3분기	4분기
2019년	0.57	0.92	1.13	0.93
2020년	0.54	0.48	-	-

(3) 2020년 3분기 이후 자본수익률은 기준시점 현재 발표되지 않아 2020년 2분기 자본수익률을 연장 추정하여 적용하되, 소수점 넷째 자리에서 반올림하여 셋째 자리까지 표시함.

3. 가치형성요인 비교 참고자료

(1) 선정된 거래사례와 대상 물건은 층별효용을 제외한 가치형성요인은 동일함.

(2) 인근지역 내 대상 물건과 이용상황이 유사한 부동산의 임대료 수준, 평가사례 등을 종합적으로 고려한 결과 다음과 같은 층별효용비를 도출하였음(3방식 공통 적용).

층	용도	효용비
지하1층	근린생활시설	35
지상1층	근린생활시설	100
지상2층~최상층	업무시설	50

(자료 4) 원가방식 참고자료

1. 표준지공시지가(공시기준일 : 2020.1.1)

기호	소재지	면적 (m²)	지목	이용 상황	용도 지역	도로 접면	형상 지세	공시지가 (원/m²)	비고
A	S시 K구 J동 97-1	1,332	대	상업용	일반 상업	광대 세각	가장형 평지	14,500,000	도로 15% 저촉
B	S시 K구 J동 98-1	1,665	대	업무용	준주거	중로 한면	가장형 평지	10,200,000	-

※ 표준지 기호A의 도시계획시설(도로)은 장기미집행 도시계획시설로서 2020년 7월 1일자로 해제되었음.

2. 인근지역 거래사례(소재지 : S시 K구 J동)

기호	지번	용도 지역	지목 이용상황	형상 도로조건	토지면적 (m²) / 건물면적 (m²)	거래가격 (천원)	거래시점	사용 승인일
a	90-1	일반 상업	대 상업용	세장형 광대소각	215 / -	4,100,000	2020.3.31	-
	- 매매계약서상 특약사항 : 위 매매대금 중 200,000,000원은 지상에 소재하는 무허가 건축물의 거래대금인 것으로 양자 합의함							
b	93-2	일반 상업	대 상업용	가장형 광대한면	520 / 3,250	12,500,000	2019.3.31	1995.6.20
	- 기준시점 건물 재조달원가 : 1,350,000원/m² - 거래시점 건물 재조달원가 : 1,300,000원/m² - 구조 및 내용연수 : 철골철근콘크리트구조 슬래브지붕, 55년							

※ 기타 거래조건은 통상적인 것으로 전제함.

3. 인근지역 평가사례(소재지 : S시 K구 J동)

기호	지번	지목	면적 (m²)	이용 상황	용도 지역	도로 교통	형상 지세	토지단가 (원/m²)	기준시점	평가 목적
ㄱ	101	대	320	상업용	일반 상업	중로 한면	가장형 평지	15,500,000	2020.8.1	일반 거래
ㄴ	102	대	1,500	업무용	일반 상업	광대 소각	정방형 평지	19,800,000	2020.1.1	자산재 평가
ㄷ	103	대	1,750	업무용	일반 상업	광대 소각	가장형 평지	21,500,000	2020.5.1	담보

4. 지가변동률(S시 K구)

기간	지가변동률(%)		비고
	상업지역	주거지역	
2019.3.31~2019.12.31	1.745	2.345	누계치
2020.1.1~2020.8.31	1.323	1.565	누계치
2020.8.1~2020.8.31	0.254	0.367	2020.8 당월

※ 2020.9 이후 지가변동률은 기준시점 현재 고시되지 않아 2020.8. 지가변동률을 연장 추정하여 적용하되, 소수점 넷째 자리에서 반올림하여 셋째 자리까지 표시함.

5. **지역요인 비교** : 대상 부동산, 표준지, 거래사례, 평가전례 모두 인근지역 내에 소재하여 지역요인은 동일함.

6. 개별요인 비교 참고자료

   (1) 가로조건

구분	광대한면	중로한면	소로한면	세로(가)	세로(불)
격차율	1.00	0.85	0.80	0.75	0.65

   (2) 획지조건

   1) 형상

구분	정방형	가장형	세장형	사다리	부정형
격차율	1.00	1.02	0.97	0.95	0.90

   2) 접면도로상태

구분	한면	세각	소각
격차율	1.00	1.03	1.05

   (3) 행정적 조건

   1) 용도지역

구분	일반상업	준주거
격차율	1.00	0.85

   2) 도시계획시설

구분	일반	도로
격차율	1.00	0.85

(4) 상기에서 제시되지 않은 개별요인은 대상 부동산, 표준지, 거래사례, 평가전례 모두 동일함.

(5) 항목, 세항목 간 및 조건단위 격차율은 상승식으로 산정하되, 조건단위 비교치는 소수점 셋째 자리에서 반올림하여 둘째 자리까지 표시함.

7. 그 밖의 요인 보정 : 평가사례 중 가장 적정하다고 판단되는 하나를 선택하되, 그 밖의 요인 보정방법은 표준지 기준 산정방식을 적용함.

8. 재조달원가(기준시점)

용도	구조	급수	단가(원/㎡)	내용연수
근린생활시설	철골철근콘크리트조 슬래브지붕(6층 이하)	1급	1,300,000	55(50-60)
사무실	철골철근콘크리트조 슬래브지붕(6층 이하)	1급	1,500,000	55(50-60)

※ 상기 자료는 지상층 기준 단가이고, 지하층은 용도와 상관없이 지상1층 단가의 70%를 적용함.

9. 기타사항

(1) 토지는 공시지가기준법과 거래사례비교법에 의한 시산가액을 산정하여 시산가액 조정함.

(2) 공시지가기준법과 거래사례비교법에서 비교표준지 및 사례선정시 가장 적정하다고 판단되는 하나를 선정하되 그 사유를 적시할 것

(3) 요인비교치는 소수점 넷째 자리에서 반올림하여 셋째 자리까지 표시함.

(4) 층별효용비율은 백분율 기준 소수점 둘째 자리에서 반올림하여 첫째 자리까지 표시함.

(자료 5) 수익방식 참고자료

1. 대상 부동산의 현황 임대료

호수	용도	보증금(원/㎡)	월임대료(원/㎡)	월관리비(원/㎡)
B101	근린생활시설	150,000	15,000	3,000
101	근린생활시설	450,000	45,000	5,000
201	업무시설	190,000	19,000	5,000
301~501	업무시설	자가사용		

※ 상기 임대내역은 계약면적 기준임.
※ 현황 임대료는 인근지역 내 평균적인 임대료 수준과 유사한 것으로 조사됨.

2. 인근지역 유사 부동산의 표준적 공실 및 대손충당금 비율은 가능총소득(PGI)의 10%임.

3. **영업경비** : 연간관리비의 75%(감가상각비 미포함)

4. 감정평가사甲은 최근 부동산시장의 동향을 분석한 결과 오피스 대비 상가의 수요가 하락추세이고, 배달문화와 비대면문화의 확산으로 오피스보다 상가의 대출금리가 높게 책정된 상황임. 이러한 상황을 고려하여 시장추출법으로 종합환원율을 결정함.

구분	사례1	사례2	사례3
사례 집합건물	X빌딩 101호	Y빌딩 301호	Z빌딩 101호
용도	근린생활시설	업무시설	근린생활시설
계약면적(원/㎡)	1,500	1,800	1,200
연간 순영업소득(NOI)(원)	750,000,000	600,000,000	660,000,000
거래가격(원)	15,000,000,000	12,000,000,000	11,000,000,000
거래시점	2020.3.15	2020.3.25	2020.3.30

※ 사례는 대상 부동산의 인근지역 내 소재함

5. 보증금운용이율 : 연 2.0%

(자료 6) 영업권평가 참고자료

1. 재무상태표

과목	2019.12.31 현재 금액(원)	2020.9.19 현재 금액(원)
자산		
Ⅰ. 유동자산	40,000,000,000	35,000,000,000
Ⅱ. 비유동자산		
1. 투자자산	22,000,000,000	21,500,000,000
2. 유형자산	20,000,000,000	19,500,000,000
자산총계	82,000,000,000	76,000,000,000
부채		
Ⅰ. 유동부채		
1. 외상매입금	20,000,000,000	20,000,000,000
2. 단기차입금	5,000,000,000	0
Ⅱ. 비유동부채		
1. 장기차입금	25,000,000,000	25,000,000,000
부채총계	50,000,000,000	45,000,000,000
자본총계	32,000,000,000	31,000,000,000
부채 및 자본총계	82,000,000,000	76,000,000,000

※ 2019년 12월 31일 기준 재무상태표상 자산, 부채, 자본의 규모는 과거 5개년 평균과 유사한 수준임.
※ 2020년 9월 19일 기준 재무상태표는 비유동자산을 제외하고 공정가치로 조정되었음.
※ 2020년 9월 15일 단기차입금(5,000,000,000원)을 현금으로 상환하였으나, 회사의 통상적인 영업경비 충당을 위해 2020년 9월 30일에 재차입예정임.

2. 비영업용자산이 포함된 주식회사B의 기업가치는 70,000,000,000원으로 평가하였음.
3. 주식회사B 소유 부동산 중 자가사용 외의 집합건물은 임대수익을 얻기 위해 보유하고 있음.
4. 비유동자산은 주식회사B 소유 부동산 외에 다른 자산은 없다고 가정함.
5. 대상 기업의 무형자산은 영업권만 존재한다고 가정함.

Question 02 감정평가사甲은 A자산운용사로부터 부동산 펀드에 새로이 편입되는 Z마트(대형할인점) 3개 점포의 금융기관 담보제공 목적 감정평가를 의뢰받았다. 관련 법규 및 이론을 참작하고, 제시된 자료 및 전제조건을 활용하여 다음의 물음에 답하시오(단, 기준시점은 2020.9.19임). 30점

(1) 대상물건 각 점포에 적용되어야 하는 실무적·이론적으로 타당한 할인율과 재매도환원율을 결정하고, 그 사유를 서술하시오(단, 할인율과 재매도환원율은 백분율 기준 소수점 둘째 자리에서 반올림함). 15점

(2) 결정된 할인율과 재매도환원율을 적용하여 대상물건의 수익환원법 시산가액을 산정한 후 원가법에 의한 시산가액과 비교·검토하고, 각 점포별 시산가액의 균형에 대해 서술하시오. 15점

(자료 1) 대상물건 내역 및 원가법 시산가액

해당 자산	소재 지역	규모	용도 지역	사용승인일	원가법 시산가액 (단위: 백만원)
Z마트 a점포	A	대지면적: 3,866㎡ 연면적: 18,500㎡	준주거	2006.5.31	토지: 57,990(79.8%) 건물: 14,652(20.2%) 합계: 72,642(100.0%)
Z마트 b점포	B	대지면적: 6,520㎡ 연면적: 28,000㎡	유통상업	2011.12.10	토지: 37,816(59.4%) 건물: 25,872(40.6%) 합계: 63,688(100.0%)
Z마트 c점포	C	대지면적: 12,630㎡ 연면적: 43,000㎡	유통상업	2015.11.15	토지: 17,682(30.8%) 건물: 39,732(69.2%) 합계: 57,414(100.0%)

※ 각 점포의 건물은 관련 법규에서 정하여진 허용 용적률을 전부 사용하여 건축되었음. 원가법 시산가액은 대·중소기업 상생협력 촉진에 관한 법률에 의한 사업조정비용 등 무형적 비용을 제외한 금액임.

(자료 2) 전제조건 등

1. 대형할인점 운영기업은 유동성 확보 차원에서 최근 10년간 주요 대형할인점 점포를 매각 후 재임차(Sales and Lease Back)하였으며, 매각 후 재임차된 점포는 수익환원법 가치를 바탕으로 자산운용사에 매매되는 관행이 성립되었음. 자산운용사 및 기타 시장참여자(재무적 투자자 등)는 위험회피자임.

2. 해당 펀드는 5년 후 청산을 목적으로 하는 펀드로서, 펀드에 대해 투자하는 금융기관은 펀드 만기에 대상물건 각 점포별 재매도 가치를 중요하게 생각하는 바, 의뢰인 A자산운용사는 5년 후 재매도 가치가 할인현금수지에 명확히 포함되는 평가모형을 사용하여 줄 것을 감정평가사甲에게 요청하였음.

3. 감정평가사甲은 시장관행에 따라 순영업소득(NOI)을 기초로 할인현금수지법(DCF Method)을 적용하기로 하되, 재매도 가치는 내부추계법을 사용하기로 하였음.

4. 감정평가사甲이 소속된 D감정평가법인의 심사위원회는 감정평가사甲에게 "Z마트의 경우 재무적 상황이 악화되어 임차계약 연장이 불투명하고, 의뢰인의 목표수익률도 자산별로 상이하므로, 해당 자산이 소속된 지역의 부동산 상황·자산별 특성 및 판매시설 운용추이 등을 종합적으로 검토하여 자산별로 할인율과 재매도환원율을 달리 사용할 것"을 권고하였음.

5. 해당 부동산의 임대차 내역 : 대상 물건은 Z마트 a, b, c 점포로서, 다음은 매도인 Z마트(임차인)와 매수인 A자산운용사가 설립한 특수목적법인 A사모부동산투자신탁 제1호(임대인) 간에 체결된 임대차 내역을 요약한 표임.

해당 자산	소재 지역	연간 임대료(원)	비고
Z마트 a점포	A	3,800,000,000	임대 기간 : 2020.9.19~2030.9.18 기타 임대 조건 : ① 대상 물건에 대한 운영경비는 임차인이 전부 부담하는 순임대차임. ② 연간 임대료는 1년 단위 임대기간 말 후취 조건임. ③ 연간 임대료는 매년 1.5%씩 인상함.
Z마트 b점포	B	3,600,000,000	
Z마트 c점포	C	3,500,000,000	

6. 보증금과 임대차기간 동안의 공실 및 기타수입은 없는 것으로 간주하며, 연간 임대료는 순영업소득과 일치함.

7. 할인율 및 재매도환원율을 공공기관 통계를 기초로 결정하는 경우 최근의 경제상황을 고려하여 최근 1년 평균치와 최근 5년 평균치의 중앙값을 순영업소득 및 재매도 가치에 적용하며, 자산운용사 제시 자료를 기초로 할인율 및 재매도 환원율을 결정하는 경우 타인자본 차입비율(L/V : 65%)을 고려한 가중평균수익률 (종합할인율)을 순영업소득 및 재매도 가치에 적용함.

8. 해당 부동산 펀드는 유보 없이 배당가능금액 전부를 배당하며, 편의상 부동산 영업경비를 제외한 펀드 운용비용 등은 없는 것을 전제로 함.

(자료 3) 취득 자료 및 조사사항

1. 공공기관에서 발표한 대형 상업용 부동산 수익률 통계는 다음과 같음. 소득수익률 통계는 각 지역에서 여러 개의 표본에 대해 최근 1년 및 5년의 원본가치 대비 순영업소득 비율을 취합한 결과로서, 원본가치는 토지 및 건물을 각각 산정하여 합산하였음.

구분	소득수익률 (최근 1년 평균)	투자수익률 (최근 1년 평균)	자본이득률 (최근 1년 평균)
A지역	5.00%	6.50%	1.50%
B지역	4.80%	5.80%	1.00%
C지역	4.70%	5.20%	0.50%

구분	소득수익률 (최근 5년 평균)	투자수익률 (최근 5년 평균)	자본이득률 (최근 5년 평균)
A지역	6.20%	7.70%	1.50%
B지역	6.00%	7.10%	1.10%
C지역	5.60%	6.00%	0.40%

2. A자산운용사가 제시한 해당 펀드의 목표 배당수익률 및 금융기관 대출금리는 다음 표와 같음. 대출금리는 5년간 고정금리이며, 펀드설정기간 동안 원금상환은 없음. 감정평가사甲이 수집한 자료를 통해 검증해 본 결과 해당 자산운용사의 목표수익률은 유사지역 동종 부동산 펀드 목표수익률과 유사한 수준이며, 실현가능성이 매우 높은 것으로 판단됨.

구분	초기(초년도) 목표배당수익률 (매각차익 배당 제외)	장기 목표배당수익률 (매각차익 배당 포함)	금융기관 대출금리
Z마트 a점포	6.80%	8.00%	3.50%
Z마트 b점포	7.50%	8.30%	3.50%
Z마트 c점포	7.80%	8.60%	3.50%

3. 감정평가사甲이 분석한 해당 점포 소재지역의 지역분석 내용은 다음과 같음.

구분	지역분석 내용
A지역	A지역은 S시의 남쪽에 위치하며, 해당 지역의 배후지는 S시 내에서 상대적으로 고소득 계층이 거주하는 지역으로서, 판매시설의 매출은 상대적으로 견고한 추이를 보이고 있음. A지역의 상업용 부동산 임대료는 과거 타 지역에 비해 상대적으로 낮은 변동성을 보이고 있으며, 장래 이자율·환율·GDP 상승률 등 거시경제지표 변동과 상관계수가 낮을 것으로 예상됨.
B지역	B지역은 S시의 서남쪽에 위치하며, 해당 지역의 배후지는 S시 내에서 상대적으로 저소득 계층이 거주하는 지역으로서, 판매시설의 매출은 인근 경공업 경기에 비교적 민감하게 반응하고 있음. B지역의 과거 상업용 부동산 임대료의 변동성은 A지역에 비해 상대적으로 높고 C지역에 비해 상대적으로 낮으며, 장래 B지역 임대료의 이자율·환율·GDP 상승률 등 거시경제지표와의 상관계수도 A지역에 비해 상대적으로 높고 C지역에 비해 상대적으로 낮을 것으로 예상됨.
C지역	C지역은 K도 남부에 위치하며, 해당 지역의 배후지는 과거 K도 최고수준 소득 계층이 거주하는 지역이었으나, 최근 조선업의 불황으로 인구변동이 활발히 일어나고 있음. C지역 판매시설의 매출은 인근 조선업 경기에 매우 민감하게 반응하고 있음. C지역 상업용 부동산 임대료는 과거 B지역에 비해 상대적으로 높은 변동성을 보이고 있으며, 장래 이자율·환율·GDP 상승률 등 거시경제지표 변동과 상관계수도 B지역에 비해 상대적으로 높을 것으로 예상됨.

(자료 4) 기타사항

1. 할인현금흐름수지표는 십만원 단위에서 반올림하여, 백만원 단위로 작성할 것
2. 재매도 비용은 매각자문비용 등으로서, 재매도 가치의 1.3%를 적용함.
3. 현시점의 기입환원율(Going-in Cap-rate)과 펀드 자산 매각시기의 재매도환원율은 동일한 것으로 간주할 것
4. 할인현금흐름수지표는 회계기간을 고려하지 않고, 기준시점부터 1년 단위로 작성하되, 현재가치율은 백분율 기준 소수점 첫째 자리까지 계산하고 표기할 것
5. 각 점포에 대해 체결된 임대계약은 시장임대료 및 해당 점포 소재지 판매시설 부동산 시장 상황을 적절히 반영하고 있음.
6. A자산운용사는 대형할인점 운영기업의 경우 최근 소셜커머스 기업의 대형화로 인해 성장이 둔화된 상황이므로, 향후 건물가치가 하락할 수 있다는 점을 고려하여 부동산 매입을 결정하였음. 지역별 할인율을 결정할 때, 건물가치의 운용기간 중 회수율을 고려하여 자산별 적용 할인율의 균형을 검토하여야 함.
7. 상기 제시된 모든 수익률은 감가상각비를 비용으로 고려하지 않은 상각전 수익에 대한 원본가치 대비 수익률임.

8. 해당 펀드는 대상 점포별로 다른 금융기관의 대출을 이용하고자 하는바, 각 점포별 담보가치의 균형에 유의하여야 함.
9. 수익률 산정 및 수익환원법 시산가액 산정에 있어 세금효과는 배제함.
10. 물음 (2)의 할인현금수지표에는 기간별 순영업소득, 재매도 가액에서 재매도 비용을 공제한 순재매도 가액, 이자지급전 현금흐름, 현재가치율, 할인현금흐름이 포함되어야 함.
11. 평가개요 작성은 생략할 것

감정평가사甲은 A지방법원 판사乙로부터 도시철도사업과 관련한 토지의 감정평가를 의뢰받았다. 감정평가사甲은 본 소송 과정에서 원고와 피고의 이해관계가 첨예하게 대립하고 있는 점을 확인하고 각자의 입장에서 대상토지를 사전분석해 보기로 하였다. 관련 법규 및 이론을 참작하고 제시된 자료를 활용하여 다음의 물음에 답하시오. 20점

(1) 피고(사업시행자이자 매수인) 입장에서 주장할 것으로 판단되는 대상토지의 이용상황을 관련 법규 등을 근거로 검토한 후, 해당 이용상황에 따른 대상토지를 감정평가하시오. 10점
(2) 원고(피수용자이자 매도인) 입장에서 주장할 것으로 판단되는 대상토지의 이용상황을 관련 법규 등을 근거로 검토한 후, 해당 이용상황에 따른 대상토지를 감정평가하시오. 10점

(자료 1) 사건 개요

1. 평가의뢰인 : A지방법원 판사乙
2. 사건번호 : 2020구합○○○○ 손실보상금
3. 원고 : 丙
4. 피고 : A시

(자료 2) 기본적 사항

1. 감정평가목적 : 소송(감정목적물에 대한 수용 당시의 적정한 보상금 산정)
2. 감정목적물 : A시 B구 C동 10-3번지
3. 감정할 사항 : 감정목적물에 대한 2019.5.19을 가격시점으로 한 적정한 시가(보상액)

4. 토지 변동내역
   (1) B동 10번지
      1) 2014.5.24 : 건축허가 득함
      2) 2014.12.5 : 분할되어 본번에 -1을 부함
      3) 2014.12.12 : 건축물 사용승인 득함
      4) 2018.5.19 : 분할되어 본번에 -2를 부함
   (2) B동 10-1번지
      1) 2014.12.5 : B동 10번지에서 분할
      2) 2014.12.5 : 지목변경
      3) 2018.5.19 : 분할되어 본번에 -3을 부함

5. 대로1류(폭20M~25M) 변동내역
   (1) 2008.2.15 : A시 도시계획시설(도로) 결정 및 지형도면고시
   (2) 2016.6.9 : A시 도시계획시설(도로) 결정(변경) 및 지형도면고시
   (3) 2016.7.15 : 보상계획공고
   (4) 2016.9.30 : 도시계획시설(도로) 실시계획인가고시
   (5) 2017.10.31 : 사업준공완료

6. 도시철도사업관련
   (1) 2018.5.24 : 도시철도 A선 사업계획승인(도시철도법 제7조 제1항)

7. 감정평가 관련자료
   (1) 대상토지의 개요

소재지	편입면적(㎡)	지목	이용상황	공법상 제한사항
A시 B구 C동 10-3번지	19	도	도로	준주거지역, 도시철도

(2) 표준지공시지가

기호	소재지	면적(m²)	지목	이용상황	용도지역	도로교통	형상/지세	2016.1.1 (원/m²)	2018.1.1 (원/m²)
A	B구 C동 7번지	500	대	단독주택	준주거	세로(가)	사다리/평지	630,000	750,000
B	B구 C동 10번지	550	대	상업용	준주거	광대한면	세장형/평지	1,250,000	1,500,000

※ 2018.1.1자 표준지 기호B는 도시계획시설(도시철도)에 30% 저촉됨.

(3) 시점수정치

1) 2018.1.1 ~ 2019.5.19 : 1.09268

2) 2016.1.1 ~ 2019.5.19 : 1.15069

(4) 개별요인 비교치

1) 도로접면

구분	광대한면	중로한면	소로한면	세로(가)	세로(불)
광대한면	1.00	0.91	0.85	0.80	0.72
중로한면	1.10	1.00	0.93	0.88	0.80
소로한면	1.18	1.07	1.00	0.94	0.86
세로(가)	1.25	1.14	1.06	1.00	0.91
세로(불)	1.38	1.25	1.17	1.10	1.00

2) 형상

구분	정방형	가장형	세장형	사다리
정방형	1.00	1.02	1.00	0.99
가장형	0.98	1.00	0.98	0.97
세장형	1.00	1.02	1.00	0.99
사다리	1.01	1.03	1.01	1.00

3) 도시계획시설

구분	일반	도로	도시철도
일반	1.00	0.9	0.85
도로	1.08	1.00	0.92
도시철도	1.18	1.09	1.00

(5) 그 밖의 요인 보정치
  1) 표준지 기호A
    ① 2018.1.1 표준지공시지가 : 1.35
    ② 2016.1.1 표준지공시지가 : 1.45
  2) 표준지 기호B
    ① 2018.1.1 표준지공시지가 : 1.50
    ② 2016.1.1 표준지공시지가 : 1.65

(6) 시계열 도면 자료(소재지 : A시 B구 C동 10번지 일원)

8. 기타 참고자료
    (1) 도시철도법 제10조 제2항 : 동법 제7조 제1항에 따른 사업계획의 승인과 같은 조 제6항에 따른 고시는 공익사업을 위한 토지 등의 취득 및 보상에 관한 법률(이하 "토지보상법") 제20조 제1항 및 제22조에 따른 사업인정 및 사업인정고시로 봄.
    (2) 대상 토지는 C동 10번지 건축허가 이전까지 상업나지 상태였으며, 건축허가를 득하는 과정에서 분필되어 현재까지 도로로 이용 중임.
    (3) 대상 토지의 수용재결 평가액은 15,390,000원(2개 법인 평균), 이의재결 평가액은 15,770,000원(2개 법인 평균)임.
    (4) C동 10번지, C동 10-1번지, C동 10-2번지, C동 10-3번지는 모두 丙소유임
    (5) 공시지가기준법으로 평가한 대상 토지의 평가액은 인근 거래사례의 가격수준과 적정한 균형을 이루고 있고, 그 합리성이 인정되는 것으로 봄.
    (6) 본 사업은 도시철도 사업으로서 토지보상법 제70조 제5항, 동법 시행령 제38조의2 및 동법 시행령 제37조의 검토는 불필요함.
    (7) 토지 평가단가는 천원 미만은 절사할 것
    (8) 개별요인은 조건 간 상승식으로 산정하되, 각 조건별 비교치는 소수점 셋째 자리에서 반올림하여 둘째 자리까지 표시하고, 개별요인 비교치는 소수점 넷째 자리에서 반올림하여 셋째 자리까지 표시함.

Question 04
감정평가사甲은 A시 B구에서 시행하는 도시계획시설 도로 사업에 편입되는 주식회사K의 영업보상(휴업)에 대한 협의를 위한 감정평가를 의뢰받았다. 관련 법규 및 이론을 참작하고 제시된 자료를 활용하여 영업손실 보상액을 감정평가하시오. 10점

(자료 1) 사업의 개요

1. 사업시행지 : A시 B구 C동 5-19번지 일원
2. 사업의 종류 : 도시계획시설(도로)사업(중로5-24호선) 개설공사
3. 사업시행자 : B구청장
4. 사업인정고시일 : 2020.1.24
5. 가격시점 : 2020.9.19

(자료 2) 사업 토지 및 영업장 개황

(자료 3) 관련자료

1. 주식회사K는 2012년 6월경 개업하였으며, 최근 3년의 월평균 영업이익은 다음과 같음.

구분	2017년	2018년	2019년
월평균 영업이익	3,650,000원	3,950,000원	4,250,000원

2. 발전기실
   (1) 구조 : 벽돌조 슬래브지붕
   (2) 연면적 : 9㎡
   (3) 사용승인일 : 2012.5.24

(자료 4) 기타 참고사항

1. 주식회사K는 공익사업을 위한 토지 등의 취득 및 보상에 관한 법률(이하 "토지보상법") 시행규칙 제45조의 영업손실의 보상대상 요건을 갖추었음.
2. 주식회사K는 발전기실 철거 후 재설치까지 공장가동이 불가능한 상태이며, 발전기실을 동일규모로 새로이 건축하고, 내부에 소재하는 발전기 및 그 부대설비를 이전 재설치하는 데 1개월이 소요될 예정임.
3. 벽돌조 슬래브지붕의 발전기실를 신축하는 데 통상 1,300,000원/㎡가 소요됨.
4. 발전기실 내 발전기 및 그 부대설비를 이전 재설치하는 데 3,500,000원이 소요되며, 시운전 비용 500,000원이 추가 소요됨.
5. 도시근로자가구 월평균 가계지출비(3인 가구) : 4,233,829원
6. 영업규모 축소에 따른 영업용 고정자산, 원재료, 제품 및 상품 등의 매각에 따른 손실은 없음.
7. 발전기실은 지장물 조서 목록에 별도로 조사되어 있음.
8. 본 영업장의 이전에 따른 휴업보상액(「토지보상법」 제47조 제1항)은 25,000,000원임.

2021년 감정평가사 제32회

※ 공통유의사항
1. 각 문제는 해답 산정시 산식과 도출과정을 반드시 기재
2. 단가는 개별 문제에서 제시하는 바에 따름
3. 그 밖의 요인 보정치는 소수점 셋째 자리 이하 절사

Question 01

감정평가사 甲은 S시에 소재하는 대상 부동산에 대하여 일반거래(시가참고) 목적의 감정평가를 의뢰받았다. 관련법규 및 이론을 참작하고 제시된 자료를 활용하여 다음 각 물음에 답하시오. 40점

(1) 토지는 공시지가기준법, 거래사례비교법을 적용하고, 건물은 원가법을 적용하여 대상 부동산의 시산가액을 산정하시오. 18점
(2) 일괄 거래사례비교법에 의한 시산가액을 산정하시오. 7점
(3) 일괄 수익환원법에 의한 시산가액을 산정하시오. 12점
(4) 시산가액 조정을 통하여 감정평가액을 결정하시오. 3점

(자료 1) 기본적 사항

1. 기준가치 : 시장가치
2. 기준시점 : 2021년 8월 7일
3. 대상 물건의 개황

   1) 토지

소재지 지번	지목	면적(m²)	용도지역	이용상황	도로접면	형상지세	주위환경
J구 M동 120	대	1,500	일반상업	업무용	광대세각	가장형 평지	일반 업무지대

   2) 건물

   (1) 건물 개황

소재지 지번	구조	층수	면적(m²)	용도	급수	비고
J구 M동 120	철근 콘크리트조	지하4층/지상10층	13,800	업무용	3	허가일 : 2015.7.15 사용승인일 : 2016.7.15 (지상9~10층 증축 : 2018.7.15)

(2) 건물 세부 내역

구분	면적(㎡)	이용상황	부대설비 내역
지하1층~지하4층	각 950	주차장, 기계실	전기설비, 소방설비, 승강기설비
지상1층~지상10층	각 1,000	업무시설	전기설비, 소방설비, 위생설비, 냉난방설비, 승강기설비

(자료 2) 공시지가표준지

(공시기준일 : 2021.1.1)

기호	소재지 지번	지목	면적(㎡)	용도지역	이용상황	도로접면	형상지세	주위환경	공시지가(원/㎡)
1	J구 M동 60	대	450	3종일주	상업용	중로한면	세장형 평지	후면 상가지대	22,000,000
2	J구 M동 110	대	1,400	일반상업	업무용	광대한면	세장형 평지	일반 업무지대	41,000,000
3	J구 M동 210	대	1,050	일반상업	업무용	소로한면	가장형 평지	후면 상가지대	30,000,000

(자료 3) 인근지역 평가사례 및 거래사례

1. 평가사례

기호	소재지 지번	지목	면적(㎡)	용도지역	이용상황	도로접면	형상지세	기준시점	토지단가(원/㎡)	평가목적
가	J구 M동 75	대	570	3종일주	상업용	중로한면	정방형 평지	2021.2.1	38,500,000	담보
나	J구 M동 105	대	1,300	일반상업	업무용	광대한면	세장형 평지	2021.3.1	62,000,000	시가참고
다	J구 M동 115	대	1,200	일반상업	업무용	광대한면	가장형 평지	2018.6.1	58,000,000	시가참고
라	J구 M동 125	대	1,400	일반상업	업무용	광대한면	가장형 평지	2021.7.1	61,000,000	자산재평가
마	J구 M동 195	대	1,360	일반상업	업무용	소로한면	가장형 평지	2021.1.1	42,000,000	담보

* 평가사례 기호 가, 마는 후면 상가지대, 기호 나~라는 일반 업무지대에 위치함.

2. 거래사례

(1) 거래사례 #1
- 소재지 : J구 M동 109
- 총 거래가격 : 67,050,000,000원
- 거래시점 : 2021년 3월 1일
- 토지 : 일반상업, 주상용, 900㎡, 광대한면, 세장형, 평지
- 건물

구조	급수	연면적(㎡)	허가일/사용승인일	부대설비 내용
철근콘크리트조	4	12,500	2017.2.23/2018.2.20	전기설비, 소방설비, 위생설비, 냉난방설비, 승강기설비

- 기타사항 : 일반 업무지대에 위치하며, 정상 거래사례임.

(2) 거래사례 #2
- 소재지 : J구 M동 129
- 총 거래가격 : 98,400,000,000원
- 거래시점 : 2021년 2월 1일
- 토지 : 일반상업, 업무용, 1,600㎡, 광대세각, 세장형, 평지
- 건물

구조	급수	연면적(㎡)	허가일/사용승인일	부대설비 내용
철근콘크리트조	3	5,000	1980.1.20/1981.1.25	전기설비, 소방설비, 위생설비, 냉난방설비

- 기타사항 : 일반 업무지대에 위치하는 정상적인 거래사례로, 매수자는 대상 부동산을 매입하여 지하4층, 지상10층 규모의 업무시설을 신축할 예정임(철거비는 감안하지 않는 것으로 함).

(3) 거래사례 #3
- 소재지 : J구 M동 139
- 총 거래가격 : 99,636,000,000원
- 거래시점 : 2021년 3월 1일
- 토지 : 일반상업, 업무용, 1,500㎡, 광대한면, 가장형, 평지

- 건물

구조	급수	연면적(㎡)	허가일/사용승인일	부대설비 내용
철근콘크리트조	3	13,600	2015.2.16/ 2016.2.19	전기설비, 소방설비, 위생설비, 냉난방설비, 승강기설비

- 기타사항 : 일반 업무지대에 위치하며, 매도자의 사정으로 인해 급매된 사례임.

(4) 거래사례 #4
- 소재지 : J구 M동 209
- 총 거래가격 : 81,940,000,000원
- 거래시점 : 2021년 4월 1일
- 토지 : 일반상업, 업무용, 1,470㎡, 소로한면, 가장형, 평지
- 건물

구조	급수	연면적(㎡)	허가일/사용승인일	부대설비 내용
철근콘크리트조	3	11,000	2018.3.17/ 2019.3.29	전기설비, 소방설비, 위생설비, 냉난방설비, 승강기설비

- 기타사항 : 후면 상가지대에 위치하며, K사의 펀드운용을 위한 투자목적으로 거래된 정상 거래사례임.

(5) 거래사례 #5
- 소재지 : J구 M동 153
- 총 거래가격 : 111,573,000,000원
- 거래시점 : 2020년 10월 1일
- 토지 : 일반상업, 업무용, 1,600㎡, 광대한면, 가장형, 평지
- 건물

구조	급수	연면적(㎡)	허가일/사용승인일	부대설비 내용
철근콘크리트조	3	14,700	2015.8.20/ 2016.9.20	전기설비, 소방설비, 위생설비, 냉난방설비, 승강기설비

- 기타사항 : 일반 업무지대에 위치하는 정상 거래사례임.

(6) 거래사례 #6
- 소재지 : J구 M동 163
- 총 거래가격 : 102,900,000,000원

- 거래시점 : 2020년 9월 1일
- 토지 : 일반상업, 업무용, 1,500㎡, 광대한면, 가장형, 평지
- 건물

구조	급수	연면적(㎡)	허가일/사용승인일	부대설비 내용
철근콘크리트조	3	14,000	2014.7.16/2015.8.19	전기설비, 소방설비, 위생설비, 냉난방설비, 승강기설비

- 기타사항 : 일반 업무지대에 위치하며, 대상 부동산은 구분소유건물로서 매수 후 개별분양 예정임.

(7) 거래사례 #7
- 소재지 : J구 M동 173
- 총 거래가격 : 62,300,000,000원
- 거래시점 : 2020년 11월 1일
- 토지 : 일반상업, 업무용, 1,800㎡, 광대한면, 가장형, 평지
- 건물

구조	급수	연면적(㎡)	허가일/사용승인일	부대설비 내용
철근콘크리트조	4	10,000	2001.9.22/2002.11.1	전기설비, 소방설비, 위생설비, 냉난방설비, 승강기설비

- 기타사항 : 일반 업무지대에 위치하며, 인근 중개업소에 탐문조사한 결과 거래에 따른 양도소득세는 매수자가 부담하는 것으로 조사되었음.

(자료 4) 재조달원가 및 감가수정 관련 자료

1. 표준단가

용도	구조	급수	표준단가(원/㎡)	내용연수
업무시설	철근콘크리트조(6층~15층 이하)	1	1,400,000	50
업무시설	철근콘크리트조(6층~15층 이하)	2	1,300,000	50
업무시설	철근콘크리트조(6층~15층 이하)	3	1,200,000	50
업무시설	철근콘크리트조(6층~15층 이하)	4	1,100,000	50
업무시설	철근콘크리트조(6층~15층 이하)	5	1,000,000	50

- 지상·지하 구분 없이 적용 가능함.

2. 부대설비 보정단가

구분	보정단가(원/㎡)
전기설비	10,000
소방설비	10,000
위생설비	50,000
냉난방설비	140,000
승강기설비	30,000

3. 건물 잔가율은 0%임.
4. 건물의 감가수정은 정액법(만년감가)을 적용함.

(자료 5) 시점수정 자료

1. 지가변동률(S시 J구)

구분	주거지역	상업지역
2018.6.1~2021.6.30(누계)	12.825	12.846
2020.9.1~2021.6.30(누계)	4.057	4.036
2020.10.1~2021.6.30(누계)	3.715	3.694
2020.11.1~2021.6.30(누계)	3.376	3.355
2020.12.1~2021.6.30(누계)	3.018	2.997
2021.1.1~2021.6.30(누계)	2.624	2.645
2021.2.1~2021.6.30(누계)	2.265	2.285
2021.3.1~2021.6.30(누계)	1.827	1.845
2021.4.1~2021.6.30(누계)	1.278	1.293
2021.5.1~2021.6.30(누계)	0.795	0.806
2021.6.1~2021.6.30	0.414	0.420

– 2021년 7월 이후 지가변동률은 미고시되었음.

2. 오피스빌딩 자본수익률(S시 J구)

구분	2020.3분기	2020.4분기	2021.1분기	2021.2분기
자본수익률(%)	0.42	0.46	0.50	0.54

3. 건축비지수는 동일하다고 가정함.

(자료 6) 지역요인

1. 대상과 공시지가표준지 및 사례는 인근지역에 소재하여 지역요인은 유사함.

(자료 7) 토지 개별요인

1. 가로조건(각지인 경우 가로조건에서 반영하기로 함)

구분	광대한면	광대소각	광대세각	중로한면	중로각지	소로한면	소로각지
광대한면	1.00	1.09	1.05	0.95	0.99	0.85	0.89
광대소각	0.92	1.00	0.96	0.87	0.91	0.78	0.82
광대세각	0.95	1.04	1.00	0.90	0.94	0.81	0.85
중로한면	1.05	1.15	1.11	1.00	1.04	0.89	0.94
중로각지	1.01	1.10	1.06	0.96	1.00	0.86	0.90
소로한면	1.18	1.28	1.24	1.12	1.16	1.00	1.05
소로각지	1.12	1.22	1.18	1.07	1.11	0.96	1.00

2. 접근조건

구분	대상	표준지	평가사례 가	평가사례 나	평가사례 다	평가사례 라	평가사례 마
평점	95	100	93	100	93	100	95

구분	거래사례 #1	거래사례 #2	거래사례 #3	거래사례 #4	거래사례 #5	거래사례 #6	거래사례 #7
평점	93	95	93	100	90	95	93

- 상기의 접근조건 비교치 산정시 소수점 셋째 자리에서 반올림하여 소수점 둘째 자리까지 산정함.

3. 획지조건

구분	정방형	가장형	세장형	사다리형	부정형
정방형	1.00	1.00	0.98	0.95	0.92
가장형	1.00	1.00	0.98	0.95	0.92
세장형	1.02	1.02	1.00	0.97	0.94
사다리형	1.05	1.05	1.03	1.00	0.97
부정형	1.09	1.09	1.07	1.03	1.00

4. 제시된 조건 외의 조건은 동일함.

(자료 8) 토지, 건물 일괄 개별요인

1. 개별요인

   (1) 대상물건/거래사례 #1

구분	입지적 특성	기능적 특성	물리적 특성
대상물건	102	103	102
거래사례 #1	100	100	100

   (2) 대상물건/거래사례 #2

구분	입지적 특성	기능적 특성	물리적 특성
대상물건	100	105	105
거래사례 #2	100	100	100

   (3) 대상물건/거래사례 #3

구분	입지적 특성	기능적 특성	물리적 특성
대상물건	102	103	102
거래사례 #3	100	100	100

   (4) 대상물건/거래사례 #4

구분	입지적 특성	기능적 특성	물리적 특성
대상물건	95	103	102
거래사례 #4	100	100	100

   (5) 대상물건/거래사례 #5

구분	입지적 특성	기능적 특성	물리적 특성
대상물건	105	102	100
거래사례 #5	100	100	100

   (6) 대상물건/거래사례 #6

구분	입지적 특성	기능적 특성	물리적 특성
대상물건	100	102	100
거래사례 #6	100	100	100

(7) 대상물건/거래사례 #7

구분	입지적 특성	기능적 특성	물리적 특성
대상물건	102	103	102
거래사례 #7	100	100	100

2. 상기의 개별요인은 상승식으로 계산하며, 제시된 특성 외의 특성은 동일함.

(자료 9) 대상부동산 및 인근지역 임대현황

1. 대상부동산 임대현황

구분	임대면적 (m²)	월임대료 (원/m²)	보증금 (원/m²)	월관리비 (원/m²)
지상1층	1,000	47,000	470,000	12,000
지상2층	1,000	공실		
지상3층~지상5층	3,000	25,000	250,000	12,000
지상6층~지상7층	2,000	35,000	350,000	12,000
지상8층~지상9층	2,000	27,000	270,000	12,000
지상10층	1,000	35,000	350,000	12,000

- 지상3~5층과 지상8~9층은 각각 특수관계회사가 저가로 임차하고 있음.

2. 인근지역의 표준적 임대현황(최근 자료)

구분	월임대료(원/m²)	보증금(원/m²)	월관리비(원/m²)
지상1층	47,000	470,000	14,000
지상2층~지상10층(각)	35,000	350,000	14,000

(자료 10) 수익환원법 적용 자료

1. 인근지역 시장조사 결과 월임대료는 보증금의 10% 수준으로 조사됨.
2. 보증금 운용이율은 연 2%임.
3. 인근지역 건물의 전형적인 공실률은 5%임.
4. 인근지역의 전형적인 운영경비는 관리비수입의 65%임.
5. 인근지역에서 매년 1개월의 렌트프리(Rent Free)가 계약조건에 포함되는 것이 일반적인 시장관행임.
6. 인근지역 업무시설의 임대료는 전형적인 수준이 형성되어 있으며, 공실률 감소를 위한 유인책으로 임대계약시 렌트프리(Rent Free)를 적극적으로 활용하고 있음.

(자료 11) 환원이율 관련 자료

1. 인근지역 유사부동산 자료(최근)
   (1) 사례 #101
   - 총 거래가격 : 151,120,000,000원
   - 토지면적(용도지역) : 1,960㎡(일반상업지역)
   - 임대면적 : 13,000㎡
   - 임대현황

보증금	관리비	렌트프리 (Rent Free)	가능조소득 (Potential Gross Income)
340,000원/㎡	13,000원/㎡	1개월	7,420,400,000원

   - 기타사항 : 경매낙찰사례로, 최초 법사가격은 180,000,000,000원이며, 유치권 행사 중임.

   (2) 사례 #102
   - 총 거래가격 : 125,346,000,000원
   - 토지면적(용도지역) : 1,887㎡(일반상업지역)
   - 임대면적 : 11,000㎡
   - 임대현황

보증금	관리비	렌트프리 (Rent Free)	가능조소득 (Potential Gross Income)
320,000원/㎡	13,000원/㎡	1개월	6,010,400,000원

   - 기타사항 : 장기임차인의 임대재계약으로 저가 임대 중 거래된 사례임.

   (3) 사례 #103
   - 총 거래가격 : 132,960,000,000원
   - 토지면적(용도지역) : 1,695㎡(일반상업지역)
   - 임대면적 : 12,000㎡
   - 임대현황

보증금	관리비	렌트프리 (Rent Free)	가능조소득 (Potential Gross Income)
350,000원/㎡	14,000원/㎡	1개월	7,140,000,000원

   - 기타사항 : 2인이 공유지분으로 소유권이전등기된 사례임.

(4) 사례 #104
- 총 거래가격 : 102,250,000,000원
- 토지면적(용도지역) : 2,070㎡(일반상업지역, 제3종일반주거지역)
- 임대면적 : 10,000㎡
- 임대현황

보증금	관리비	렌트프리 (Rent Free)	가능조소득 (Potential Gross Income)
300,000원/㎡	14,000원/㎡	1개월	5,340,000,000원

- 기타사항 : 정상 거래된 사례임.

2. 환원이율은 백분율로 소수점 둘째 자리에서 반올림하여 백분율로 소수점 첫째 자리까지 표시함.
3. 상기 각 사례의 보증금은 층별 임대면적을 가중평균하여 산정한 금액임.

(자료 12) 기타사항

1. 공시지가표준지 및 사례 선정시 선정 및 제외 사유를 반드시 기재할 것
2. (자료 6)을 이용한 시점수정치는 소수점 여섯째 자리에서 반올림하여 소수점 다섯째 자리까지 표시함.
3. 개별요인은 조건 간 상승식으로 산정하되, 소수점 넷째 자리에서 반올림하여 소수점 셋째 자리까지 표시함.
4. 그 밖의 요인 보정치를 산정하는 경우 비교표준지를 기준으로 하는 방식을 적용함.
5. 공시지가기준법 및 거래사례비교법에 의한 토지 단가와 일괄 거래사례비교법에 의한 건물 면적당 단가는 반올림하여 각각 유효숫자 셋째 자리까지 표시하며, 각 평가방법별 시산가액은 천만원 단위에서 반올림하여 억원 단위까지 표시함.
6. 일괄 거래사례비교법 적용시 건물 연면적을 기준으로 함.

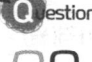

소송감정인인 감정평가사 甲은 부당이득반환청구와 관련된 소송에서 토지에 대한 임대료의 감정평가를 의뢰받았다. 본 사건에서 토지 임대료에 대한 감정평가는 이미 다른 감정인에 의하여 완료되어 해당 재판부에 제출된 상황인데, 감정평가 결과에 대하여 피고는 부당함을 주장하였고 이것이 받아들여져 재의뢰가 된 사안이다. 제시된 자료를 활용하여 각 물음에 답하시오. 30점

(1) 감정평가 관련 법령 및 이론에 비추어 피고가 제기한 주장의 타당성 여부 및 그 근거를 약술하시오. 5점
(2) (자료 3) 실지조사, 자료수집 및 검토내용에 따라 시장가치에 기초한 기초가격에 적용할 기대이율(필요제경비 불포함)을 산출하시오. 15점
(3) 위 물음 (2)에서 산출된 기대이율(시장가치 기준)을 기초로 본건의 연도별 적산임료를 구하시오. 5점
(4) 적산법의 장·단점 및 적용상 유의사항에 대하여 약술하시오. 5점

(자료 1) 종전 감정평가 내역(요약)

1. 감정 사항 : 경기도 K시 H동 104-2 토지(전) 1,652㎡에 대한 2018년 5월 1일부터 2021년 4월 30일까지의 임료

2. 대상물건의 개요
   가. 소재지 : 경지도 K시 H동 104-2
   나. 지목 및 이용상황 : 전 / 전
   다. 면적 : 1,652㎡
   라. 토지이용계획사항 : 자연녹지지역, 개발제한구역
   마. 인근환경 : 본건 토지는 서울특별시 북서측에 소재하는 경기도 K시 도심 남동측에 위치하는 근교농경지대에 소재하며, 부근 일대는 대부분 개발제한구역으로 원예농업을 위한 농경지로 이용 중임.

3. 감정평가액의 산출
   가. 감정평가방식의 적용 : 토지에 대한 임대사례가 희박하여 적산법을 적용하되 다른 방식에 의한 검토는 생략함.

나. 기초가격(공시지가기준법 적용)

기간	단가(원/㎡)	면적(㎡)	기초가격(원)
2018.5.1~2019.4.30	900,000	1,652	1,486,800,000
2019.5.1~2020.4.30	956,000	1,652	1,579,312,000
2020.5.1~2021.4.30	1,016,000	1,652	1,678,432,000

다. 기대이율 : 1.0%/연(기대이율 적용기준율표 참작)

※ 기대이율 적용기준율표(일부 발췌) - 감정평가 실무매뉴얼(임대료 감정평가편)

대분류	소분류		실제이용상황
II	농지	도시근교농지	1.0% 이내
		기타농지	1.0%~3.0%

라. 필요제경비 : 보유세(재산세 등) 금액이 미미하고 기타 필요제경비가 필요하지 아니한 것으로 판단하여 기대이율에 포함하였음.

마. 감정평가액(보증금 없는 상태 기준)

기간	기초가격(원)	기대이율(%)	적산임료(원)
2018.5.1~2019.4.30	1,486,800,000	1.0	14,868,000
2019.5.1~2020.4.30	1,579,312,000	1.0	15,793,120
2020.5.1~2021.4.30	1,678,432,000	1.0	16,784,320
합계	-	-	47,445,440

(자료 2) 감정평가 결과에 대한 피고의 이의제기 내역

1. **이의제기 요약** : 감정평가에 의한 연간 임대료 약 1,582만원(3년 평균)은 인근의 유사한 토지들에 대한 실제 임대료 수준에 비추어 상당히 고가로서 정상적인 수준에서 크게 벗어나 감정평가 결과를 신뢰할 수 없으므로 다른 감정인에 의한 재감정평가를 신청

2. **재감정 신청 증빙자료**
   가. 임대차계약서 사본
   (ㄱ) 소재지 : 경기도 K시 H동 78
   (ㄴ) 지목 및 이용상황 : 전/전
   (ㄷ) 면적 : 1,998㎡
   (ㄹ) 토지이용계획사항 : 자연녹지지역, 개발제한구역

(ㅁ) 주요 계약 내용

계약기간	2018.3.10~2021.3.9
임대료	9,000,000원/연(보증금 없는 상태 기준)
특약사항	임대차 계약기간 중 상호 합의되는 경우를 제외하고는 계약조건의 변경은 없는 것으로 하고, 임대료는 계약기간 중 매년 초일에 연간임대료 지급

나. 공인중개사의 사실확인서 사본 : 2018년 기준 본건 및 임대차사례 토지가 소재한 지역의 연간 임대료(보증금이 없는 상태 기준)는 토지면적 약 660㎡ 기준 300만원 수준이고, 최근에는 350만원 내외의 수준임을 확인함.

(자료 3) 실지조사, 자료수집 및 검토내용(요약)

가. 본건 토지는 수도권 도시 근교 개발제한구역 내에 소재하며, 원예농업에 할당된 농지로 대부분 이용 중임.

나. 원예농업에 할당된 획지 규모는 일반적으로 약 1,600㎡~3,300㎡임.

다. 2018년 초 기준 인근 원예농업을 위한 농지 임대차에 있어 전형적인 임대차조건은, 계약 기간 3년에 연간 임대료(보증금 없는 상태 기준, 계약기간 중 매년도 초일에 연간임대료 지불)는 @4,500/㎡ 수준이었고 이후 도시화에 따른 지가 상승 등의 영향으로 지속적으로 상승하여 2021년 5월 이후에는 @5,400원/㎡ 수준을 나타내고 있으며, 이와 같은 인근지역의 임대차시장 상황은 당분간 지속될 것으로 판단됨.

라. 본건 및 임대차사례 토지가 속한 지역은 지속적인 도시화의 영향으로 2018년 5월 이후 2021년 4월까지 토지가격은 약 20% 상승하였고 이러한 추세는 향후 지속될 것으로 판단됨.

마. 당초 감정평가서 상의 연도별 기초가격은 시장가치에 부합하는 적정한 것으로 판단됨.

바. 본건 토지 개별공시지가

공시기준일	개별공시지가(원/㎡)
2018.1.1	360,000
2019.1.1	382,000
2020.1.1	406,000
2021.1.1	431,000

사. 농지의 재산세율은 0.07%이고 과세표준액은 시가표준액(개별공시지가)의 70%이며, 재산세 부과 시 20%의 지방교육세가 부가됨.

아. 본건 및 임대사례토지의 개별요인은 유사하며 공히 인근지역의 일반적·평균적인 수준을 나타내고 있음.

03 감정평가사 甲은 중앙토지수용위원회로부터 이의재결평가를 의뢰받았다. 관련 법규 및 이론을 참작하고 제시된 자료를 활용하여 적정보상액을 산정하시오. 20점

(자료 1) 사업개요

1. 사업명 : ○○민자고속화도로사업
2. 사업시행자 : ○○민자고속화도로 주식회사
3. 사업인정고시(의제)일 : 2020년 10월 2일
4. 수용재결일 : 2021년 4월 1일
5. 의뢰인 : 2021년 8월 6일

(자료 2) 의뢰목록

1. 토지 목록

일련번호	소재지	지번	지목	이용상황	용도지역	편입면적(m²)	피수용자
1	A군 B읍 C리	산1	임야	전	자연녹지지역	3,000	A군
2	A군 B읍 C리	산2	임야	자연림	자연녹지지역 보전녹지지역	5,000×1/2	乙

2. 지장물 목록

일련번호	소재지	지번	물건종류	규격	수량	피수용자
3	A군 B읍 C리	산1	개간비	개간면적(3,000m²)	1식	丙

(자료 3) 인근지역 공시지가표준지(공시기준일 : 2020년 1월 1일)

기호	소재지	지번	면적(m²)	지목	이용상황	용도지역	도로접면	형상지세	공시지가(원/m²)
A	A군 B읍 C리	10	1,820	전	대	자연녹지지역	세로(가)	세장형 완경사	350,000

B	A군 B읍 C리	20	950	답	전	자연녹지지역	세로(불)	부정형 완경사	120,000
C	A군 B읍 C리	45	8,452	임야	조림	자연녹지지역	세로(불)	부정형 완경사	60,000
D	A군 B읍 C리	산10-1	5,526	임야	자연림	보전녹지지역	맹지	부정형 완경사	35,000
E	A군 B읍 C리	산15	2,570	임야	자연림	자연녹지지역	맹지	부정형 급경사	15,000

(자료 4) 인근 평가사례 및 매매사례

1. 평가사례 (ㄱ)
   - 지목, 이용상황, 면적 : 전, 전, 2,570㎡
   - 용도지역 : 자연녹지지역
   - 평가목적 : 담보
   - 기준시점 : 2020년 8월 1일
   - 평가단가 : 220,000원/㎡
   - 기타사항 : 임야지대 내 적법하게 개간된 전으로 이용 중인 사례임.

2. 평가사례 (ㄴ)
   - 지목, 이용상황, 면적 : 전, 답, 416㎡
   - 용도지역 : 자연녹지지역
   - 평가목적 : 협의보상
   - 기준시점 : 2020년 12월 1일
   - 평가단가 : 270,000원/㎡
   - 기타사항 : 대상 공익사업에 포함된 협의완료된 사례임.

3. 평가사례 (ㄷ)
   - 지목, 이용상황, 면적 : 임야, 자연림, 5,470㎡
   - 용도지역 : 자연녹지지역
   - 평가목적 : 체납처분
   - 기준시점 : 2021년 3월 1일
   - 평가단가 : 130,000원/㎡
   - 기타사항 : 유찰사례로 처분절차 진행 중인 사례임.

4. 평가사례 (ㄹ)
   - 지목, 이용상황, 면적 : 임야, 자연림, 1,320㎡
   - 용도지역 : 보전녹지지역
   - 평가목적 : 협의보상
   - 기준시점 : 2020년 9월 1일
   - 평가단가 : 75,000원/㎡
   - 기타사항 : 임지상에 소재하는 잡목을 포함한 일괄 평가사례임.

5. 거래사례 (ㅁ)
   - 지목, 이용상황, 면적 : 전, 전, 1,560㎡
   - 용도지역 : 자연녹지지역
   - 거래시점 : 2020년 7월 31일
   - 총 거래가격 : 399,360,000원
   - 기타사항 : 개인과 법인 간의 거래사례임.

6. 거래사례 (ㅂ)
   - 지목, 이용상황, 면적 : 전, 전, 1,906㎡
   - 용도지역 : 자연녹지지역
   - 거래시점 : 2020년 2월 1일
   - 총 거래가격 : 590,860,000원
   - 기타사항 : 친족 간의 지분거래사례임.

7. 거래사례 (ㅅ)
   - 지목, 이용상황, 면적 : 임야, 자연림, 3,750㎡
   - 용도지역 : 자연녹지지역
   - 거래시점 : 2020년 7월 1일
   - 총 거래가격 : 562,500,000원
   - 기타사항 : 임지상에 소재하는 잣나무(300그루)를 포함한 일괄 거래사례임.

8. 거래사례 (ㅇ)
   - 지목, 이용상황, 면적 : 임야, 자연림, 1,670㎡
   - 용도지역 : 보전녹지지역
   - 거래시점 : 2021년 3월 1일
   - 총 거래가격 : 158,650,000원
   - 기타사항 : 최근 지가상승이 반영된 정상거래사례임.

(자료 5) 지가변동률(A군, 녹지지역)

2020년	1월	2월	3월	4월	5월	6월	7월	8월	9월	10월	11월	12월	누계액
변동률	0.092	0.313	0.223	0.252	0.252	0.170	0.363	0.230	0.280	0.223	0.223	0.312	2.972

2021년	1월	2월	3월	4월	5월	6월	7월	8월	9월	10월	11월	12월
변동률	0.282	0.221	0.235	0.310	0.289	0.287	미고시	미고시	미고시	미고시	미고시	미고시

(자료 6) 요인 격차율

1. 지역요인 : 대상과 사례는 인근지역에 소재하여 지역요인은 유사함.
2. 개별요인

구분	일련번호 1	일련번호 2
공시지가표준지 A	0.90	0.65
공시지가표준지 B	1.05	0.75
공시지가표준지 C	1.02	1.03
공시지가표준지 D	1.50	1.08
공시지가표준지 E	1.15	1.10

구분	공시지가 표준지 A	공시지가 표준지 B	공시지가 표준지 C	공시지가 표준지 D	공시지가 표준지 E
평가사례(ㄱ)	0.85	0.90	0.55	0.35	0.40
평가사례(ㄴ)	0.90	0.95	0.60	0.40	0.45
평가사례(ㄷ)	0.65	0.70	0.95	0.65	0.70
평가사례(ㄹ)	0.50	0.55	1.30	0.90	0.80
거래사례(ㅁ)	0.88	0.85	0.58	0.38	0.50
거래사례(ㅂ)	0.80	0.78	0.50	0.30	0.43
거래사례(ㅅ)	0.67	0.75	1.25	0.60	0.65
거래사례(ㅇ)	0.55	0.60	1.15	0.88	0.68

(자료 7) 기타자료

1. 대상은 20만㎡ 미만 공익사업으로 협의와 수용재결 절차가 완료된 상태로 일부 피수용자에 대한 이의재결이 진행 중임.
2. 일련번호 (1), (2)의 지세는 완경사지임.

3. 丙은 일련번호 (1)을 2018년 10월 2일부터 관계법령에 따라 적법하게 개간하고 현재까지 적법하게 점유하고 있으며, 개간소요비용은 개간당시 250,000,000원이나, 가격시점 기준 300,000,000원이 소요됨.
4. 일련번호 (2)의 자연녹지지역 비율은 전체의 60%임.
5. 인근지역은 잣나무만의 거래가 일반적이며, 1그루당 500,000원에 거래됨.
6. 토지단가 산출시 백 원 단위에서 반올림할 것

Question 04

감정평가사 甲은 공익사업에 편입되는 물건에 대한 협의평가를 의뢰받았다. 관련 법규 및 이론을 참작하고 제시된 자료를 활용하여 적정보상액을 산정하시오. 10점

(자료 1) 사업개요

1. 사업종류 : ○○도시계획도로사업
2. 사업명칭 : ○○~△△ 도로 확·포장공사
3. 사업기간 : 실시계획인가고시일부터 2년 이내
4. 실시계획인가고시일 : 2020년 11월 30일

(자료 2) 감정평가 의뢰내역

1. 가격시점 : 2021년 8월 7일
2. 지장물 의뢰목록

일련번호	소재지지번	물건종류	규격	수량	비고
1	○○동 151-6	조적조 (1, 2층건물/상가)	일부편입	6㎡	보수비 포함평가

(자료 3) 대상건물 현황

소재지지번	구조	주용도	층별내역	사용승인일	비고
○○동 151-6	조적조	상가	1층 : 100㎡ 2층 : 100㎡	2005.11.1	일부편입으로 인한 벽체보수 면적 : 23.79㎡

(자료 4) 재조달원가 관련 자료 등

1. 표준단가

분류번호	용도	구조	급수	표준단가 (원/㎡)	내용연수
4-1-4-3	점포 및 상가	조적조	3	1,060,000	45

2. 부대설비 보정단가

항목	단가	비고
화재탐지설비	20,000원/㎡	연면적 기준
TV공시청설비	3,000원/㎡	연면적 기준
위생·급배수시설, 급탕설비	50,000원/㎡	연면적 기준, 급탕설비 미설치시 80% 적용
소화설비(옥내소화전)	6,000,000원/개	-

3. 보수공사비

항목	시장조사 내역	소유자 제시 내역
벽돌쌓기	800,000원/㎡	15,000,000원
테두리 보공사	1,300,000원	1,500,000원
보일러 보수공사	1,000,000원	2,000,000원
시설개선비	3,000,000원	3,500,000원
기타비용	제비용의 20%	제비용의 20%

(자료 5) 기타사항

1. 건물의 일부편입으로 인한 철거 시 시공하중에 대한 구조 안정성은 양호한 것으로 조사됨.
2. 대상건물은 위생·급배수시설, 화재탐지설비, 옥내소화전(2개)이 설치되어 있음.
3. 전체 건물 중 1층(창고) 및 2층(보일러실) 일부가 편입됨.
4. 편입면적이 과소하여 보수 후 잔여건축물의 가격감소는 없음.
5. 소유자는 건물보수공사 기술자로 소유자 제시 보수공사비 내역은 직접공사할 경우 공사비임.
6. 건물의 감가수정은 정액법(만년감가)을 적용하여, 적용단가 산정시 백 원 단위에서 반올림함.

2022년 감정평가사 제33회

※ **공통유의사항**
1. 각 문제는 해답 산정시 산식과 도출과정을 반드시 기재
2. 단가는 개별 문제에서 제시하는 바에 따름
3. 그 밖의 요인 보정치는 소수점 셋째 자리 이하 절사

감정평가사 甲은 A군수로부터 「도로법」에 따른 도로에 편입되는 토지·지장물 등에 대한 협의보상평가를 의뢰받았다. 관련 법률 및 이론에 의거 제시된 자료를 활용하여 다음의 각 물음에 답하시오. 40점

(1) 대상토지에 대한 보상액을 산정하시오. (단, 시산가액에 대한 합리성 검토는 하지 않음) 10점

(2) 소유자 乙은 아래 자료와 같이 주거용 건축물을 신축하여 현재까지 거주하고 있다. 지장물 중 건축물에 대한 보상액을 산정하시오. (단, 건축물은 이전이 불가능하며, 이주대책 등은 고려하지 않음) 10점

(3) 지장물 중 수목에 대한 보상평가방법을 설명하고, 소나무(관상수)에 대한 보상액을 산정하시오. 6점

(4) 소유자 乙씨 부부(부부와 함께 동거하던 아들 1명은 현재 징집으로 인한 입영 중임) 는 주거용 건축물이 공익사업에 편입됨으로 인하여 추가적으로 지급받을 수 있는 보상으로 이주대책, 주거이전비, 이사비 등이 있다. 하지만 사업시행자는 이주대책을 별도로 수립·실시하지 않는다고 한다. 공익사업의 시행으로 주거용 건축물을 제공함에 따라 생활의 근거를 상실하게 된 소유자 乙이 수령할 수 있는 보상액은 각각 얼마인가? 8점

(5) 물건조서의 꿀벌(양봉), 닭(산란계)에 대하여 축산업의 손실에 대한 보상평가를 하려고 한다. 영업손실의 보상대상인 영업의 일반적인 요건은 성립하는 것으로 가정한다. 꿀벌(양봉), 닭(산란계)에 대하여 (자료 10)을 토대로 축산업 손실보상의 대상여부를 판단하여 보상액을 산정하시오. 6점

(자료 1) 평가의뢰 내역 등

1. 사업의 종류 : ○○~○○ 간 도로건설공사
2. 도로구역결정고시일 : 2021.12.31.
3. 사업시행자 : A군수
4. 보상평가의뢰일자 : 2022.6.1.
5. 제시된 가격시점 : 2022.7.31.
6. 현장조사완료일 : 2022.6.30.
7. 토지조서 및 대상토지특성

기호	소재지	지번	지목	현실 이용 상황	전체 면적 (㎡)	편입 면적 (㎡)	용도지역 및 지구	비고 도로 교통	비고 형상 지세	비고 기타
1	A군 B면 C리	106 번지	대	단독 주택	330	330	계획관리 지역	세로 (가)	사다리형 완경사	후면 주택 지대

※ 토지 소유자 : 乙

8. 물건조서 및 대상건축물특성

기호	소재지	지번	물건의 종류	구조 및 규격	수량	사용승인일	등급	내용 연수
1	A군 B면 C리	106 번지	단독주택	벽돌조 슬래브지붕 1층	88㎡	2017.7.1.	상급	50년
2	A군 B면 C리	106 번지	부속창고	벽돌조 슬래브지붕 1층	8㎡	2017.7.1.	중급	45년
3	A군 B면 C리	106 번지	야외화장실	벽돌조 슬래브지붕 1층	3㎡	2017.7.1.	중급	45년
4	A군 B면 C리	106 번지	소나무 (관상수)	H3.5 × W1.5 × R15	1주			
5	A군 B면 C리	106 번지	꿀벌(양봉)		30군			
6	A군 B면 C리	106 번지	닭(산란계)	70일령 이상	20마리			

※ 물건 소유자 : 乙

(자료 2) 표준지공시지가

기호	소재지	지목	면적(㎡)	이용상황	용도지역	도로교통	형상지세	공시지가(원/㎡)	비고	공시기준일
가	A군 B면 C리 50번지	대	210	주상용	계획관리지역	세로(가)	부정형 평지	400,000	계획도로 저촉 10%	2021.1.1.
나	A군 B면 C리 50번지	대	210	주상용	계획관리지역	세로(가)	부정형 평지	450,000	계획도로 저촉 10%	2022.1.1.
다	A군 B면 C리 65번지	대	300	단독주택	계획관리지역	소로한면	사다리형 평지	300,000	계획도로 저촉 25%	2021.1.1.
라	A군 B면 C리 65번지	대	300	단독주택	계획관리지역	소로한면	사다리형 평지	330,000	계획도로 저촉 25%	2022.1.1.

주 1) 상기 표준지공시지가는 공히 대상토지와 인근지역에 소재함.
  2) 표준지공시지가 기호 가), 나)는 주택상가혼용지대이고, 표준지공시지가 기호 다), 라)는 주택지대임.

(자료 3) 거래사례

기호	소재지	지목	면적(㎡)	이용상황	용도지역	도로교통	형상지세	거래가액(원/㎡)	거래일자
A	A군 B면 C리 42번지	대	160	상업용	계획관리지역	소로한면	사다리형 평지	700,000	2021.12.1.
B	D군 E면 F리 15번지	대	270	단독주택	계획관리지역	세로(가)	사다리형 완경사	390,000	2021.12.1.

주 1) 거래사례는 대상토지 및 표준지공시지가와 동일수급권 유사지역 또는 인근지역에 소재하며, 공히 지역요인은 대등함.
  2) 거래사례는 거래당사자간의 사정이 개입되지 않은 정상적인 거래로 판단됨.
  3) 거래사례 중 기호 A)는 주택상가혼용지대이고, 기호 B)는 후면 주택지대임.

(자료 4) 지가변동률

기간	A군 계획관리지역 지가변동률(%)	비고
2021.1.1.~2021.12.31.(누계)	8.340	2021.12.1.~2021.12.31. : 0.150%임.
2022.1.1.~2022.5.31.(누계)	5.270	
2022.5.1.~2022.5.31.	0.132	

기간	D군 계획관리지역 지가변동률(%)	비고
2021.1.1.~2021.12.31.(누계)	7.450	2021.12.1.~2021.12.31. : 0.130%임.
2022.1.1.~2022.5.31.(누계)	5.070	
2022.5.1.~2022.5.31.	0.145	

주 1) 지가변동률은 용도지역별 지가변동률을 적용하며, 생산자물가지수는 고려하지 않기로 함.
2) 지가변동률은 2022년 6월 이후는 고시되지 않아서 5월 지가변동률을 연장·추정하여 적용함.
3) 지가변동률은 백분율로서 소수점 넷째 자리에서 반올림하여 셋째 자리까지 표시함.

(자료 5) 토지 가치형성요인 비교자료

1. 접근조건

    1) 대상토지는 표준지 가), 나), 다), 라) 대비 각각 20% 열세함.
    2) 표준지 가), 나), 다), 라)는 거래사례 A)와 대등, 거래사례 B) 대비 20% 우세함.

2. 환경조건

    1) 대상토지는 표준지 가), 나) 대비 30%, 표준지 다), 라) 대비 10% 각각 열세함.
    2) 표준지 가), 나)는 거래사례 A)와 대등, 거래사례 B) 대비 30% 우세함.
    3) 표준지 다), 라)는 거래사례 A) 대비 30% 열세, 거래사례 B) 대비 10% 우세함.

3. 기타 격차율 자료

    1) 토지이용상황

구분	주거용	주상용	상업용
주거용	1.00	1.10	1.30
주상용	0.91	1.00	1.18
상업용	0.77	0.85	1.00

2) 형상

구분	사다리형	부정형
사다리형	1.00	0.95
부정형	1.05	1.00

3) 경사

구분	평지	완경사
평지	1.00	0.91
완경사	1.10	1.00

4) 도로접면

구분	세로가	소로한면
세로가	1.00	1.18
소로한면	0.85	1.00

5) 도시·군계획시설

구분	일반	도로
일반	1.00	0.85
도로	1.18	1.00

※ 도시·군계획시설에 대한 요인비교치는 소수점 이하 셋째 자리에서 반올림하여 둘째 자리까지 표시함.

(자료 6) 건축물 재조달원가 관련 자료

1. 표준단가

(단위 : 원/㎡)

용도	구조	상급	중급	하급	내용연수
단독주택	벽돌조 슬래브 지붕	1,400,000	1,200,000	1,000,000	50년
창고	벽돌조 슬래브 지붕	400,000	360,000	320,000	45년
화장실	벽돌조 슬래브 지붕	1,300,000	1,100,000	900,000	45년

※ 대상건축물 및 주거용 건축물 거래사례에도 동일하게 적용함.

2. 단독주택 부대설비 보정단가

(단위 : 원/㎡)

구분	위생·급배수설비	난방설비
보정단가	30,000	70,000

※ 대상건축물 및 주거용 건축물 거래사례에도 동일하게 적용함.

(자료 7) 주거용 건축물 거래사례 자료 등

1. 주거용 건축물 거래사례

소재지	건축물 면적 (㎡)	이용 상황	구조	사용승인일	등급	거래가액 거래일자	비고
A군 B면 C리 200번지	88	단독 주택	벽돌조 슬래브지붕 1층	2017.6.1.	상급	130,000,000원 2022.6.1.	건축물 일체의 거래임
	8	부속 창고	벽돌조 슬래브지붕 1층	2017.6.1.	중급		
	3	야외 화장실	벽돌조 슬래브지붕 1층	2017.6.1.	중급		

주 1) 거래사례는 토지를 수반하지 않은 주거용 건축물만의 거래로서 보상대상 건축물과 유사하여 비교 가능성이 높은 것으로 판단됨.
   2) 거래사례는 인근지역 내의 거래당사자간의 사정이 개입되지 않은 정상적인 거래로 판단됨.

2. 건축물 가치형성요인 비교자료

가. 대상건축물은 주거용 건축물 거래사례 대비 현상 및 관리상태에서 5% 우세함.

나. 건축비는 연간 6% 증가함.

　※ 건축비 상승률을 고려한 지수는 소수점 셋째 자리에서 절사하여 둘째 자리까지 표시함.

다. 면적 등 기타 제반 가치형성요인은 대등함.

(자료 8) 수목 보상평가 참고자료

1. 이식에 소요되는 비용은 다음과 같이 조사됨.

(단위 : 주당)

구분	굴취비	운반비	상하차비	식재비	재료비	부대비용	소계
이식비	70,000	50,000	30,000	130,000	30,000	20,000	330,000

※ 이식은 물리적으로 가능한 것으로 판단됨.

2. 수목의 취득가격은 400,000원/주 임.

3. 고손율을 적용할 경우 20% 임.

4. 감수율을 적용할 경우 이식 1차년 : 100%, 이식 2차년 : 80%, 이식 3차년 : 40% 임.

(자료 9) 이사비 등 보상 관련 참고자료

1. 가구원수에 따른 1년분의 평균생계비는 1인당 15,106,000원 임.

   ※ 가구원수에 따른 1년분의 평균생계비 = 농가경제조사통계의 연간 전국평균 가계지출비 ÷ 가구당 전국평균 농가인구

2. 도시근로자가구의 가구원수별 월평균 명목가계지출비

구분	1인 가구	2인 가구	3인 가구
월평균 가계지출비	2,277,700원	3,334,200원	4,665,400원

3. 이사비

주택연면적	이사비	비고
66㎡~99㎡ 미만	1,540,000원	노임, 차량운임, 포장비 등 포함
99㎡ 이상	1,790,000원	노임, 차량운임, 포장비 등 포함

※ 연면적은 부속건축물을 합한 면적을 적용하기로 함.

(자료 10) 축산업 관련 보상평가 참고자료

1. 축산업의 가축별 기준마리 수

가축	기준마리 수	가축	기준마리 수
소	5마리	닭	200마리
사슴	15마리	토끼	150마리
염소·양	20마리	오리	150마리
꿀벌	20군	돼지	20마리

※ 자료 : 「공익사업을 위한 토지 등의 취득 및 보상에 관한 법률 시행규칙」 [별표 3]

2. 꿀벌(양봉)

   가. 축산이익은 최근 3년간의 평균소득을 토대로 연간 240,000원/군 임.

   나. 수송비는 5,000원/군이고, 이전손실은 벌통폐사에 따른 손실, 채밀능력 저하 등으로 인한 손실, 이전 시 유실 및 치사에 따른 손실 등을 고려할 때 25,000원/군 임(단, 그 외 추가적인 손실은 없는 것으로 함).

3. 닭(산란계)

   가. 축산이익은 최근 3년간의 평균소득을 토대로 연간 3,600원/수 임.

   나. 수송비는 200원/수이고, 이전손실은 산란율 저하로 인한 손실, 폐사율 증가로 인한 손실, 제반 사육경비 등을 고려할 때 1,300원/수 임(단, 그 외 추가적인 손실은 없는 것으로 함).

4. 기타 참고사항

   가. 도시근로자가구 월평균 가계지출비(3인 가구 기준)는 4,665,400원 임.

   나. 휴업기간은 4개월로 함.

   다. 영업이익감소액은 휴업기간에 해당하는 영업이익의 100분의 20으로 하되, 1천만을 초과하지 못함.

(자료 11) 기타 사항

1. 지역요인비교치 및 개별요인비교치는 소수점 넷째 자리에서 반올림하여 셋째 자리까지 표시함.
2. 그 밖의 요인 보정치는 표준지 기준 산정방식을 적용함.
3. 대상토지의 결정단가는 백원단위에서 반올림하여 천원단위까지 표시함.
4. 건축물의 감가수정은 정액법으로 하며, 경과연수는 연단위로 산정함.
5. 건축물의 단가는 백원단위에서 절사하여 천원단위까지 표시함.

02 평가대상 토지는 주거지역의 소로에 접한 나지이다. 감정평가사 甲은 거래사례비교법으로 대상 토지를 평가하기 위하여 인근의 주거지역에서 최근 3년 이내에 거래된 총 4건의 거래관련 사례 등을 아래와 같이 수집하였다. 이들 사례 등에 대하여 거래 당시의 조건 등에 다른 차이를 정상화하기 위한 보정(Adjustments)작업을 한 후, 보정된 토지만의 가격과 단가를 구하고자 한다. (다만, 모든 사례 등은 거래시점과 기준시점의 차이에 따른 가격의 변동은 포착되지 아니하여, 고려하지 아니하기로 함) 30점

구분	거래금액 등	토지	건물	거래상황 및 조건	비고
거래사례 (1)	14억원	500㎡	연면적 1,000㎡	공사 중단된 건물을 포함하여 인수	
거래사례 (2)	10억원	500㎡	없음	저당대부액 신규인수	
낙찰사례 (3)	5억원	400㎡	없음	경매에서 수회 유찰 후 낙찰	점유자 및 적치물 소재
평가사례 (4)	10억원	400㎡	없음	낙찰사례 (3)의 평가사례	경매목적 평가

(1) 상기의 거래사례 (1)에 대하여, (자료 1)과 (자료 2)를 활용, 공사중단된 상태의 건물의 공정률을 추정하고, 토지만의 보정된 거래가격과 단가를 구하시오. 10점

(2) 상기의 거래사례 (2)에 대하여, (자료 3)과 (자료 4)를 활용, 저당대부액의 신규 인수 조건을 고려한 저당지불액 및 저당지불액의 현가합(백원단위에서 반올림)을 구한 후, 토지의 보정된 거래가격과 단가를 구하시오. 10점

(3) 상기의 낙찰사례 (3)에 대하여, (자료 5)를 활용, 토지의 보정된 가격과 단가를 구하되, 낙찰자 입장의 보정된 가격과 평가선례 (4)를 활용한 통계적 측면의 보정된 가격을 각각 구한 후, 그 결과를 평균하여 가격과 단가를 구하시오. 또한, 낙찰사례 (3)과 평가선례 (4)에 대한 가격의 성격 및 보정방식별 특징을 쓰시오. 10점

(자료 1) 거래사례 (1)에 대한 개요

1. 토지 : 면적은 500㎡이고, 토지만의 정상화 보정을 위하여 건물은 공정률을 고려한 원가법으로 평가하고, 전체 거래가격에서 공제하는 방식을 채택하여 산정하기로 하였다.

2. 건물 : 철근콘크리트조 슬래브지붕 3층 규모의 원룸형 도시형생활주택으로, 연면적은 1,000㎡이고, 최근 공사가 중단된 상태이며, 현상태의 건물과 토지가 총 14억원에 거래되었다.

3. 공사진행 사항
   - 공정률은 최근 발행된 (자료 2)의 건물신축단가표를 활용하여 간접법으로 산정하며, 신축단가(백원단위에서 반올림)로도 활용할 예정이다.
   - 각 공정별로 철근콘크리트공사, 조적공사, 방수공사 등은 완료되었으나, 대부분의 내부공사가 남은 상태이고, 가설물은 존치된 상태이어서 이를 고려할 때, 가설공사가 90% 진행된 것으로 추정하였다.
   - 기초 및 토공사는 건물 주변의 되메우기 및 정리가 남은 상태로 80% 진행된 것으로 추정하였다.
   - 이외의 공사는 착수되지 아니하였고, 설비부문에 대한 별도의 보정은 고려치 아니하기로 하였다.
   - 설계비는 모두 지급되었고, 감리비는 50%만 지급된 상태이다.
   - 제경비의 처리에 대하여서는 직접적인 공사비(1~12번 공사)의 집행정도에 따라 그 비율에 의거 추정할 예정이다.

(자료 2) 건물신축단가표 : 공사항목에 따른 법정비율은 고려치 아니한다.

1. 개요

용도	구조	표준단가(㎡)	내용연수(년)
도시형생활주택 (원룸형)	철근콘크리트조 슬래브지붕	1,600,000	50

2. 단위면적(㎡)당 공사비 적산표

구분	주요공사내역	공사비	구성비
01. 가설공사	공통가설, 일반가설	80,000	5.00
02. 기초 및 토공사	터파기, 되메우기, 잔토처리, 잡석다짐	20,000	1.25
03. 철근콘크리트공사	레미콘, 철근가공조립, 합판거푸집, 유로폼	280,000	17.50
04. 조적공사	시멘트벽돌쌓기(0.5B), 치장벽돌쌓기(0.5B)	20,000	1.25
05. 방수공사	도막방수, 우레탄방수	40,000	2.50
06. 미장공사	시멘트모르타르미장	60,000	3.75
07. 타일공사	자기질타일, 포슬란타일, 석재타일	60,000	3.75
08. 창호공사	칼라알루미늄단열바, 강화도어 등	180,000	11.25
09. 유리공사	로이복층유리 24㎜, 강화유리 10㎜	20,000	1.25
10. 도장공사	페인트 및 수성페인트(내부), 무늬코트	220,000	13.75
11. 수장공사	압출보온판, 걸레받이, 몰딩, 원목마루	200,000	12.50
12. 기타공사	우편함, 카스토퍼, 맨홀	60,000	3.75
소계		1,240,000	(77.50)
제경비	간접노무비, 산재보험료, 안전관리비, 경비, 일반관리비, 이윤, 건강보험료, 환경보존비	260,000	16.25
건축 공사비 합계		1,500,000	(93.75)
설계비		24,000	1.50
감리비		16,000	1.00
전기기본설비비		60,000	3.75
합계		1,600,000	100%

(자료 3) 거래사례 (2)에 대한 개요

1. **토지** : 면적은 500㎡이고, 유리한 조건의 신규 저당대부가 설정되어 이의 인수를 전제로 거래가 이루어졌다.

2. **건물** : 없음

3. **저당대부 관련사항**
   - 본 거래사례 (2)는 매수인이 시장이자율보다 낮은 이율로 승계 가능한 신규 설정된 저당대부를 인수하는 조건으로 매매한 것이다.
   - 거래금액은 10억원이며, 대부비율은 70%여서 차액인 30%만이 매도인에게 지불되었다.
   - 저당기간은 20년이고, 저당이자율은 연간 10%이며, 현재의 전형적인 시장이자율은 연간 12%이다.
   - 한편, 저당대부는 만기까지 존속되는 것을 가정하고, 원리금의 지불은 편의상 연단위로 계산하며, (자료 4)의 연복리표를 활용한다.

(자료 4) 연복리표(20년, 소수점 다섯째 자리에서 절사함)

이자율	일시불 내가계수	연금 내가계수	감채기금 계수	일시불 현가계수	연금 현가계수	저당상수
10%	6.7275	57.2749	0.0174	0.1486	8.5135	0.1174
12%	9.6462	72.0524	0.0138	0.1036	7.4694	0.1338

(자료 5) 낙찰사례 (3)에 대한 개요

1. 토지 : 면적은 400㎡이고, 별도 명도비용의 발생이 예상된다.

2. 건물 : 없음

3. 경매 관련사항
   - 낙찰사례 (3)의 가격은 최초의 경매개시 가격의 50%에서 결정되었으며, 평가선례 (4)는 낙찰사례 자체를 대상으로 한 경매목적의 평가로 평가액은 10억원이었고, 점유자 및 적치물은 고려치 못한 상태에서 평가가 이루어진 것으로 조사된다.
   - 낙찰자는 점유자 및 그 적치물의 상태를 고려(인수조건)하여 입찰에 참여하였고, 이에 따른 명도비용은 약 1억5천만원이 소요될 것으로 예상되며, 기간이자 및 자가노력비는 고려치 아니하였다.
   - 관련 통계에 의하면, 사례가 속한 지역의 해당기간 평균적인 경매의 낙찰률(최초 평가가격 대비 낙찰가격)은 다음과 같이 조사된다.

구분	상업지역	주거지역	녹지지역	지역평균
낙찰률	90%	80%	70%	80%

   - 한편, 낙찰률의 적용은 낙찰사례가 속한 지역이 주거지역이지만, 녹지지역과 연접하기 때문에 녹지지역과 주거지역 낙찰률의 평균을 적용하였다.

Question 03

감정평가사 甲은 토지의 장기임차권을 매입하여 지상에 공장 건물을 신축하여 사업체를 운영하고 있는 사업자 乙로부터 일반거래 목적의 감정평가를 의뢰받았다. 이해관계인은 공정한 자산 가액의 산정을 위하여 복수의 감정평가를 요구하고 있다. 제시된 자료를 활용하여 각 물음에 답하시오. 20점

(1) 대상 토지의 장기임차권 매입금액을 기준으로 한 시산가액을 산정하시오. 6점
(2) 토지의 장기임차권 거래사례 중 감정평가에 활용할 거래사례 하나를 선정하여 그 사유를 설명하고, 이를 기준으로 한 시산가액을 산정하시오. 6점
(3) 산정된 시산가액을 검토하여 감정평가액을 결정하시오. 4점
(4) 복수감정평가의 장단점을 설명하시오. 4점

(자료 1) 기본적 사항

1. 기준가치 : 시장가치

2. 기준시점 : 2022년 7월 16일

3. 대상 물건의 개황

소재지 지번	지목	면적(㎡)	용도지역	이용상황	도로접면	형상지세	주위환경
A시 B동 110	공장용지	2,000	일반공업지역	공업용	중로각지	가장형 평지	일반공장지대

4. 대상 토지의 장기임차권 내용

 1) 계약일 : 2011년 1월 1일

 2) 계약기간 : 50년(2011년 1월 1일~2060년 12월 31일)

 3) 매입금액 : 120,000원/㎡

 4) 계약내용 : 토지의 장기임차권 매입금액은 계약일에 토지의 소유권자에게 일괄 지급하고, 계약기간 50년 동안 토지상에 건물과 공작물의 설치 등 토지를 안정적으로 사용할 수 있으며, 장기임차권 만료일이 경과되면 토지와 건물 등 모든 시설의 소유권은 토지의 소유권자에게 무상으로 반납된다.

(자료 2) 시점수정 자료

1. 토지의 장기임차권에 대한 변동률이 고시되지 아니하여 당해 시의 공업지역 지가변동률을 적용함.

2. 지가변동률

구분	A시 공업지역(%)	비고
2011.1.1.~ 2011.12.31.	5.001	누계
2012.1.1.~ 2012.12.31.	6.505	누계
2013.1.1.~ 2013.12.31.	6.312	누계
2014.1.1.~ 2014.12.31.	7.322	누계
2015.1.1.~ 2015.12.31.	8.457	누계
2016.1.1.~ 2016.12.31.	5.023	누계
2017.1.1.~ 2017.12.31.	4.505	누계
2018.1.1.~ 2018.12.31.	3.255	누계
2019.1.1.~ 2019.12.31.	2.975	누계
2020.1.1.~ 2020.12.31.	2.523	누계
2021.1.1.~ 2021.12.31.	2.350	누계
2022.1.1.~ 2022.5.31.	1.244	누계
2022.5.1.~ 2022.5.31.	0.198	5월

※ 지가변동률은 2022년 6월 이후는 고시되지 않아서 5월 지가변동률을 연장·추정하여 적용함.

(자료 3) 잔존가치율 산정 자료

토지 장기임차권의 상각은 정액법에 따르고, 상각은 월단위 만월 상각을 적용하며, 잔존가치율 산정은 소수점 넷째 자리를 반올림하여 셋째 자리까지 표기한다.

(자료 4) 토지의 장기임차권 거래사례

대상 토지의 인근지역에 위치하고 확인 가능한 토지의 장기임차권 거래사례는 다음 표와 같으며, 검토 결과 거래가액은 적정한 것으로 판단됨.

기호	소재지 지번	지목	면적 (m²)	용도지역	이용상황	도로접면	형상지세	단가 (원/m²)	계약일	계약기간
가	A시 B동 115	공장용지	2,800	일반공업지역	공업용	광대한면	가장형 평지	130,000	2011. 7. 16.	계약일로부터 50년
나	A시 B동 210	공장용지	3,000	일반공업지역	공업용	중로한면	정방형 평지	280,000	2022. 7. 1.	계약일로부터 50년
다	A시 B동 220	공장용지	800	일반공업지역	상업용	중로한면	정방형 평지	450,000	2022. 7. 1.	계약일로부터 50년
라	A시 B동 230	공장용지	1,200	준공업지역	공업용	중로각지	세장형 평지	360,000	2022. 7. 5.	계약일로부터 50년

(자료 5) 토지의 개별요인

1. A시 B동 공업지대 가로조건, 획지조건의 개별요인 비교치는 아래와 같으며, 나머지 개별요인은 대등한 것으로 상정함.

2. A시 B동 공업지대의 가로조건

구분	광대한면	중로각지	중로한면
광대한면	1.00	0.97	0.95
중로각지	1.03	1.00	0.98
중로한면	1.05	1.02	1.00

3. A시 B동 공업지대의 획지조건

구분	정방형	가장형	세장형
정방형	1.00	1.01	0.99
가장형	0.99	1.00	0.98
세장형	1.01	1.02	1.00

(자료 6) 기타 사항

1. 시점수정치인 지가변동률은 백분율로서 소수점 넷째 자리를 반올림하여 셋째 자리까지 표기한다.

2. 단가 산정은 천원 미만 단위에서 반올림하여 천원 단위까지 표기한다.

3. 개별요인 산정은 소수점 넷째 자리를 반올림하여 셋째 자리까지 표기한다.

4. 주어진 자료 이외의 사항은 고려하지 아니한다.

Question 04 부동산을 명도받기 위한 소송을 제기한 임대인 원고에 맞서, 임차인이자 개인사업자인 피고는 「상가건물 임대차보호법」의 권리금 회수기회 보호 등의 규정을 들어 원고로부터 권리금의 지급을 요청하는 '감정신청서'를 법원에 제출하였다. 재판장은 피고의 감정신청을 받아들여 감정평가사 甲에게 권리금에 대한 감정평가를 의뢰하였다. 제시된 자료를 활용하여 대상 사업체의 권리금을 산정하시오. (단, 권리금은 시설권리금, 영업권리금, 바닥권리금으로 구분하여 제시할 것) 10점

(자료 1) 기본적 사항

1. 기준가치 : 시장가치

2. 기준시점 : 2022년 7월 16일

3. 대상 사업체의 개황
   1) 소재지 : C시 D동 120
   2) 업종 : 커피숍
   3) 개업일 : 2017년 1월 1일
   4) 면적 : 120㎡

(자료 2) 시설권리금 자료

1. 시설권리금 대상인 유형재산은 인테리어뿐이며, 사업자는 개업일 당시 인테리어 비용 600,000원/㎡이 소요되었다는 자료를 제출하였고, 제반 상황을 고려할 때 비용은 적정한 것으로 판단됨.

2. 기준시점의 재조달원가는 개업일 당시 비용에 건축공사비지수를 적용하여 산정하며, 조사된 건축공사비지수는 다음 표와 같다.

구분	2017년 1월	2022년 7월
건축공사비지수	112	147

※ 건축공사비 변동률 산정은 일할계산하지 않고, 해당 월에 고시된 건축공사비지수를 적용하며, 소수점 넷째 자리를 반올림하여 셋째 자리까지 표기함.

3. 단가 산정은 천원 단위 미만에서 반올림하여 천원 단위까지 표기함.

4. 감가수정은 정액법에 따르고, 총내용연수는 동종업의 인테리어 수명 주기를 고려하여 10년으로 하며, 연단위 만년감가를 적용함.

(자료 3) 영업권리금 자료

1. 영업권리금 산정을 위한 영업이익은 기준시점 이전 3년의 평균영업이익인 연간 23,000,000원으로 하였음.

2. 개인사업자로서 영업이익에서 공제해야 하는 비용은 자가인건비 상당액으로 기준시점 이전 3년 평균인 연간 19,000,000원으로 하였으며, 감가상각비는 고려하지 않음.

3. 무형재산 귀속 영업이익은 브랜드를 선호하는 업종의 특성을 고려할 때, 50%를 적용하는 것이 타당한 것으로 판단됨.

4. 인근지역 브랜드 커피숍 증가로 기준시점 이후 영업이익은 동일할 것으로 추정함.

5. 할인기간은 5년으로 하고, 기준시점 이후 5년간 추정된 영업이익에 대응하는 할인율은 아래 표와 같음.

구분	1년	2년	3년	4년	5년
할인율	0.899	0.808	0.726	0.653	0.587

(자료 4) 바닥권리금 자료

대상 사업체가 속한 상권은 위치와 업종, 가로의 상태에 따라 일부 바닥권리금이 형성되는 상가가 있으나, 시설권리금과 영업권리금을 받을 수 있는 상가는 별도의 바닥권리금이 없는 것으로 조사됨.

2023년 감정평가사 제34회

※ 공통유의사항
1. 각 문제는 해답 산정 시 산식과 도출과정을 반드시 기재
2. 단가는 개별 문제에서 제시하는 바에 따름
3. 그 밖의 요인 보정치는 소수점 셋째자리 이하 절사

감정평가사 甲은 ㈜A자산운용으로부터 현황 부동산(이하 '대상부동산') 및 최유효이용 상정 부동산(이하 '최유효이용 부동산')에 대해 감정평가를 의뢰받았다. 제시된 자료를 활용하여 다음 물음에 답하시오. 40점

(1) 공시지가기준법 및 원가법으로 대상부동산을 감정평가하시오. 5점
(2) 거래사례비교법으로 대상부동산을 감정평가하시오. 5점
(3) 수익환원법(직접환원법)으로 대상부동산을 감정평가하시오. 5점
(4) (1) ~ (3)의 시산가액을 기준으로 대상부동산의 감정평가액을 결정하시오. 5점
(5) 할인현금흐름분석법을 적용하여 최유효이용 부동산을 감정평가하시오. 15점
(6) 최유효이용에 미달하는 부분의 가치를 구하시오. 5점

(자료 1) 대상부동산 및 최유효이용 부동산 개요

1. 기준가치 : 시장가치
2. 기준시점 : 2023.07.15.
3. 대상부동산 개요
   1) 토지

소재지	지목	면적 (m²)	용도지역	이용상황	도로접면	형상지세	주위환경
K구 S동 100	대	800	일반상업	업무용	광대소각	세장형 평지	업무지대

2) 건물

소재지	구조	층수	연면적(㎡)	용도	급수	비고
K구 S동 100	철근콘크리트조	지하2층/지상5층	2,700	업무용	3	사용승인일: 1985.07.10.

4. 최유효이용 부동산 개요

1) 토지

소재지	지목	면적(㎡)	용도지역	이용상황	도로접면	형상지세	주위환경
K구 S동 100	대	800	일반상업	업무용	광대소각	세장형평지	업무지대

2) 건물

소재지	구조	층수	연면적(㎡)	용도	급수	비고
K구 S동 100	철골철근콘크리트조	지하5층/지상18층	9,600	업무용	1	사용승인 예정일: 2025.07.15.

(자료 2) 표준지공시지가

(공시기준일 : 2023.01.01.)

기호	소재지	지목	면적(㎡)	이용상황	용도지역	도로교통	형상지세	공시지가(원/㎡)
1	K구 S동 90	대	900	상업용	일반상업	중로한면	정방형평지	54,000,000
2	K구 S동 120	대	850	업무용	일반상업 3종일주	광대한면	부정형평지	80,000,000
3	K구 S동 140	대	1,200	업무용	근린상업	광대세각	정방형평지	90,000,000
4	K구 S동 160	대	1,000	업무용	중심상업	광대소각	정방형평지	100,000,000
5	K구 S동 190	대	900	업무용	일반상업	광대소각	정방형평지	90,000,000
6	S구 R동 150	대	1,250	업무용	중심상업	광대세각	정방형평지	95,000,000
7	S구 R동 200	대	700	상업용	일반상업	중로각지	정방형평지	68,000,000

※ 1) S구 R동은 K구 S동과 동일수급권 내 유사지역에 소재함
2) 기호 1, 7은 노선 상가지대, 기호 2 ~ 6은 업무지대에 소재함
3) 일반상업과 근린상업, 일반상업과 중심상업, 근린상업과 중심상업은 지역격차가 있음
4) 기호 2의 3종일주 면적은 30%임

(자료 3) 인근지역 평가사례 및 거래사례

1. 평가사례(평가목적 : 일반거래)

기호	소재지	지목	면적(㎡)	용도지역	이용상황	도로접면	형상지세	기준시점	토지단가(원/㎡)
가	K구 S동 80	대	770	일반상업	상업용	중로한면	정방형 평지	2022.02.01.	55,500,000
나	K구 S동 115	대	3,000	일반상업 3종일주	업무용	광대한면	세장형 평지	2023.03.03.	85,000,000
다	K구 S동 185	대	2,000	일반상업	상업용	광대한면	가장형 평지	2020.06.01.	80,000,000
라	K구 S동 200	대	850	일반상업	업무용	광대한면	세장형 평지	2023.07.01.	90,000,000
마	K구 S동 250	대	1,360	일반상업	업무용	중로한면	가장형 평지	2021.01.01.	52,000,000

※ 기호 나 3종일주에 속하는 면적은 미미하여 일반상업으로 판단함

2. 거래사례

1) 거래사례 #1
   - 소재지 : K구 S동 70
   - 총 거래가격 : 45,000,000,000원
   - 거래시점 : 2023.04.01.
   - 토지 : 일반상업, 상업용, 750㎡, 중로한면, 세장형, 평지
   - 건물

구조	급수	연면적(㎡)	사용승인일	부대설비 내역
철근콘크리트조	2	3,000	2016.02.20.	대상건물과 유사함

   - 기타사항 : 노선 상가지대에 위치하며, 정상 거래사례임

2) 거래사례 #2
   - 소재지 : K구 S동 380
   - 총 거래가격 : 71,400,000,000원

- 거래시점 : 2023.02.01.
- 토지 : 일반상업, 업무용, 840㎡, 광대세각, 세장형, 평지
- 건물

구조	급수	연면적(㎡)	사용승인일	부대설비 내역
철근콘크리트조	3	2,500	1984.01.25.	대상건물과 유사함

- 기타사항 : 업무지대에 소재하며, 정상 거래사례임

3) 거래사례 #3
- 소재지 : K구 S동 355
- 총 거래가격 : 48,750,000,000원
- 거래시점 : 2023.05.01.
- 토지 : 일반상업, 업무용, 650㎡, 광대소각, 부정형, 평지
- 건물

구조	급수	연면적(㎡)	사용승인일	부대설비 내역
철근콘크리트조	4	2,000	1979.02.19.	대상건물과 유사함

- 기타사항 : 업무지대에 위치하며, 건물 노후화로 총 거래가격에 건부감가가 포함되어 있는 사례임

4) 거래사례 #4
- 소재지 : K구 S동 60
- 총 거래가격 : 47,740,000,000원
- 거래시점 : 2023.04.01.
- 토지 : 일반상업, 업무용, 770㎡, 중로한면, 가장형, 평지
- 건물

구조	급수	연면적(㎡)	사용승인일	부대설비 내역
철근콘크리트조	4	2,500	1983.03.29.	대상건물과 유사함

- 기타사항 : 노선 상가지대에 위치하며, 정상 거래사례임

(자료 4) 시점수정 관련 자료

1. 지가변동률(S시 K구)

구분	주거지역(%)	상업지역(%)
2020.06.01.~2023.07.15.(누계)	15.345	16.565
2021.01.01.~2023.07.15.(누계)	11.050	12.115
2022.02.01.~2023.07.15.(누계)	7.585	7.885
2023.01.01.~2023.06.30.(누계)	1.270	1.295
2023.02.01.~2023.07.15.(누계)	1.150	1.165
2023.03.03.~2023.07.15.(누계)	1.020	1.035
2023.04.01.~2023.07.15.(누계)	1.050	1.070
2023.05.01.~2023.07.15.(누계)	1.010	1.020
2023.06.01.~2023.06.30.	0.100	0.150

※ 2023년 7월 이후 지가변동률은 미고시 되었음

2. 오피스빌딩 자본수익률(S시 K구)

구분	2022년 3분기	2022년 4분기	2023년 1분기	2023년 2분기
자본수익률(%)	0.22	0.26	0.20	0.24

3. 건축비지수는 변동이 없다고 가정함

(자료 5) 지역요인 관련 자료

1. 대상부동산과 동일한 구(區)에 소재하는 표준지공시지가, 평가사례 및 거래사례는 지역요인이 동일함
2. 다른 구(區)에 소재하는 표준지공시지가, 평가사례 및 거래사례는 지역요인의 비교가 필요함

(자료 6) 개별요인 관련 자료

1. 가로조건(각지인 경우 가로조건에서 반영함)

구분	광대한면	광대소각	광대세각	중로한면	중로각지	소로한면	소로각지
광대한면	1.00	1.10	1.06	0.96	0.98	0.86	0.90
광대소각	0.93	1.00	0.97	0.88	0.92	0.79	0.83
광대세각	0.96	1.05	1.00	0.91	0.95	0.82	0.86
중로한면	1.06	1.16	1.12	1.00	1.05	0.90	0.95
중로각지	1.02	1.11	1.07	0.97	1.00	0.87	0.91
소로한면	1.19	1.29	1.25	1.13	1.17	1.00	1.05
소로각지	1.13	1.23	1.19	1.08	1.12	0.97	1.00

2. 획지조건

구분	정방형	가장형	세장형	사다리형	부정형
정방형	1.00	1.00	0.97	0.93	0.91
가장형	1.00	1.00	0.97	0.93	0.91
세장형	1.02	1.02	1.00	0.95	0.93
사다리형	1.06	1.06	1.04	1.00	0.96
부정형	1.10	1.10	1.08	1.04	1.00

3. 상기 제시된 조건 이외의 다른 조건은 동일함

(자료 7) 토지, 건물 일괄 거래사례비교법 적용 개별요인 관련 자료

1. 개별요인

   1) 대상물건 / 거래사례 #1

구분	입지적 특성	기능적 특성	물리적 특성
대상물건	115	100	95
거래사례 #1	100	100	100

   2) 대상물건 / 거래사례 #2

구분	입지적 특성	기능적 특성	물리적 특성
대상물건	104	100	100
거래사례 #2	100	100	100

3) 대상물건 / 거래사례 #3

구분	입지적 특성	기능적 특성	물리적 특성
대상물건	100	100	105
거래사례 #3	100	100	100

4) 대상물건 / 거래사례 #4

구분	입지적 특성	기능적 특성	물리적 특성
대상물건	115	100	105
거래사례 #4	100	100	100

2. 토지, 건물 일괄 개별요인은 상승식으로 계산하되 소수점 셋째자리에서 반올림하여 둘째자리까지 표기하고, 제시된 특성 이외의 특성은 동일함

(자료 8) 재조달원가 및 감가수정 관련자료

1. 표준단가

용도	구조	급수	표준단가(원/㎡)	내용연수(년)
업무시설	철근콘크리트조 (5층~15층 이하)	1	2,000,000	50
업무시설	철골철근콘크리트조 (10층~20층 이하)	1	2,300,000	55
업무시설	철근콘크리트조 (5층~15층 이하)	2	1,700,000	50
업무시설	철골철근콘크리트조 (10층~20층 이하)	2	2,000,000	55
업무시설	철근콘크리트조 (5층~15층 이하)	3	1,500,000	50
업무시설	철근콘크리트조 (5층~15층 이하)	4	1,300,000	50
업무시설	철근콘크리트조 (5층~15층 이하)	5	1,200,000	50

2. 부대설비 보정단가는 상기 표준단가에 포함되었음
3. 건물 잔가율은 0%임
4. 건물의 감가수정은 정액법(만년감가)을 적용함
5. 최유효이용 건물의 건축비는 표준단가를 적용함

(자료 9) 대상부동산 및 최유효이용 부동산의 시장임대료 관련 자료

1. 대상부동산 관련 시장임대료

구분	임대사례 1	임대사례 2	임대사례 3	대상부동산
소재지	S시 K구 S동	S시 K구 S동	S시 K구 S동	S시 K구 S동 100
건물명	가 빌딩	나 빌딩	다 빌딩	○○ 빌딩
층(지상/지하)	17F/B3	5F/B2	5F/B2	5F/B2
구조	철골철근 콘크리트	철근 콘크리트	철근 콘크리트	철근 콘크리트
건물연면적(㎡)	10,000	2,800	2,600	2,700
토지면적(㎡)	900	850	750	800
용적률(%)	800	230	210	220
용도지역	일반상업	일반상업	일반상업	일반상업
사용승인(년)	2022	1986	1987	1985
오피스빌딩 하위시장	B북부	B북부	B남부	B북부
보증금(원/㎡)	300,000	270,000	260,000	250,000
월임대료(원/㎡)	30,000	27,000	26,000	25,000
월관리비(원/㎡)	15,000	12,000	11,000	12,000
비고	시장임대료	시장임대료	시장임대료	계약임대료

※ 1) 오피스빌딩 하위시장이 다른 경우 그 격차는 〈자료 10〉을 기준으로 보정해야 함
2) 시장임대료 및 계약임대료는 기준시점에서 조사된 임대료이며, 연면적을 기준으로 함

2. 최유효이용 부동산 관련 시장임대료

구분	임대사례 4	임대사례 5	임대사례 6	최유효이용 부동산
소재지	S시 K구 S동	S시 K구 S동	S시 K구 S동	S시 K구 S동 100
건물명	라 빌딩	마 빌딩	바 빌딩	○○ 빌딩
층(지상/지하)	19F/B5	17F/B5	18F/B5	18F/B5
구조	철골철근 콘크리트	철골철근 콘크리트	철골철근 콘크리트	철골철근 콘크리트
건물연면적(㎡)	10,000	9,000	12,000	9,600
토지면적(㎡)	950	850	1,000	800
용적률(%)	799	780	800	800
용도지역	일반상업	일반상업	일반상업	일반상업
사용승인(년) (사용승인예정)(년)	2021	2022	2018	(2025)
오피스빌딩 하위시장	B남부	B북부	B북부	B북부
보증금(원/㎡)	270,000	300,000	290,000	-
월임대료(원/㎡)	27,000	30,000	29,000	-
월관리비(원/㎡)	14,000	15,000	15,000	-
비고	시장임대료	시장임대료	시장임대료	-

※ 1) 오피스빌딩 하위시장이 다른 경우 그 격차는 〈자료 10〉을 기준으로 보정해야 함
2) 시장임대료는 기준시점에서 조사된 최유효이용 부동산 관련 시장임대료이며, 연면적을 기준으로 함

(자료 10) 수익환원법 적용 관련 자료

1. 오피스빌딩 하위시장의 격차를 보정하는 자료는 조사가 불가능함
2. 렌트프리(Rent Free)는 없음
3. 임대사례와 대상부동산 및 최유효이용 부동산의 개별요인은 동일함
4. 직접환원법 및 할인현금흐름분석법에 적용할 조건은 다음과 같음
   1) 환원율은 투자결합법으로 산출한 결과 연 4.5%임
   2) 보증금 운용수익률은 연 3%, 공실손실상당액 및 대손충당금은 가능총수익의 5%, 보증금·연간 임대료·연간 관리비 상승률은 연 2%, 할인율은 시장에서 발표된 부동산투자수익률 및 물가상승률을 고려할 때 연 5%임

3) 직접환원법에 적용할 운영경비는 연간 관리비 중 70%, 할인현금흐름분석법에 적용할 운영경비는 연간 관리비 중 60%임
4) 복귀가액은 내부추계법을 적용하며, 재매도비용은 2%임
5) 대상부동산이 속한 B북부 오피스빌딩 하위시장은 최유효이용 부동산이 사용승인된 후 인근지역에 GTX-A 노선 역이 신설 예정이고, C그룹 본사의 오피스빌딩이 신축되는 등 개발호재로 인해 복귀가액 산정을 위한 최종환원율은 할인율에서 0.5%p를 공제하여 적용하는 것이 타당한 것으로 조사됨
6) 할인현금흐름분석법은 최유효이용 부동산을 5년 보유 후 6년차에 매도하는 것으로 가정함
7) 할인율 및 기별 현재가치 계수는 다음과 같음

구분	1기	2기	3기	4기	5기	6기
4.0%	0.961	0.924	0.889	0.854	0.821	0.790
4.5%	0.956	0.915	0.876	0.838	0.802	0.767
5.0%	0.952	0.907	0.863	0.822	0.783	0.746
5.5%	0.947	0.898	0.851	0.807	0.765	0.725

(자료 11) 기타 자료

1. 표준지공시지가 및 사례 선정 시 선정사유를 반드시 기재
2. 개별요인은 상승식으로 산출하되, 소수점 셋째자리에서 반올림하여 둘째자리까지 표기
3. 그 밖의 요인 보정치는 "표준지 기준 산정방식"을 적용
4. 각 감정평가방법의 시산가액은 천만원 단위 이하에서 절사하여 억원 단위로 표기
5. 최유효이용에 미달하는 거래사례의 총 거래가격은 토지 면적을 기준으로 거래되어 시점수정은 〈자료 4〉 시점수정 관련 자료를 적용
6. 할인현금흐름분석법의 현금흐름표는 1 ~ 6년차를 모두 기재
7. 대상부동산의 감정평가액은 공시지가기준법 및 원가법 시산가액의 40%, 거래사례비교법 시산가액의 30%, 수익환원법 시산가액의 30%로 적용하여 조정 및 결정
8. 대상부동산 건물의 철거비는 고려하지 않음

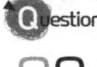

감정평가사 甲은 ○○가로주택정비사업의 관리처분계획수립을 위한 종전자산 및 종후자산 감정평가를 의뢰받았다. 관련 법규 및 이론에 의거 제시된 자료를 활용하여 다음 물음에 답하시오. 30점

(1) 종전자산을 감정평가하시오. 20점
(2) 가로주택정비사업에 따른 조합원 F의 분담금(또는 환급금)을 구하시오. 5점
(3) 가로주택정비사업의 관리처분계획 수립을 위한 종전자산 감정평가와 종후자산 감정평가 업무수행 시 유의사항을 비교하여 설명하시오. 5점

(자료 1) 공통사항

1. 비교사례 선정 시 선정사유 및 제외사유를 기재
2. 요인비교치는 상승식으로 산출하되, 소수점 셋째자리에서 반올림하여 둘째자리까지 표기
3. 감정평가액은 십만원 단위에서 반올림하여 백만원 단위까지 표기
4. 조합원 F는 종후자산(아파트) 중 101동 5층 502호를 분양받을 예정
5. 비례율 산정 시 소수점 셋째자리에서 반올림하여 둘째자리까지 표기

(자료 2) 사업추진 경과

- 2022.09.15. : 조합설립인가
- 2022.12.15. : 감정평가법인 약정 체결
- 2023.02.15. : 건축심의 신청
- 2023.03.15. : 건축심의 조건부 의결
- 2023.05.15. : 건축심의 결과 통지서 수령
- 2023.06.15. : 종전자산 현장조사 실시
- 2023.07.15. : 종전자산 현장조사 완료

(자료 3) 종전자산 평가목록

1. 종전자산 건축물 현황

소재지	평가동 1-1번지	평가동 1-2번지
건물명	○○ 빌라 가동	○○ 빌라 나동
구조	연와조 스라브지붕 3층	연와조 스라브지붕 3층
주용도	다세대주택	다세대주택
사용승인일	1985.01.02.	1985.01.07.
건축면적/연면적	73.2㎡/219.6㎡	74.4㎡/223.2㎡
세대수	6	6
향	남향	동향
형태	계단식	계단식

2. 토지 등 소유자 명부

연번	부번	조합원	동	층	호	지목	토지(㎡) 지분	구조	건축물(㎡) 전유	공용	비고
1	1	A	가	1	101	대	24.6	연와조	32.2	4.4	
2	1	B	가	1	102	대	12.3	연와조	16.1	2.2	공유
2	2	C	가	1	102	대	12.3	연와조	16.1	2.2	공유
3	1	D	가	2	201	대	24.6	연와조	32.2	4.4	
4	1	E	가	2	202	대	24.6	연와조	32.2	4.4	
5	1	F	가	3	301	대	24.6	연와조	32.2	4.4	
6	1	G	가	3	302	대	12.3	연와조	16.1	2.2	공유
6	2	H	가	3	302	대	12.3	연와조	16.1	2.2	공유
7	1	I	나	1	101	대	25.2	연와조	32.8	4.4	
8	1	J	나	1	102	대	12.6	연와조	16.4	2.2	공유
8	2	K	나	1	102	대	12.6	연와조	16.4	2.2	공유
9	1	L	나	2	201	대	25.2	연와조	32.8	4.4	
10	1	M	나	2	202	대	25.2	연와조	32.8	4.4	
11	1	N	나	3	301	대	25.2	연와조	32.8	4.4	
12	1	O	나	3	302	대	25.2	연와조	32.8	4.4	

(자료 4) 거래사례

1. 거래사례(1)
    1) 소재지 : 평가동 1-1번지 ○○빌라 가동 1층 102호(사용승인일 : 1985.01.02.)
    2) 거래시점 : 2020.03.10.
    3) 거래금액 : 300,000,000원
    4) 건물내역 : 전유(32.2㎡), 공용(4.4㎡), 소유권대지권(24.6㎡), 남향, 계단식
    5) 기타사항 : 당해 정비사업에 따른 개발이익이 포함되지 않은 정상거래사례임

2. 거래사례(2)
    1) 소재지 : 평가동 1-2번지 ○○빌라 나동 2층 202호(사용승인일 : 1985.01.07.)
    2) 거래시점 : 2022.10.10.
    3) 거래금액 : 450,000,000원
    4) 건물내역 : 전유(32.8㎡), 공용(4.4㎡), 소유권대지권(25.2㎡), 동향, 계단식
    5) 기타사항 : 인테리어비용이 포함된 거래로 사업구역 내 가장 최근 거래사례임

3. 거래사례(3)
    1) 소재지 : 평가동 6번지 일동빌라 2층 202호(사용승인일 : 1982.04.20.)
    2) 거래시점 : 2023.03.20.
    3) 거래금액 : 300,000,000원
    4) 건물내역 : 전유(29.5㎡), 공용(4.05㎡), 소유권대지권(22.5㎡), 서향, 복도식
    5) 기타사항 : 2인이 공유로 매수한 정상거래사례임

4. 거래사례(4)
    1) 소재지 : 평가동 5번지 이동빌라 1층 101호(사용승인일 : 1988.02.10.)
    2) 거래시점 : 2023.04.28.
    3) 거래금액 : 350,000,000원
    4) 건물내역 : 전유(30㎡), 공용(3.05㎡), 소유권대지권(10㎡), 남향, 계단식
    5) 기타사항 : 사례는 △△가로주택정비사업을 위한 추진위원회가 구성되어 있음

5. 거래사례(5)
    1) 소재지 : 평가동 7번지 삼동빌라 2층 204호(사용승인일 : 1987.03.16.)
    2) 거래시점 : 2023.07.10.
    3) 거래금액 : 500,000,000원
    4) 건물내역 : 전유(33.5㎡), 공용(5.5㎡), 소유권대지권(25.5㎡), 동향, 복도식
    5) 기타사항 : 법인이 소유한 물건으로 정상거래사례임

(자료 5) 시점수정 자료

거래사례(1)	거래사례(2)	거래사례(3)	거래사례(4)	거래사례(5)
1.05131	0.96353	0.99209	0.99702	0.98722

(자료 6) 지역요인 자료

평가대상과 거래사례는 인근지역에 소재하여 지역요인은 대등함

(자료 7) 가치형성요인 자료

1. 외부요인

거래사례(1)	거래사례(2)	거래사례(3)	거래사례(4)	거래사례(5)
1.00	1.00	1.05	1.10	0.95

2. 내부요인

거래사례(1)	거래사례(2)	거래사례(3)	거래사례(4)	거래사례(5)
1.00	1.00	0.97	1.00	1.02

3. 호별요인

    1) 층별 효용비율

구분	지하1층	1층	2층	3층	4층
지하1층	1.00	1.11	1.17	1.14	1.09
1층	0.90	1.00	1.05	1.03	0.98
2층	0.86	0.95	1.00	0.98	0.93
3층	0.87	0.97	1.02	1.00	0.95
4층	0.92	1.02	1.07	1.05	1.00

    2) 향별 효용비율

구분	동향	서향	남향	북향
동향	1.00	0.98	1.02	0.95
서향	1.02	1.00	1.04	0.97
남향	0.98	0.96	1.00	0.93
북향	1.05	1.03	1.07	1.00

    3) 형태별 효용비율

구분	계단식	복도식
계단식	1.00	0.95
복도식	1.05	1.00

4) 주거환경 영향지수

주거환경 영향지수는 전문기관이 수행한 다음 자료를 적용

구분	일조지수	조망지수	소음지수	사생활 침해지수	주거환경 영향지수
명부 연번 1	0.97	0.95	0.99	1.01	0.92
명부 연번 2	0.98	0.95	0.99	1.01	0.93
명부 연번 3	0.98	0.96	1.00	1.01	0.95
명부 연번 4	0.98	0.96	1.01	1.01	0.96
명부 연번 5	0.98	0.97	1.01	1.02	0.98
명부 연번 6	0.99	0.97	1.01	1.02	0.99
명부 연번 7	0.98	0.97	0.98	1.01	0.94
명부 연번 8	0.98	0.97	0.99	1.01	0.95
명부 연번 9	0.99	0.97	0.99	1.02	0.97
명부 연번 10	0.99	1.00	0.99	1.02	1.00
명부 연번 11	1.01	1.00	0.99	1.02	1.02
명부 연번 12	1.01	1.00	0.99	1.05	1.05
거래사례(3)	0.98	0.99	1.02	0.98	0.97
거래사례(4)	0.97	0.97	0.99	1.01	0.94
거래사례(5)	0.99	1.01	0.99	0.99	0.98

4. 기타요인

제시된 자료 이외 기타 가격에 영향을 미치는 요인은 없음

(자료 8) 종후자산(아파트) 감정평가액

구분	동	층	호	타입	전유(㎡)	공유(㎡)	공급(㎡)	감정평가액(원)
1	101	2	201	40A	40.11	12.3	52.41	422,000,000
2	101	3	301	40A	40.11	12.3	52.41	426,000,000
3	101	4	401	40A	40.11	12.3	52.41	439,000,000
4	101	5	501	40A	40.11	12.3	52.41	454,000,000
5	101	6	601	40A	40.11	12.3	52.41	472,000,000
6	101	7	701	40A	40.11	12.3	52.41	491,000,000
7	101	8	801	40A	40.11	12.3	52.41	516,000,000
8	101	9	901	40A	40.11	12.3	52.41	539,000,000
9	101	2	202	40B	40.11	12.3	52.41	425,000,000
10	101	3	302	40B	40.11	12.3	52.41	429,000,000

11	101	4	402	40B	40.11	12.3	52.41	442,000,000
12	101	5	502	40B	40.11	12.3	52.41	457,000,000
13	101	6	602	40B	40.11	12.3	52.41	476,000,000
14	101	7	702	40B	40.11	12.3	52.41	495,000,000
15	101	8	802	40B	40.11	12.3	52.41	519,000,000
16	101	9	902	40B	40.11	12.3	52.41	543,000,000
17	101	2	203	40C	40.11	12.3	52.41	424,000,000
18	101	3	303	40C	40.11	12.3	52.41	428,000,000
19	101	4	403	40C	40.11	12.3	52.41	441,000,000
20	101	5	503	40C	40.11	12.3	52.41	456,000,000
21	101	6	603	40C	40.11	12.3	52.41	475,000,000
22	101	7	703	40C	40.11	12.3	52.41	494,000,000
23	101	8	803	40C	40.11	12.3	52.41	518,000,000
24	101	9	903	40C	40.11	12.3	52.41	542,000,000
합계					962.64	295.2	1,257.84	11,323,000,000

(자료 9) 정비사업비 관련 제시자료

항목		금액(원)	귀속
토지	원가산입 종전자산가액	물음 1) 적용	토지
	시유지 매입비	210,000,000	토지
	측량 및 지질조사 등	110,000,000	토지
	취득세 및 등록세 등	155,000,000	토지
건축비	직접공사비	4,520,000,000	건물
	간접공사비(인입비, 부담금 등)	25,000,000	건물
	설계비, 감리비 등	300,000,000	건물
부대경비	외주용역비(정비사업, 감정평가 등)	150,000,000	공통
	회계감사비, 신탁등기비, 보존등기비 등	265,000,000	공통
	이주정착금, 예비비 등	500,000,000	공통
금융비용	대출수수료	150,000,000	공통
	조합원이주이자	100,000,000	공통
	사업비이자 등	150,000,000	공통
합계(원가산입 종전자산가액 제외)		6,635,000,000	-

감정평가사 甲은 수도권 북동부 소재 A택지개발지구 내에 분양 중인 상업용지 개발과 관련된 자문을 의뢰받았다. 제시된 자료를 활용하여 다음 물음에 답하시오. 20점

(1) 해당 토지의 개발이 가능한 임대료(Feasibility Rent)를 구하고, 그 결과를 바탕으로 현재의 개발 타당성을 판단하시오. 10점

(2) 현재 개발이 타당하지 않다면, 개발사업에 소요되는 기간을 고려할 경우 얼마 후 사업에 착수하는 것이 타당한지 그 시기를 구하시오. 10점

(자료 1) 기본적 사항

1. 토지면적 : 3,000㎡
2. 용적률 : 250%
3. 토지 분양가격(부대비용 포함) : @6,000,000원/㎡
4. 건축비(부대비용 포함) : @1,800,000원/㎡
5. 건물 전용률 : 60%

(자료 2) 시장조사 내용 요약

1. 시장임대료(전유면적 기준) : 보증금 @400,000원/㎡, 월임료 @40,000원/㎡(전환율 : 연 9.0%)

2. 운영경비
    1) 연간 조세공과(보유세 등) : 토지가격 및 건물가격의 0.25%
    2) 연간 보험료 : 건물가격의 0.2%
    3) 변동비용 : 유효총수익(EGI)의 5.0%
    4) 건물설비 중 엘리베이터(현재 재조달원가 1.2억원)는 내용연수 12년으로 내용연수 만료 시에 신품으로 대체하여야 함

3. 공실률 : 6.0%

4. 할인율 : 연 7.0%

(자료 3) 시장전망 요약

1. 최근 금리 상승 등에 따른 영향으로 향후 토지 분양가격 및 건축비, 인근지역의 상업용 부동산가격은 보합세를 보일 것으로 예상됨
2. 개발 착수 후 사용승인까지는 9개월이 소요될 것으로 예상되며, 개발기간 중의 제반 비용(금융비용 등)은 고려하지 않음
3. 향후 주변 신축 아파트의 지속적인 입주로 상업시설공간에 대한 안정적인 수요가 있어 사용승인과 더불어 현재 공실률 수준의 임대가 가능할 것으로 예상되며, 시장임대료는 연 5.0%, 운영경비(엘리베이터 가격 포함)는 연 2.0% 상승할 것으로 예상됨

Question 04 다음과 같이 도로개설사업에 편입되고 남은 토지(잔여지)가 있다. 잔여지 손실보상 기준을 약술하고, 적정한 보상액을 구하시오. 10점

(자료 1) 기본적 사항

1. 토지면적 : 2,000㎡ (편입면적 : 1,700㎡)
2. 토지특성 : 소로한면 / 세장형 / 평지
3. 편입토지 보상평가액(평균) : @600,000원/㎡

(자료 2) 토지특성 자료

1. 도로접면

구분	소로한면	세로(가)	세로(불)	맹지
소로한면	1.00	0.90	0.80	0.65
세로(가)	1.10	1.00	0.89	0.72
세로(불)	1.25	1.12	1.00	0.81
맹지	1.53	1.38	1.23	1.00

2. 형상

구분	가장(정방)형	세장형	사다리형	부정형
가장(정방)형	1.00	0.98	0.97	0.92
세장형	1.02	1.00	0.99	0.94
사다리형	1.03	1.01	1.00	0.95
부정형	1.08	1.06	1.05	1.00

3. 고저

구분	평지	완경사	급경사	저지
평지	1.00	0.98	0.92	0.90
완경사	1.02	1.00	0.94	0.92
급경사	1.08	1.06	1.00	0.98
저지	1.11	1.08	1.02	1.00

(자료 3) 기타 자료

1. 잔여지 특성 : 맹지/부정형/저지
2. 잔여지는 도로사업의 시행으로 맹지가 됨은 물론 일반적인 경우와는 달리 기존의 마을과 단절되어 마을과 연결되는 통로의 개설이 필요한 상태로 사업시행자도 이를 인정하고 있음
3. 마을과 잔여지를 연결하는 통로[세로(가)]의 개설 비용 : 150,000,000원/식(제반 부대비용을 포함)

PART 01

2024년 감정평가사 제35회

※ **공통유의사항**
1. 각 문제는 해답 산정 시 산식과 도출과정을 반드시 기재
2. 단가는 개별 문제에서 제시하는 바에 따름
3. 그 밖의 요인 보정치는 소수점 셋째자리 이하 절사

감정평가사 甲은 중앙토지수용위원회로부터 수용재결평가를 의뢰받았다. 관련 법규 및 이론을 참고하고, 제시된 자료를 활용하여 다음의 물음에 답하시오. 40점

(1) 대상토지의 감정평가에서 (자료 4)의 연도별 표준지공시지가 중 적정한 비교표준지의 공시기준일을 정하고 그 근거를 제시하시오. 10점

(2) 대상토지의 감정평가에서 적용할 지가변동률은 첫째, 비교표준지가 소재하는 해당 시·군·구의 용도지역별 지가변동률, 둘째, 해당 공익사업과 관계없는 인근 시·군·구의 용도지역별 지가변동률 중 어느 것인지를 결정하고 그 근거를 제시하시오. 10점

(3) 대상토지에 대하여 시산가액에 대한 합리성 검토는 생략하고 보상평가액을 산정하시오. 10점

(4) 대상지장물인 건물에 대한 보상평가액을 (자료 10)과 (자료 11)을 참고하여 산정하시오. 10점

(자료 1) 평가개요

1. 의뢰인 : 중앙토지수용위원회위원장

2. 사업시행자 : ○○공사

3. 평가목적 : 수용재결

4. 평가의뢰일자 : 2024. 6. 1.
   제시된 가격시점(재결일) : 2024. 7. 1.
   사업인정고시일 : 2015. 12. 30.

(자료 2) 사업개요

1. 사업명 : ○○산업단지 재생사업지구 기반시설공사

2. 사업시행지의 위치 : A광역시 B구 C동 10번지 일원

3. 사업의 규모 : 500,000㎡

4. 사업추진 경위
    - 2009.9.30. : 재생사업 우선사업지구 선정(국토교통부)
    - 2010.2.25. : ○○산업단지 재생계획 수립용역 착수
    - 2013.12.30. : 재생사업지구 지정(재생계획) 및 지형도면 고시
    - 2015.12.30. : 재생사업지구 지정(재생계획) 변경, 재생시행계획 승인 고시 및 지형도면 고시

(자료 3) 의뢰목록

1. 대상토지 목록

일련번호	소재지	지목	이용상황	전체면적(㎡)	편입면적(㎡)	용도지역	도로교통	형상지세	주위환경	피수용자
1	B구 C동 10	공장용지	공업용	990	990	일반공업	소로한면	사다리형 평지	기존공장지대	乙

2. 지장물 목록

일련번호	소재지	물건의 종류	구조 및 규격	수량(㎡)	사용승인일	등급	내용년수(년)	피수용자
가	B구 C동 10	공장	철골조 철골지붕틀 샌드위치판넬 잇기	660	2012.3.2.	중급	40	乙

(자료 4) 사업지구 내 표준지공시지가 현황

기호		1	2	3	4	5
소재지		B구 C동 70	B구 C동 100	B구 C동 200	B구 C동 300	B구 C동 400
면적(㎡)		850	450	600	290	1,800
지목		공장용지	대	공장용지	공장용지	대
이용상황		공업용	주상용	공업용	공업용	공업용
용도지역		일반공업	일반공업	일반공업	일반공업	일반공업
도로교통		소로각지	중로한면	소로한면	세로(가)	중로한면
형상 지세		세장형 평지	세장형 평지	부정형 평지	세장형 평지	가장형 평지
연도별 표준지 공시지가 (원/㎡)	2013.1.1.	700,000	900,000	690,000	610,000	850,000
	2014.1.1.	770,000	970,000	760,000	680,000	920,000
	2015.1.1.	850,000	1,030,000	840,000	750,000	990,000
	2024.1.1.	1,230,000	1,550,000	1,200,000	1,000,000	1,500,000

※ 1) 주위환경은 공히 기존공장지대임
　 2) 대상토지와 지리적으로 인접한 정도는 기호 1, 2, 3, 4, 5번의 순서임

(자료 5) A광역시 B구 전체 표준지공시지가의 평균변동률

구분	2014년/2013년	2015년/2013년	2024년/2013년	2024년/2015년
	3.523%	7.179%	12.055%	11.412%

(자료 6) 지가변동률 현황

- A광역시

구분	기간	지가변동률(%)
A광역시 공업지역	2013.12.30. ~ 2024.7.1.	12.321(1.12321)
	2015.12.30. ~ 2024.7.1.	10.850(1.10850)

- A광역시 B구

구분	기간	지가변동률(%)
B구 공업지역	2013.1.1. ~ 2013.12.29.	3.795(1.03795)
	2013.12.30. ~ 2024.7.1.	36.158(1.36158)
	2015.1.1. ~ 2015.12.29.	3.662(1.03662)
	2015.12.30. ~ 2024.7.1.	19.450(1.19450)
	2024.1.1. ~ 2024.7.1.	0.225(1.00225)

- A광역시 B구와 인접한 인근 시·군·구

구분	기간	지가변동률(%)
C구 공업지역	2013.12.30. ~ 2024.7.1.	29.092(1.29092)
	2015.12.30. ~ 2024.7.1.	25.350(1.25350)
	2024.1.1. ~ 2024.7.1.	2.358(1.02358)

구분	기간	지가변동률(%)
D구 공업지역	2013.12.30. ~ 2024.7.1.	15.355(1.15355)
	2015.12.30. ~ 2024.7.1.	13.270(1.13270)
	2024.1.1. ~ 2024.7.1.	2.032(1.02032)

구분	기간	지가변동률(%)
E구 공업지역	2013.12.30. ~ 2024.7.1.	17.266(1.17266)
	2015.12.30. ~ 2024.7.1.	15.850(1.15850)
	2024.1.1. ~ 2024.7.1.	1.985(1.01985)

※ 1) 해당 월의 지가변동률이 미고시된 경우에는 직전 월의 지가변동률을 연장하여 적용함
  2) 생산자물가지수는 고려하지 않기로 함

(자료 7) 거래사례 현황

기호	소재지	면적(㎡)	지목	이용상황	용도지역	도로교통	형상지세	거래단가(원/㎡)	거래시점
가	B구 C동 30	780	공장용지	공업용	일반공업	소로한면	사다리평지	1,600,000	2013.2.18.
나	B구 D동 55	950	공장용지	공업용	일반공업	소로각지	세장형평지	2,400,000	2015.5.6.

※ 1) 기호 가)는 인근지역의 기존공장지대이고, 매수자가 양도소득세를 부담하는 조건으로 거래된 사례로 조사되며, 2013.2.18. ~ 2024.7.1.의 공업지역 지가변동률은 38.456%임
2) 기호 나)는 인근지역의 기존공장지대이고, 특수관계인 간의 거래로서 고가로 거래된 사례로 조사되며, 2015.5.6. ~ 2024.7.1.의 공업지역 지가변동률은 20.795%임

(자료 8) 평가사례 현황

기호	소재지	면적 (㎡)	지목	이용 상황	용도 지역	도로 교통	형상 지세	보상 가액 (원/㎡)	가격 시점	평가 목적
다	B구 C동 330	880	공장 용지	공업용	일반 공업	소로 한면	사다리 평지	2,600,000	2021. 12.25.	협의 보상
라	D구 F동 100	1,100	공장 용지	공업용	일반 공업	소로 한면	세장형 평지	1,400,000	2022. 5.30.	협의 보상
마	E구 G동 180	1,050	공장 용지	공업용	일반 공업	소로 한면	사다리 평지	1,800,000	2022. 7.25.	담보

※ 1) 기호 다)는 인근지역의 기존공장지대로 ○○산업단지 재생사업지구 기반시설 공사에 편입되어 협의보상이 완료된 사례이고, 2021.12.25. ~ 2024.7.1.의 공업지역 지가변동률은 3.456%임
2) 기호 라)는 동일수급권 유사지역의 기존 공장지대로 ○○관리소 건설공사에 편입되어 협의보상이 완료된 사례이고, 해당 공익사업의 시행에 따른 가격의 변동이 반영되어 있지 않다고 인정되며, 2022.5.30. ~ 2024.7.1.의 공업지역 지가변동률은 2.495%임
3) 기호 마)는 동일수급권 유사지역의 기존공장지대에 위치하며, 담보목적의 평가사례로서 2022.7.25. ~ 2024.7.1.의 공업지역 지가변동률은 2.793%임

(자료 9) 가치형성요인 비교자료

- 지역요인 격차율
  비교표준지가 있는 지역의 표준적인 획지의 최유효이용과 사례가 있는 지역의 표준적인 획지의 최유효이용을 판정하여 비교함. B구 C동(비교표준지 소재)은 D구 F동(사례 소재)과 지역요인을 비교하였을 때 가로의 계통 및 연속성 등에서 5% 정도 우세하며, 산업도로 등과의 접근의 용이성에서 20% 정도 우세한 것으로 나타남. 그 외 지역 간 지역요인은 상호 대등한 것으로 판단됨

- 개별 요인 격차율

토지 용도		주거용	상업업무	주상복합	공업용
	주거용	1.00	1.43	1.20	0.98
	상업업무	0.70	1.00	0.84	0.69
	주상복합	0.83	1.19	1.00	0.82
	공업용	1.02	1.46	1.22	1.00

형상		정방형	(가로·세로) 장방형	사다리형	부정형
	정방형	1.00	1.00	0.98	0.95
	(가로·세로) 장방형	1.00	1.00	0.98	0.95
	사다리형	1.02	1.02	1.00	0.97
	부정형	1.05	1.05	1.03	1.00

도로 접면		중로한면	중로각지	소로한면	소로각지	세로(가)	세각(가)
	중로한면	1.00	1.06	0.89	0.94	0.84	0.88
	중로각지	0.94	1.00	0.84	0.88	0.79	0.83
	소로한면	1.12	1.19	1.00	1.05	0.94	0.99
	소로각지	1.07	1.14	0.95	1.00	0.90	0.94
	세로(가)	1.19	1.27	1.06	1.12	1.00	1.05
	세각(가)	1.13	1.21	1.01	1.06	0.95	1.00

주) 격차율 자료를 이용한 요인 비교치 산정은 상승식을 적용할 것

(자료 10) 건물 재조달원가 자료

- 재생사업지구 인근에 대상건물과 유사하게 신축예정인 공장건물이 있다. 아래의 "공장건물 신축개요"와 "자본환원표"를 참고하여 산정한 재조달원가를 대상건물의 재조달원가로 적용할 것

- 공장건물 신축개요

구분		내용	비고
도급금액		630,000,000원	
건축연면적		700㎡	
건축구조		철골조 철골지붕틀 샌드위치판넬잇기	
건축공사계약일 및 공사기간		2024.7.1.부터 1년간	
도급금액 지급일정	계약금	계약 시 도급금액의 10%	소유자는 잔금을 준공시점에 건물을 담보로 대출받아 지급할 예정임
	중도금	6개월 후 도급금액의 20%	
	잔금	준공시점에 도급금액의 70%	
대출조건		대출이율 연 5.0%, 10년간 매월 원리금균등분할상환	
시장조건		시장이자율 연 6.0%	
상환계획		대출을 받고 4년 후의 시점에 미상환잔액을 일시에 상환하려고 함	

- 자본환원표

  □ 이자율 연 5.0%

기간(월)	일시불 내가계수	연금 내가계수	감채기금 계수	일시불 현가계수	연금 현가계수	저당상수
6개월	1.025262	6.062848	0.164939	0.975361	5.913463	0.169106
12개월	1.051162	12.278855	0.081441	0.951328	11.681222	0.085607
48개월	1.220895	53.014885	0.018863	0.819071	43.422956	0.023029
60개월	1.283359	68.006083	0.014705	0.779205	52.990706	0.018871
72개월	1.349018	83.764259	0.011938	0.741280	62.092777	0.016105
120개월	1.647009	155.282279	0.006440	0.607161	94.281350	0.010607

  □ 이자율 연 6.0%

기간(월)	일시불 내가계수	연금 내가계수	감채기금 계수	일시불 현가계수	연금 현가계수	저당상수
6개월	1.030378	6.075502	0.164595	0.970518	5.896384	0.169595
12개월	1.061678	12.335562	0.081066	0.941905	11.618932	0.086066
48개월	1.270489	54.097832	0.018485	0.787098	42.580318	0.023485
60개월	1.348850	69.770031	0.014333	0.741372	51.725561	0.019333
72개월	1.432044	86.408856	0.011573	0.698302	60.339514	0.016573
120개월	1.819397	163.879347	0.006102	0.549633	90.073453	0.011102

(자료 11) 건물의 감가수정 자료

- 대상건물의 감가수정액은 아래의 내용을 모두 참작하여 적용할 것

- 대상건물에 대하여 시간의 경과, 노후화 등에 따른 물리적 감가수정은 정액법을 적용하고, 경과연수는 연단위로 산정하며, 잔가율 등은 고려하지 아니함

- 대상건물은 건축 당시 층고가 낮게 설계되어 정상적인 임대료 대비 월임대료는 50원/㎡ 낮은 실정이다. 이러한 문제에 관하여 조임대료승수(GRM : Gross Rent Multiplier)를 활용하여 감가수정액을 산정하며, GRM은 12를 적용하기로 함

- 대상건물은 인접한 혐오시설에 기인한 악취 등으로 인하여 정상적인 임대료 대비 월임대료는 100원/㎡ 낮은 실정이다. 이 문제로 인한 임대료손실액 중 건물부분이 20%를 차지하는 것으로 판단된다. 환원율은 연 6%를 적용하기로 함

(자료 12) 기타 사항

1. 공시지가변동률 산정 시 백분율로서 소수점 셋째자리에서 반올림하여 둘째자리까지 표시함
2. 지가변동률 산정 시 백분율로서 소수점 넷째자리에서 반올림하여 셋째자리까지 표시함
3. 지역요인비교치 및 개별요인비교치는 소수점 넷째자리에서 반올림하여 셋째자리까지 표시함
4. 그 밖의 요인 보정치는 표준지 기준 산정방식을 적용할 것
5. 대상토지의 결정단가는 백원단위에서 반올림하여 천원단위까지 표시함
6. 대상건물의 재조달원가 및 감가수정액 등은 백원단위에서 절사하여 천원단위까지 표시함

Question 02 상업용부동산의 감정평가에 대하여 주어진 자료를 바탕으로 물음에 답하시오. 30점

(1) 시산가액 조정기준(reconciliation criteria)을 설명하고, 이와 관련지어 본건 시산가액 조정을 통한 감정평가액 결정의 적정성에 대한 의견을 기술하시오. 10점

(2) 주어진 자료상 본건에 적용한 환원율이 부적정할 가능성이 있는 사유에 대하여 설명하고, 제시된 자료 외에 추가적으로 부적정한 원인이 될 수 있는 사유를 기술하시오. 10점

(3) 인근지역의 시장상황에 비추어 적정하다고 판단되는 환원율을 산출하고, 이를 기초로 산출된 수익방식에 의한 시산가액이 대상부동산의 적정한 감정평가액(시장가치)일 경우 본건 건물의 유효잔존내용연수를 구하시오(내용연수 만료 시 잔존가치와 철거비는 없음). 10점

(자료) 감정평가 요약

1. 기본적 사항
   - 소재지 : S시 S구 B동 157
   - 토지 : 3종일반주거지역, 대, 500㎡
   - 건물 : 연와조 슬래브지붕, 지하1층 지상2층, 연면적 900㎡, 사용승인일 1994.7.13.
   - 평가목적 : 일반거래(시가참고)
   - 기준시점 : 2024.7.13.
   - 기준가치 : 시장가치

2. 인근지역 및 본건 개황
   1) 인근지역 개황
      - 본건의 인근지역은 S시 부도심 서측의 N로(중로)에 접하고 있는 노선상가지대로, 최근 개통된 터널로 S시 부도심의 간선도로와 동서로 연결되었음
      - 인근지역의 부동산은 그동안 낮은 상업성으로 인해 저밀도로 이용되고 있었는데, 터널의 개통과 함께 경과연수가 오래된 건물들부터 철거 후 신축 또는 대수선을 수반한 증축이 일어나고 있어 지역의 변모와 함께 부동산 거래량이 증가하는 양상을 나타내고 있음
      - 인근지역 시장조사 결과, 유사부동산에 대한 투자수익률은 8.00%이고 순임료(NOI)와 부동산가격이 매년 3.00% 상승할 것으로 예상됨

2) 대상 부동산 개황
- 본건 토지는 N로에 북측으로 접하고 있는 가장형 평지임
- 본건 건물은 30년 경과된 지하1층 지상2층 연와조 슬래브지붕으로, 신축 후 양호한 관리 및 소매판매점 용도에 비추어 시간의 경과에 따른 감가 외에 기능적 감가는 없는 것으로 판단됨

3. 원가방식에 의한 시산가액 산출

1) 토지가치의 산출
- 공시지가기준법에 의한 토지가치 : @18,000,000원/㎡
- 거래사례비교법에 의한 토지가치 : @18,200,000원/㎡
- 거래사례비교법에 의하여 충분히 지지되는 공시지가기준법에 의한 토지가치로 결정
- @18,000,000원/㎡ × 500㎡ = 9,000,000,000원

2) 건물가치의 산출
- 재조달원가 : @1,500,000원/㎡(표준건축비에 따른 적정한 수준)
- 감가수정(정액법) : @1,500,000원/㎡ × 30년/ 45년 = @1,000,000원/㎡
- 건물가치 : (@1,500,000원/㎡ - @1,000,000원/㎡) × 900㎡ = 450,000,000원

3) 원가방식에 의한 시산가액
토지가치 : 9,000,000,000원
건물가치 : 450,000,000원
합계 : 9,450,000,000원

4. 수익방식에 의한 시산가액 산출

1) 계약임대료 : @42,500원/㎡, 월(순임료)

2) 계약내용 : 본건 부동산 전체를 할인마트에 장기임대 중으로 최근에 시장임대료 수준으로 계약임대료를 갱신하였는바, 잔존 임대차기간은 7년임

3) 순영업소득 : @42,500원/㎡ × 900㎡ × 12 = 459,000,000원

4) 환원율의 산출

매매사례	매매가격(원)	순영업소득(원) (NOI)	환원율 (Ro)	토지가격(원)	건물가격(원)
1	8,500,000,000	488,000,000	5.74%	5,400,000,000	3,100,000,000
2	5,300,000,000	300,000,000	5.66%	3,200,000,000	2,100,000,000
3	14,000,000,000	798,000,000	5.70%	8,700,000,000	5,300,000,000

※ 상기 매매사례는 모두 3종일반주거지역에 속하고 매매가격, 토지 및 건물가격, 순영업소득 등은 모두 정상적인 최근 사례임

최근 본건 인근에 소재하는 상기 매매사례의 매매가격과 순영업소득을 기초로 산출된 환원율이 유사한 수준을 나타내고 있어 신뢰성이 있다고 판단되어 본건 평가에 적용할 환원율을 5.70%로 결정함

5) 수익방식에 의한 시산가액
459,000,000 / 5.70% ≒ 8,052,000,000원

5. 시산가액의 조정 및 감정평가액 결정
- 원가방식에 의한 시산가액은 거래사례비교법에 의하여 충분히 지지되는 공시지가기준법에 의하여 산출된 시산가액에 정액법에 의하여 감가수정한 건물가치를 합산하여 산출하였음
- 수익방식에 의한 시산가액은 최근 시장임대료 수준으로 갱신된 계약임대료를 기초로 산출된 순영업소득에 인근의 정상적인 매매사례의 순영업소득과 매매가격에 기초하여 산출된 환원율 5.66% ~ 5.74%를 고려하여 환원율 5.70%를 적용하여 산출하였음
- 이와 같이 원가방식 및 수익방식에 적용한 자료 등이 모두 기준시점 현재 인근의 시장상황을 반영하고 있는바, 각 감정평가방식에 특별한 문제가 없는것으로 판단됨
- 따라서 양 시산가액의 평균액을 최종 감정평가액 8,751,000,000원으로 결정함

도시개발사업이 시행 중인 구역 내의 토지 기호(1) 및 기호(2)에 대하여 해당 '토지대장'과 '환지확정처분조서'에 근거하여 〈자료 1〉과 같이 정리하였다. 〈자료 2〉의 가격자료를 참고하여 다음 물음에 답하시오. 20점

(1) 청산금이 정산(교부 또는 납부)된 상태를 전제로 기호(1) 및 기호(2) 토지의 과도 또는 부족면적을 판정하여 사정면적을 확정하고, 청산금의 정산 상태를 고려한 현재의 가격을 각각 추정하여 면적의 차이를 분석하시오. 10점

(2) 청산금이 미정산된 상태를 전제로 기호(1) 및 기호(2) 토지의 과도 또는 부족면적을 판정하여 사정면적을 확정하고, 청산금의 미정산 상태를 고려한 현재의 가격을 각각 추정하여 면적의 차이를 분석하시오. 10점

(자료 1) 토지의 상황

구분	종전토지(토지대장기준)				종후의 환지예정지				과도면적 (m²)	부족면적 (m²)
	소재지	지번	지목	면적 (m²)	BL	LT	관리면적 (m²)	환지면적 (m²)		
기호(1)	A시 B동	10번지	전	600	35	13	420	460	–	–
기호(2)	A시 B동	20번지	답	1,200	35	14	840	800	–	–

(자료 2) 가격자료

1. A시 B동에서 기호(1) 및 기호(2)와 유사한 지목 '전'과 '답' 등의 농경지 가격은 100,000원/m² 수준에 형성되어 있다.

2. A시 B동에서 도시개발사업이 기 완료된 기호(1) 및 기호(2)와 유사한 환지된 토지의 가격은 200,000원/m² 수준에 형성되어 있다.

3. 본 도시개발사업과 관련한 교부 또는 납부(징수) 청산금의 단위면적당 가격은 도시개발사업 완료 후 가격과 유사한 200,000원/m² 수준이다.

4. 현재의 시점은 사업의 종료가 임박한 추상적 시점으로 시점차이에 대한 보정의 필요성은 없는 것으로 조사되고, 기호(1)과 기호(2)의 소유자는 상이하여 상계처리대상이 아니다.

Question 04

영업권에 대하여 "대상기업이 같은 업종의 다른 기업과 비교하여 초과수익을 확보할 수 있는 능력으로서 경제적 가치가 있다고 인정되는 권리"로 정의할 때, 영업권이 존재하기 위한 초과수익과 관련된 다음 물음에 답하시오. 10점

(1) 영업권이 존재하기 위한 초과수익이 갖추어야 할 요건을 나열하시오. 5점

(2) 초과수익을 "현재수익에서 정상수익을 차감한 값"으로 정의할 때, 정상수익(또는 정상수익률)을 산정하는 제반 방법을 기술하시오. 5점

2025년 감정평가사 제36회

※ 공통유의사항
1. 각 문제는 해답 산정 시 산식과 도출과정을 반드시 기재
2. 단가는 개별 문제에서 제시하는 바에 따름
3. 그 밖의 요인 보정치는 소수점 셋째자리 이하 절사

01 감정평가사 甲은 고객으로부터 건축공사가 중단된 부동산과 관련한 감정평가 및 관련 자문을 의뢰받았다. 관련 법규와 이론에 따라, 제시된 자료를 활용하여 다음 물음에 답하시오. 40점

(1) 〈자료 1~10〉을 활용하여 대상부동산에 대한 현재 상태대로의 적정 매수가격 (2025.07.12. 시점)과 개발을 완료할 경우의 적정 매수가격 (2026.07.12. 시점)을 제시하시오. 20점

(2) 개발을 완료할 경우의 적정 수익가격을 구하시오. 10점

(3) 주어진 자료에 따른 향후 시장동향을 기술하고, 이에 따른 수익성지수(PI), 내부수익률(IRR), 순현재가치(NPV)의 변화를 해당 구조식(산식)을 활용하여 설명하시오. 10점

(자료 1) 기본적 사항 확정

1. 기준가치 : 시장가치

2. 기준시점
    1) 2025.07.12.(현재시점)
    2) 2026.07.12.(개발완료시점)

3. 대상부동산의 개요
    1) 토지

소재지	지목	면적 (m²)	용도지역	이용상황	도로접면	형상지세	주위환경
K시 H구 A동 100	대	1,000	일반상업	업무용	광대한면	가장형 평지	업무지대

2) 건물 : 지하3층, 지상7층으로 설계된 건물로, 현재 지하층 공사는 완료되었으나 지상층은 5층까지 주요구조부 공사 중 중단상태임

소재지	구조	층	면적(㎡)	용도
K시 H구 A동 100	철근콘크리트조 슬래브지붕	지상 1~7층	각층 800	업무용
		지하 1~3층	각층 800	주차장, 창고

4. 표준지, 거래사례, 평가선례, 임대사례의 선정은 가장 비교성이 높은 것 하나만 선정하기로 함

(자료 2) 공사중단 건물과 관련한 조사자료

1. 기성공사 내역

(단위 : 천원)

구분	설계안		기성공사	
	공사비	구성비(%)	공사비	공정률(%)
01. 가설공사	1,000,000	6.25	800,000	80
02. 기초 및 토공사	400,000	2.50	400,000	100
03. 철근콘크리트공사	2,800,000	17.50	2,240,000	80
04. 조적공사	200,000	1.25	160,000	80
05. 방수공사	400,000	2.50	320,000	80
06. 미장공사	600,000	3.75	180,000	30
07. 타일공사	600,000	3.75	180,000	30
08. 창호공사	1,800,000	11.25	540,000	30
09. 유리공사	400,000	2.50	120,000	30
10. 도장공사	2,000,000	12.50	600,000	30
11. 수장공사	1,600,000	10.00	480,000	30
12. 기타공사	600,000	3.75	480,000	80
소계	12,400,000	(77.50)	6,500,000	(52.41)
제경비	2,600,000	16.25	2,080,000	80
건축공사비 합계	15,000,000	(93.75)	8,580,000	(57.20)
설계비	240,000	1.50	240,000	100
감리비	160,000	1.00	80,000	50
전기기본설비비	600,000	3.75	600,000	100
총 공사비 합계	16,000,000	100	9,500,000	(59.37)

주) 동 공사비 내역서는 적정한 것으로 판단되어 2025년 7월 12일자 재조달원가로 적용할 수 있으며, 건축공사비와 공정률은 층별로 동일(기초공사 및 토공사는 공통 비용)한 것으로 가정함

2. 공사중단에 따른 감가비용 등 관련 조사자료

기성공사 중 공사중단에 따른 일부 물리적, 기능적 감가에 따른 비용은 기성 건축공사비의 5% 정도로 추정되며 이는 적정한 것으로 조사되었고 건축허가사항과의 상이점 및 구조안전진단 결과 등에서 문제점이 발견되지는 않았으며, 이 경우 토지에 대한 별도 감가는 불필요함

(자료 3) 향후 개발방안 관련 조사자료

1. 기존 건축물 추가공사 방안

1년이 소요되는 추가공사를 진행할 경우의 공사완료시점 재조달원가는 원자재비 및 금리 인상 등의 시장여건 변화를 반영하되, 설계안을 기준하여 미성 건축공사비의 20% 증가요인으로 보정하는 것이 적정한 것으로 조사되었고, 정상적인 사용승인을 득하는데도 문제가 없을 것으로 조사됨

2. 기존 건축물 철거 후 신축방안

매수인이 부담할 철거비용은 기성 건축공사비의 10%가 적정한 수준이며, 신축시 신자재 및 신공법 도입으로 총 공사기간은 1년으로 동일하나, 총 공사비는 설계안 대비 25% 증가요인이 있고 이는 적정한 것으로 조사되었고, 정상적인 사용승인을 득하는데도 문제가 없을 것으로 조사됨

(자료 4) 표준지공시지가 자료

1. 표준지공시지가

(공시기준일 : 2025.1.1.)

기호	소재지	지목	면적(m²)	이용상황	용도지역	도로접면	형상지세	공시지가(원/m²)
1	H구 A동 88	대	1,000	업무용	근린상업	광대세각	정방형 평지	6,600,000
2	H구 A동 102	대	750	업무용	일반상업 근린상업	광대한면	부정형 평지	6,000,000
3	H구 A동 147	대	900	상업용	일반상업	중로한면	정방형 평지	4,500,000
4	H구 A동 180	대	1,200	업무용	중심상업	광대소각	정방형 평지	10,000,000
5	H구 A동 196	대	900	업무용	일반상업	광대소각	정방형 평지	7,000,000

2. 표준지 조사자료

기호 3 표준지는 위치를 확인한 바 후면 상업지대 토지였음

(자료 5) 평가선례 자료(평가목적 : 일반거래(시가참고용))

기호	소재지	지목	면적 (㎡)	용도 지역	이용 상황	도로 접면	형상 지세	기준시점	토지단가 (원/㎡)
a	H구 A동 123	대	1,500	일반 상업	업무용	광대 한면	세장형 평지	2024.01.01.	8,500,000
b	H구 A동 188	대	1,300	일반 상업	상업용	광대 한면	가장형 평지	2023.01.01.	8,000,000
c	H구 A동 215	대	950	중심 상업	업무용	광대 한면	세장형 평지	2021.01.01.	9,000,000

(자료 6) 거래사례 자료

1. 거래사례

기호	소재지	지목	면적 (㎡)	용도 지역	이용 상황	도로 접면	형상 지세	거래시점	토지단가 (원/㎡)
가	H구 A동 87	대	290	일반상업	업무용	중로 한면	정방형 평지	2024.01.01.	5,550,000
나	H구 A동 125	대	3,000	일반상업 3종일주	업무용	광대 한면	세장형 평지	2025.01.01.	8,500,000
다	H구 A동 190	대	2,000	일반상업	업무용	광대 한면	가장형 평지	2023.01.01.	8,000,000
라	H구 A동 220	대	950	일반상업	업무용	광대 한면	세장형 평지	2021.01.01.	9,000,000
마	H구 A동 363	대	1,160	일반상업	업무용	광대 한면	가장형 평지	2025.01.01.	8,500,000

2. 거래사례 조사자료
    1) 기호 가 거래사례는 위치를 확인한 바 후면 상업지대 토지였음
    2) 기호 다 거래사례는 등기사항전부증명서를 확인한 바 미등재상태였음

(자료 7) 시점수정 자료 : 지가변동률(K시 H구)

(단위 : %)

구분	주거지역	상업지역
2021.01.01.~2025.06.30.(누계)	2.624	2.645
2022.01.01.~2025.06.30.(누계)	2.265	2.285

기간		
2023.01.01.~2025.06.30.(누계)	1.827	1.845
2024.01.01.~2025.06.30.(누계)	1.278	1.293
2025.01.01.~2025.06.30.(누계)	0.795	0.806
2025.06.01.~2025.06.30.	0.000	0.000

주) 2025년 7월 이후 지가변동률은 미고시 되었음

(자료 8) 토지 지역요인

대상, 표준지, 평가선례 및 거래사례는 인근지역에 소재하여 지역요인은 대등함

(자료 9) 토지 개별요인

1. 가로조건(각지인 경우 가로조건에서 반영하기로 함)

구분	광대한면	광대소각	광대세각	중로한면	중로각지	소로한면	소로각지
광대한면	1.00	1.09	1.05	0.95	0.99	0.85	0.89
광대소각	0.92	1.00	0.96	0.87	0.91	0.78	0.82
광대세각	0.95	1.04	1.00	0.90	0.94	0.81	0.85
중로한면	1.05	1.15	1.11	1.00	1.04	0.89	0.94
중로각지	1.01	1.10	1.06	0.96	1.00	0.86	0.90
소로한면	1.18	1.28	1.24	1.12	1.16	1.00	1.05
소로각지	1.12	1.22	1.18	1.07	1.11	0.96	1.00

2. 획지조건

구분	정방형	가장형	세장형	사다리형	부정형
정방형	1.00	1.00	0.98	0.95	0.92
가장형	1.00	1.00	0.98	0.95	0.92
세장형	1.02	1.02	1.00	0.97	0.94
사다리형	1.05	1.05	1.03	1.00	0.97
부정형	1.09	1.09	1.07	1.03	1.00

(자료 10) 기타 사항

1. 제시된 이외의 조건은 동일한 것으로 가정함
2. 지역요인비교치 및 개별요인비교치는 소수점 넷째자리에서 반올림하여 셋째자리까지 표시함

3. 그 밖의 요인 보정치는 표준지 기준 산정방식을 적용하고 소수점 셋째자리 이하는 절사함
4. 대상토지의 결정단가는 백원단위에서 반올림하여 천원단위까지 표시함

(자료 11) 업무용빌딩 수익 관련자료

1. 업무용빌딩 소득수익률(K시 H구)

구분	2024.3분기	2024.4분기	2025.1분기	2025.2분기
소득수익률(%)	3.4	3.3	3.2	3.2

주) 소득수익률 = $\dfrac{NOI}{V_0}$ (NOI : 순영업소득, V_0 : 분기초 자산가액)

2. 업무용빌딩 영업경비율(K시 H구)

구분	2024.3분기	2024.4분기	2025.1분기	2025.2분기
영업경비율(%)	48	49	50	50

3. 임대사례 자료

구분	대상물건	임대사례 1	임대사례 2	임대사례 3	임대사례 4
소재지	H구 A동	H구 A동	H구 A동	H구 B동	H구 B동
오피스 권역	KG서부 권역	KG서부 권역	KG서부 권역	KG서부 권역	KG동부 권역
용도지역	일반상업	일반상업	일반상업	일반상업	일반상업
층(지상/지하)	7F/B3	18F/B3	9F/B3	8F/B3	25F/B6
구조	철근 콘크리트	철골철근 콘크리트	철근 콘크리트	철근 콘크리트	철골철근 콘크리트
건물연면적(㎡)	8,000	45,000	8,500	9,000	59,000
토지면적(㎡)	1,000	3,300	1,260	1,200	3,200
사용승인(년)	2026.7.12.	2020.7.12.	2010.7.12.	2025.7.12.	2015.7.12.
연간실질임대료 (원/㎡)	-	221,000	185,000	213,000	252,000
임대(계약)시점	2026.7.12.	2025.7.12.	2025.7.12.	2025.7.12.	2025.7.12.

주) 임대면적은 건물연면적으로 계약함

4. 임대료지수

구분	2025.7.12.	2026.7.12.
임대료지수	100	98

5. 지역 및 개별요인 통합비교치

구분	대상	임대사례			
		1	2	3	4
평점	100	102	98	98	102

6. 대상부동산의 순영업소득(NOI) 등과 관련하여 전문AI프로그램에 가격자료와 관련 자료를 제시하고 계량분석을 실시한 결과 다음 결과를 얻었음

   1) 인근지역 업무시설의 최근 5년간 시계열 임대사례를 이용하여 대상부동산 순영업소득을 종속변수와 다수의 설명변수로 구축한 모형의 설명력은 0.306(R^2 : 수정된 결정계수)이고, 모형과 설명변수들의 F값과 t값의 유의확률이 유의수준보다 커서 추정된 모형이 유의하다는 가설을 기각하였음

   2) 인근지역 업무시설의 최근 5년간 시계열 임대사례를 이용하여 구축한 임대료변동률 추정모형의 설명력은 0.825(R^2 : 수정된 결정계수)이고, 모형과 독립변수의 F값과 t값의 유의확률이 유의수준보다 작아 추정된 모형이 유의하다는 가설을 채택하였으나 이를 장기간의 추이로 보기에는 어려움이 있다는 심사 감정평가사의 의견이 있었음

   $$\hat{g_t} = -0.002 g_{t-1} + 5.125$$

   ($\hat{g_t}$: t시점의 임대료변동률 추정치, g_{t-1} : $t-1$기의 임대료변동률)

7. 자본환원표

   1) 이자율 연 4%

기간(년)	일시불 내가계수	연금 내가계수	감채기금 계수	일시불 현가계수	연금 현가계수	저당상수
1	1.040000	1.000000	1.000000	0.961538	0.961538	1.040000
5	1.216653	5.416323	0.184627	0.821927	4.451822	0.224627

   2) 이자율 연 5%

기간(년)	일시불 내가계수	연금 내가계수	감채기금 계수	일시불 현가계수	연금 현가계수	저당상수
1	1.050000	1.000000	1.000000	0.952381	0.952381	1.050000
5	1.276282	5.525631	0.180975	0.783526	4.329477	0.230975

8. 기타 사항

   소득수익률과 영업경비율은 2025.2분기 이후 변동이 없다고 봄

Question 02 감정평가사 甲은 상품 판매업을 하는 개인기업 A의 법인전환에 따른 영업권 감정평가를 의뢰받았다. 관련 법규 및 이론을 참고하고, 제시된 자료를 활용하여 다음 물음에 답하시오. 30점

(1) 대상기업 A의 영업관련 기업가치를 평가하시오. 20점
(2) 대상기업 A의 영업권 가치를 평가하시오. 10점

(자료 1) 대상기업 개요

상호	A	대표자	乙
개업일	2017.01.01.	사업의 종류	도매업, 소매업
종목	전자상거래업, 소매업	주요상품	각종 액세서리 등

(자료 2) 주요 가정

1. 대상기업의 특성 및 시장상황 등을 고려하여 고속성장기는 5년(1기~5기)이고, 6기부터는 안정성장기로 가정함. 안정성장기의 영구성장률은 0%를 적용하며, 5기와 동일한 현금흐름이 지속되는 것으로 가정함(단, 고속성장기 1기는 2025.01.01.~2025.12.31.임).
2. 대상기업의 결산일은 매년 말일이며, 현금흐름은 편의상 기말에 발생하는 것으로 가정함
3. 대상기업의 현금흐름 추정시 비영업용 자산에 의한 수익, 비용은 제외된 것으로 가정함

(자료 3) 재무상태표 및 손익계산서(2024.12.31. 현재)

1. 재무상태표

(단위 : 원)

과목	금액	
자산		
I. 유동자산		178,000,000
(1) 당좌자산		118,000,000
현금 및 현금성 자산	18,000,000	
매출채권	80,000,000	
선급비용	20,000,000	
(2) 재고자산		60,000,000
상품	60,000,000	
II. 비유동자산		159,000,000
(1) 투자자산		8,000,000
매도가능증권	8,000,000	
(2) 유형자산		151,000,000
토지	100,000,000	
차량운반구	60,000,000	
감가상각누계액	(10,000,000)	
비품	5,000,000	
감가상각누계액	(4,000,000)	
(3) 무형자산		
(4) 기타 비유동자산		
자산총계		337,000,000
부채		
I. 유동부채		155,000,000
매입채무	70,000,000	
미지급금	36,000,000	
예수금	31,000,000	
단기차입금	18,000,000	
II. 비유동부채		62,000,000
장기차입금	62,000,000	
부채총계		217,000,000
자본		
I. 자본금		120,000,000
자본금	120,000,000	
자본총계		120,000,000
부채 및 자본 총계		337,000,000

2. 손익계산서

(단위 : 원)

과목	금액	
Ⅰ. 매출액		1,000,000,000
상품매출	1,000,000,000	
Ⅱ. 매출원가		600,000,000
기초상품재고액	50,000,000	
당기상품매입액	610,000,000	
기말상품재고액	60,000,000	
Ⅲ. 매출총이익		400,000,000
Ⅳ. 판매비와 관리비		176,000,000
직원급여	75,000,000	
상여금	12,000,000	
퇴직급여	8,000,000	
복리후생비	14,000,000	
여비교통비	5,000,000	
접대비	7,000,000	
통신비	1,000,000	
세금과공과금	11,000,000	
감가상각비	10,000,000	
보험료	4,000,000	
차량유지비	8,000,000	
운반비	3,000,000	
소모품비	10,000,000	
지급수수료	8,000,000	
Ⅴ. 영업이익		224,000,000
Ⅵ. 영업외 수익		2,000,000
잡이익	2,000,000	
Ⅶ. 영업외 비용		1,000,000
잡손실	1,000,000	
Ⅷ. 소득세차감전 이익		225,000,000

(자료 4) 매출액 및 매출원가 관련 자료

1. 매출액은 고속성장기에서는 과거 3년간의 매년 상승률 추세가 지속될 것으로 예측되며, 안정성장기에는 상승률 0%로 가정함. 상승률은 백분율로 소수점 첫째자리에서 반올림하고, 매출액은 십만원 단위에서 반올림함

(단위 : 원)

구분	2021년	2022년	2023년
매출액	915,141,600	942,595,900	970,873,800

2. 매출원가는 2024년의 매출원가율과 동일한 매출원가율을 적용하여 추정함

(자료 5) 판매비와 관리비, 임차료, 대표자 급여(자가 노력비) 관련 자료

1. 판매비와 관리비는 2024년의 판매비와 관리비 비율과 동일한 비율을 적용하여 추정하되, 판매비와 관리비 비율에는 임차료가 포함되고, 대표자 급여(자가 노력비)는 포함되지 아니함
2. 대상기업은 특수관계자의 건물을 임차해서 영업에 사용하고 있어 임차료를 지급하지 않고 있으며, 적정한 임대차 조건은 2024.12.31. 현재 매월 임차료 2,000,000원과 보증금 20,000,000원으로 조사되었음
3. 乙은 실질적으로 영업활동에 기여하고 있으며, 관리자급 직원의 급여 수준은 2024.12.31. 현재 연간 70,000,000원이고, 고속성장기 동안 매년 1,000,000원씩 증가됨

(자료 6) 자본적 지출 관련 자료

감가상각비와 동일한 금액이 자본적 지출로 재투자되는 것으로 가정함

(자료 7) 세금 관련 자료

1. 계산의 편의상 지방소득세를 포함하여 소득세율은 33%, 법인세율은 22%를 적용함 (단, 누진세율은 적용하지 아니함)
2. 세금 계산시 제시된 자료 외의 감면 등은 없는 것으로 가정함

(자료 8) 추가운전자본 관련 자료

1. 추가운전자본은 운전자본소요율을 이용하여 산정함

$$\text{운전자본소요율} = \frac{1}{\text{매출채권회전율}} + \frac{1}{\text{재고자산회전율}} - \frac{1}{\text{매입채무회전율}}$$

추가운전자본 = 매출액 증가분 × 운전자본소요율

2. 운전자본소요율 계산 자료

구분	매출채권회전율	재고자산회전율	매입채무회전율
회	10	10	20

(자료 9) 할인율 관련 자료

1. 할인율은 가중평균자본비용(WACC)을 사용하며, 백분율로 소수점 둘째자리에서 반올림함
2. 대상기업의 자본구조는 제시된 2024.12.31. 현재의 재무상태표를 기준으로 결정함
3. 자기자본비용은 자본자산가격결정모형(CAPM : Capital Asset Pricing Model)에 의하여 결정하며, 무위험자산의 수익률(Rf)은 국고채 수익률 등을 고려하여 4.0%, 시장의 기대수익률(E(Rm))은 10.0%를 적용함
4. β계수는 유사업종에 속한 기업들의 β계수 등을 고려하여 1.1로 결정함
5. 대상기업의 규모 등을 고려한 위험프리미엄은 7.4%임
6. 타인자본비용 결정시 차입이자율은 시장의 대출금리 등을 종합적으로 고려하여 8.2%를 적용함
7. 고속성장기와 안정성장기의 가중평균자본비용(WACC)은 동일하다고 가정함

(자료 10) 재무상태표 관련 자료

1. 재무상태표상 비영업용 항목은 매도가능증권임
2. 토지는 2017년에 취득한 영업 관련 자산으로, 현재가치(시가) 산정을 위해 감정평가한 결과는 160,000,000원임
3. 그 외 자산, 부채는 장부가액과 시가와의 차이가 없음

(자료 11) 기타 사항

1. 기준시점 : 2025.01.01.
2. 영업권은 대상기업의 영업관련 기업가치에서 영업투하자본을 차감하는 방법으로 평가할 것
3. 영업관련 기업가치는 십만원 단위에서 반올림할 것

감정평가사 甲은 법원으로부터 피고가 시행한 도시계획시설사업(이하 "공익사업"이라 함)에 편입된 토지에 대하여 원고의 환매권 상실로 인한 손해액을 증명하기 위한 감정평가를 의뢰받았다. 관련 법규 및 이론을 참고하고, 제시된 자료를 활용하여 다음 물음에 답하시오. 20점

(1) 환매권 상실 당시를 기준으로 한 목적물의 감정평가액을 구하시오. 10점
(2) 손해액 산정을 위한 인근 유사 토지의 지가변동률을 구하시오. 10점

(자료 1) 감정평가 대상의 확정

일련번호	소재지	지번	면적(㎡)	비고
1	A시 B구 C동	100	700	토지
2	A시 B구 C동	200	900	토지

(자료 2) 법원 제시 기준일자

일련번호	소유권 상실일	환매권 발생일	환매권 상실일
1	2008.12.29.	2013.12.29.	2014.12.29.
2	2016.06.17.	2021.06.17.	2022.06.17.

(자료 3) 토지의 개황

1. 소유권 상실일 당시

일련번호	소재지	지번	지목	이용상황	용도지역	형상지세	도로접면
1	A시 B구 C동	100	전	주거기타	자연녹지	사다리형 평지	세로(가)
2	A시 B구 C동	200	전	주거나지	2종일주	가장형 평지	소로한면

2. 환매권 발생일 및 환매권 상실일 당시

일련번호	소재지	지번	지목	이용상황	용도지역	형상지세	도로접면
1	A시 B구 C동	100	전	주거기타	자연녹지	부정형 평지	소로한면
2	A시 B구 C동	200	전	주거나지	2종일주	부정형 평지	중로한면

3. 당해 공익사업으로 인해 토지 등의 가격이 변동된 것으로 조사됨

(자료 4) 표준지공시지가

1. 인근 표준지공시지가 특성항목

기호	소재지	지목	면적(㎡)	이용상황	용도지역	형상지세	도로접면
1	A시 B구 C동 60	전	700	전	자연녹지	부정형 평지	맹지
2	A시 B구 C동 80	전	500	전	자연녹지	부정형 평지	세로(가)
3	A시 B구 C동 120	전	400	주거기타	자연녹지	부정형 평지	세로(가)
4	A시 B구 C동 140	전	600	주거기타	자연녹지	부정형 평지	소로한면
5	A시 B구 C동 160	전	700	주거나지	2종일주	부정형 완경사	세로(불)
6	A시 B구 C동 180	전	600	주거나지	3종일주	가장형 평지	세로(가)
7	A시 B구 C동 220	전	900	주거기타	2종일주	부정형 평지	세로(가)
8	A시 B구 C동 240	전	800	주거나지	2종일주	부정형 평지	소로한면

주1) 기호 2, 4, 6, 8 표준지공시지가는 당해 공익사업에 따른 가격변동이 있는 것으로 조사됨
주2) 기호 1, 3, 5, 7 표준지공시지가는 당해 공익사업과 직접 관계가 없는 것으로 조사됨
주3) 기호 1, 2 표준지공시지가는 2013년, 기호 5, 8 표준지공시지가는 2021년 신규표준지임

2. 인근 표준지공시지가의 연도별 공시가격

1) 자연녹지지역 표준지공시지가

(원/㎡)

기호	소재지	2007.01.01.	2008.01.01.	2009.01.01.	2013.01.01.	2014.01.01.	2015.01.01.
1	A시 B구 C동 60	–	–	–	70,000	75,000	85,000
2	A시 B구 C동 80	–	–	–	45,000	50,000	55,000
3	A시 B구 C동 120	42,000	44,000	44,000	50,000	55,000	60,000
4	A시 B구 C동 140	100,000	102,000	102,000	110,000	115,000	120,000

2) 주거지역 표준지공시지가

(원/㎡)

기호	소재지	2015.01.01.	2016.01.01.	2017.01.01.	2021.01.01.	2022.01.01.	2023.01.01.
5	A시 B구 C동 160	–	–	–	450,000	460,000	460,000
6	A시 B구 C동 180	167,000	174,000	175,000	240,000	250,000	230,000
7	A시 B구 C동 220	143,000	146,000	147,000	185,000	189,000	173,000
8	A시 B구 C동 240	–	–	–	310,000	320,000	300,000

(자료 5) 지가변동률(A시 B구)

기간	지가변동률(%)	
	녹지지역	주거지역
2013.01.01.~2013.12.29.	6.00	5.00
2013.01.01.~2014.12.29.	10.00	8.00
2014.01.01.~2014.12.29.	4.00	3.00
2021.01.01.~2021.06.17.	5.00	4.00
2021.01.01.~2022.06.17.	8.00	6.00
2022.01.01.~2022.06.17.	3.00	2.00

(자료 6) 지역요인, 개별요인 및 그 밖의 요인

1. 본건 토지와 기호 1~8 표준지공시지가는 인근지역에 위치하므로 지역요인 대등함

2. 개별요인 및 그 밖의 요인 비교

구분	표준지 1	표준지 2	표준지 3	표준지 4	표준지 5	표준지 6	표준지 7	표준지 8
개별요인	1.150	1.100	1.050	1.050	1.150	1.080	1.050	1.050
그 밖의 요인	2.00	2.00	2.00	2.00	3.00	3.00	3.00	3.00

주1) 개별요인과 관련된 수치(=평가대상÷표준지)는 평가대상과 각각의 표준지를 비교하여 산정된 결과임
주2) 그 밖의 요인과 관련된 수치는 "표준지 기준 산정방식"에 의해 산정된 결과임
주3) 개별요인 및 그 밖의 요인과 관련된 수치는 본건 일련번호 1, 2 토지에 동일하게 적용됨

(자료 7) 기타

1. 윤년은 고려치 않음
2. 인근 표준지공시지가의 특성항목은 연도에 따른 변동은 없음
3. 법원 확인 결과 일련번호 "1" 토지는 2008.12.29.에, 일련번호 "2" 토지는 2016.06.17.에 협의취득에 따른 매매대금이 지급되었고, 같은 날 소유권이전등기를 마침
4. 가격조사완료일 : 2025.07.12.
5. 산정단가는 백원 단위에서 반올림함
6. 인근 유사 토지의 지가변동률은 %로 표시하되 소수점 첫째자리에서 반올림함
   (예 : 11.4% 상승 → 11% 상승, 11.6% 상승 → 12% 상승)
7. 상기자료 등은 법원, 감정평가사, 원고, 피고가 모두 확인하고 동의한 사항임

감정평가사 甲은 법원으로부터 유연분묘가 소재하는 토지에 대한 경매평가를 의뢰받았다. 현장조사 결과 봉분 등이 외부에서 분묘의 존재로 인식될 수 있는 형태임을 확인하였고, 시신의 안장 여부 역시 확인된 경우 다음 물음에 답하시오. 10점

(1) 타인의 토지 위에 있는 유연분묘에 "분묘기지권"이 성립될 수 있는 요건을 3가지만 설명하시오. 5점

(2) "분묘기지권"이 성립되어 토지에 영향을 미치는 경우 유연분묘가 소재하는 토지의 감정평가방법을 설명하시오. 5점

박문각 감정평가사

유도은 S+감정평가실무연습
2차 | 기출문제 1권 문제편

제14판 인쇄 2025. 10. 15. | **제14판 발행** 2025. 10. 20. | **편저자** 유도은
발행인 박 용 | **발행처** (주)박문각출판 | **등록** 2015년 4월 29일 제2019-0000137호
주소 06654 서울시 서초구 효령로 283 서경 B/D 4층 | **팩스** (02)584-2927
전화 교재 문의 (02)6466-7202

이 책의 무단 전재 또는 복제 행위를 금합니다.

정가 48,000원
ISBN 979-11-7519-182-2(1권)
ISBN 979-11-7519-181-5(세트)

저자와의
협의하에
인지생략

MEMO